D1499512

retrouver l'enfant en soi

JOHN BRADSHAW

retrouver l'enfant en soi

PARTEZ À LA DÉCOUVERTE DE VOTRE ENFANT INTÉRIEUR

Traduit de l'américain
par
Céline Sinclair

ÉDITION DU CLUB QUÉBEC LOISIRS INC.

Dépôt légal - Bibliothèque nationale du Québec, 1992
ISBN 2-89430-044-1
(publié précédemment sous ISBN 2-8904-4449-X

À l'enfant blessé qui vit à l'intérieur de ma mère, Norma.
À ma sœur Barbara et à mon frère Richard. Nos gamins intérieurs savent mieux que personne ce que nous avons vécu.

À mon fils John et à ma belle-fille Brenda. Qu'ils me pardonnent de leur avoir transmis mes propres blessures.

REMERCIEMENTS

Au Tout-Puissant, qui me comble de ses bienfaits et de sa grâce.

À Eric Berne, Robert et Mary Goulding, Alice Miller, Erik Erikson, Lawrence Kohlberg, David Elkind, Rudolf Dreikurs, Fritz Perls et Jean Piaget, qui m'ont fait comprendre comment l'enfant intérieur se développe et de quelle manière il peut être blessé.

À Carl Jung, Robert Bly et Edith Sullwold, qui m'ont permis de découvrir l'enfant doué.

À Wayne Kritsberg, Claudia Black, Sharon Wegscheider-Cruse, Jane Middelton-Moz, Rene Fredrickson, Jean Illsley Clarke, Jon et Laurie Weiss, Bob Subby, Barry et Janae Weinhold, Susan Forward, Roxy Lerner et plus particulièrement Pamela Levin, qui m'ont aidé à approfondir ma compréhension de l'enfant intérieur.

Au père David Belyea, qui m'a aimé dans mes pires moments.

À Fran Y., Mike S., Harry Mac, Bob McW., Bob P., Tommy B., Warner B. et l'adorable «Red», qui, les premiers, ont accepté mon enfant intérieur blessé.

Au révérend Michael Falls, qui m'a conduit à découvrir les prodigieux talents de mon enfant intérieur alors qu'il apprenait lui-même à connaître le sien. Nos gamins intérieurs sont de grands amis.

À Johnny Daugherty, George Pletcher, Kip Flock et Patrick Carnes, mes amis les plus chers, qui jouent souvent le rôle de père auprès de mon enfant intérieur blessé.

À Marie, notre Mère, à sœur Mary Huberta, à Virginia Satir, à ma tante Millie, à Mary Bell et à Nancy, qui ont souvent joué le rôle de mère auprès de mon petit garçon blessé.

À Sissy Davis, qui l'aime maintenant.

À Toni Burbank, pour les conseils brillants et judicieux qu'il m'a donnés lors de la préparation de ce livre. Son assistance m'était indispensable.

À Winston Laszlo ainsi qu'à tout le personnel du Bradshaw Events de Denver, et tout spécialement à Mary Lawrence, qui ont rendu possible la réalisation de l'atelier sur l'enfant intérieur.

À Karen Fertitta, mon amie et assistante attitrée, qui soigne l'anxiété de mon enfant intérieur.

À Marc Baker, à Barbara Westerman et au personnel de Life Plus, pour leur généreux engagement.

Et finalement, à cette dernière mais non la moindre, ma sœur Barbara Bradshaw, qui, à toute heure du jour et au prix de grands sacrifices personnels, a soigneusement dactylographié et redactylographié le manuscrit de ce livre. Cette amie désintéressée m'a procuré un soutien inestimable.

PROLOGUE

Je sais ce que je désire vraiment pour Noël. Je veux que mon enfance revienne. Personne ne va m'offrir ça. [...] C'est insensé, je le sais bien, mais, de toute manière, depuis quand Noël aurait-il quelque chose à voir avec le sens? La fête de Noël concerne un enfant d'ailleurs et d'autrefois, et elle concerne l'enfant de maintenant, en vous et en moi. Celui qui, derrière la porte de notre cœur, attend que quelque chose de merveilleux se passe.

ROBERT FULGHUM

Alors que je circulais parmi les participants à mon atelier, j'étais saisi par l'intensité de leurs émotions. Une centaine de personnes, réunies en groupes de six ou huit, occupaient la salle; assis côte à côte, les gens se parlaient à voix basse, chaque groupe se suffisant à lui-même. Nous n'en étions qu'à la deuxième journée de l'atelier, mais il avait déjà donné lieu à de multiples interactions et partages. Pourtant, au départ, tous ces gens n'étaient que des étrangers les uns pour les autres.

Je me suis rapproché d'un groupe. Dans un silence recueilli, les participants écoutaient un homme aux cheveux gris en train de lire la lettre que son enfant intérieur avait écrite à son père:

Cher papa,
Je veux que tu saches tout le mal que tu m'as fait. Tu m'as puni plus que tu n'as passé de temps avec moi. Les coups et les blessures, j'aurais pu les supporter si seulement tu avais passé du temps avec moi. Jamais je ne pourrai t'exprimer à quel point j'avais soif de ton amour. Si seulement tu avais joué avec moi ou si tu m'avais emmené au base-ball. Si seulement tu m'avais dit que tu m'aimais. Je voulais que tu t'occupes de moi...

La lecture de sa lettre terminée, il a enfoui son visage dans ses mains. Une femme d'un certain âge installée près de lui s'est mise à lui caresser tendrement les cheveux; un jeune homme s'est avancé pour lui prendre la main. Un autre lui a demandé s'il pouvait le serrer dans ses bras; l'homme à la chevelure argentée a fait signe que oui.

Dans un autre groupe, les gens étaient assis par terre, les bras autour de la taille ou des épaules de leurs voisins. Une élégante septuagénaire lisait sa lettre:

> Maman, tu étais trop absorbée par tes œuvres de charité. Tu n'as jamais eu le temps de me dire que tu m'aimais. Tu faisais attention à moi seulement lorsque j'étais malade ou que je jouais du piano, parce qu'à ce moment-là, *toi,* tu étais fière. Tu ne me permettais d'éprouver que les sentiments qui te faisaient plaisir. En fait, j'avais de l'importance seulement quand je te plaisais. Jamais tu ne m'as aimée pour *la personne que j'étais.* Je me sentais si seule...

La voix étranglée, elle s'est mise à pleurer. Son apparente maîtrise d'elle-même, une façade soigneusement édifiée pendant soixante-dix ans, commençait à céder sous l'effet de ses larmes. Une adolescente l'a prise dans ses bras. Un jeune homme a vanté son courage et lui a dit que c'était bien de pleurer.

Je me suis dirigé vers un autre groupe. Un participant aveugle dans la mi-trentaine lisait sa lettre rédigée en braille:

> Je te haïssais parce que tu avais honte de moi. Quand tu recevais tes amis, tu m'enfermais dans le garage. Je n'avais jamais assez à manger. J'avais tellement faim. Je savais que tu me détestais parce qu'à tes yeux je n'étais qu'un fardeau. Chaque fois que je tombais, tu riais et me tournais en ridicule...

À ce moment-là, j'ai ressenti un *impérieux besoin* de m'éloigner. Un vieux fond de colère grondait en mon propre enfant intérieur blessé; j'en aurais crié de rage et d'indignation. La tristesse et la solitude de l'enfance devenaient accablantes. Comment pourrions-nous jamais nous remettre d'une telle souffrance?

Néanmoins, vers la fin de la journée, l'ambiance était à la paix et à la joie. Les participants étaient tous assis; certains se tenaient par la main et la plupart d'entre eux souriaient. Les uns après les autres, ils sont venus me remercier de les avoir aidés à renouer avec leur enfant intérieur blessé. Un banquier ayant manifesté ouvertement de la réticence au début de l'atelier est venu me dire qu'il avait pleuré et que cela ne lui était pas arrivé depuis quarante ans. Parce qu'il avait été cruellement battu par son père lorsqu'il était jeune, cet homme s'était juré de ne jamais montrer sa vulnérabilité ni ses sentiments. Et voilà que maintenant il parlait d'apprendre à s'occuper du petit garçon esseulé enfoui en lui; le visage radouci, il paraissait plus jeune.

En commençant l'atelier, j'avais insisté pour que les participants laissent tomber leur masque et renoncent à toute dissimulation. Je leur avais expliqué que, même s'ils le gardaient caché, l'enfant blessé qu'ils portaient en eux contaminait leur vie par des accès de colère, des réactions démesurées, des problèmes de dépendance, des difficultés d'ordre conjugal, des rapports parents-enfants empoisonnés et des relations amoureuses malsaines, voire pénibles.

J'avais sûrement touché une corde sensible puisqu'ils avaient fortement réagi. Leurs visages étaient à présent ouverts et souriants. En les voyant, je me sentais à la fois ému et reconnaissant. Nous étions en 1983 et j'ignorais que, au cours des années suivantes, j'allais être de plus en plus fasciné par le pouvoir de guérison de l'enfant intérieur.

Le travail avec l'enfant intérieur comporte trois aspects particulièrement frappants: la rapidité avec laquelle les individus se transforment lorsqu'ils font ce travail, la profondeur de leur transformation ainsi que la vigueur et la créativité qui en résultent une fois les anciennes blessures guéries.

J'ai commencé mon travail avec l'enfant intérieur voilà plus d'une douzaine d'années, en proposant à certains de mes clients en thérapie une technique de méditation plutôt empirique, qui ne tarderait cependant pas à produire des résultats spectaculaires. En effet, quand ces personnes entraient pour la première fois en rapport avec leur enfant intérieur, elles vivaient souvent une expérience accablante et éclataient parfois en sanglots. Plus tard, elles me disaient des choses comme celles-ci: «Toute ma vie, j'ai attendu que quelqu'un me retrouve»; «Cela me donne le sentiment d'un retour aux sources»; «Ma vie n'est plus du tout la même depuis que j'ai retrouvé mon enfant».

Ce sont de telles réactions qui m'ont poussé à concevoir un atelier dans le cadre duquel je pourrais aider hommes et femmes à retrouver et à intégrer leur enfant intérieur. Et si cet atelier s'est enrichi au fil des ans, c'est surtout grâce au dialogue constant que j'ai pu entretenir avec ceux et celles qui y ont participé. Ce travail est sans conteste le plus émouvant que j'aie jamais fait.

L'objectif ultime de l'atelier était d'aider les participants à en finir avec leur souffrance morale refoulée depuis l'enfance — souffrance causée par l'abandon, par les mauvais traitements sous toutes leurs formes, par les besoins de dépendance demeurés inassouvis à différents stades du développement — et à se dégager des filets d'un système familial dysfonctionnel. (Plus loin, je traiterai chacun de ces thèmes en détail.)

En atelier, nous passons la majeure partie du temps à exprimer la douleur causée par le fait que nos besoins de dépendance ont été négligés aux divers stades de notre développement. Cette démarche est également le principal sujet abordé dans le présent ouvrage. Si j'en juge par mon expérience, l'approche basée sur l'évolution de l'enfant s'avère la plus profonde et la plus efficace qui soit pour guérir nos blessures affectives. Je crois que cette focalisation sur la guérison des blessures subies à chacun des stades du développement infantile est propre à mon atelier.

Au cours de l'atelier, je décris les besoins de dépendance normaux chez l'enfant. Je souligne que si de tels besoins vitaux n'ont pas été satisfaits, l'adolescent risque d'aborder l'âge adulte en portant un enfant blessé à l'intérieur de lui-même. J'explique que nous ne serions pas devenus des «adultes enfants» si, dans notre plus jeune âge, nos besoins de cette nature avaient été comblés.

Après chaque présentation d'un aperçu des besoins propres à un certain stade de développement, j'invite les participants à se réunir en petits groupes. Chacun[1] reçoit à son tour toute l'attention du groupe et écoute les paroles réconfortantes qu'il aurait eu besoin d'entendre lorsqu'il n'était qu'un nourrisson, un bambin, un enfant d'âge préscolaire, et ainsi de suite.

Tout en respectant les limites personnelles du participant qui est devenu le sujet central, les autres membres du groupe le caressent, l'encouragent et reconnaissent l'existence de sa souffrance d'enfant. Quand les autres membres du groupe lui disent les paroles qu'il avait vainement espéré entendre durant son enfance, il se met habituelle-

1. Dans le présent livre, le masculin renvoie aux personnes des deux sexes. J'ai choisi cette forme pour préserver la cohérence grammaticale, et non par insensibilité. Partout où j'ai cru bon de citer en exemple le cas d'une personne, je me suis basé sur une expérience que j'avais vécue soit dans ma vie privée soit dans ma vie professionnelle. Dans les présentations de cas, les détails ont été modifiés par respect pour les limites personnelles des gens concernés et pour éviter qu'ils ne soient reconnus.

ment à pleurer, doucement ou intensément: l'ancienne souffrance gelée commence à fondre. À la fin de l'atelier, chaque participant aura exprimé son chagrin, ne serait-ce qu'un peu, tout dépendant du point où il en était rendu dans son processus de guérison. Car si certains se présentent à l'atelier après avoir fait un long travail sur eux-mêmes, d'autres n'en sont qu'à leur première expérience dans ce domaine.

Vers la fin de l'atelier, je propose une méditation qui permet de renouer avec son enfant intérieur. À ce moment-là, de nombreuses personnes éprouvent une intense libération émotionnelle. Lorsque les participants quittent l'atelier, je les encourage à se réserver chaque jour un moment pour entretenir un dialogue avec leur enfant intérieur.

Sitôt qu'un individu a apprivoisé et nourri spirituellement son enfant intérieur blessé, l'énergie créatrice de son merveilleux enfant naturel commence à émerger. Une fois intégré, l'enfant intérieur devient la source d'une régénération salutaire et d'une vitalité nouvelle. Quant à l'enfant naturel, Carl Jung l'appelait «l'enfant doué»: il correspond à cette partie de nous-mêmes qui recèle, en puissance, nos dons innés pour la découverte, l'émerveillement et la création.

L'atelier m'a convaincu que le travail avec l'enfant intérieur est le plus rapide et le plus puissant moyen de susciter des changements d'ordre thérapeutique. Cet effet quasi immédiat n'en finit pas de m'étonner.

Auparavant, tous les genres de guérison rapide me laissaient sceptique, mais il m'est apparu que ce travail déclenchait un processus de transformation durable. Les participants qui m'écrivaient un an ou deux après leur expérience déclaraient très souvent que l'atelier avait changé leur vie. J'étais satisfait mais quelque peu désorienté. Je ne savais vraiment pas pourquoi l'exploration de l'enfant intérieur avait autant d'effet sur certaines personnes et si peu sur d'autres. Alors que je cherchais une explication à ce phénomène, une image a lentement commencé à prendre forme.

Je me suis d'abord tourné vers le travail d'Eric Berne, le génie créateur de l'analyse transactionnelle. La théorie de l'analyse transactionnelle met l'accent sur l'«État Enfantin de l'ego», qui renvoie à l'enfant naturel spontané que nous avons tous été un jour. En outre, l'analyse transactionnelle décrit comment, très tôt, l'enfant naturel *s'est adapté* aux pressions et au stress de la vie familiale.

L'enfant naturel ou doué est présent lorsque vous rencontrez un vieil ami; quand vous riez de bon cœur; quand vous êtes créatif et spontané; quand vous vous émerveillez devant un paysage grandiose.

L'enfant adapté ou blessé est présent quand vous refusez de passer à un feu rouge alors qu'il est de toute évidence bloqué, ou lorsque, pensant vous en tirer à bon compte, vous en grillez un parce que personne ne vous voit faire. Se laisser dominer par la colère, être excessivement poli ou obéissant, s'exprimer avec une petite voix enfantine, manipuler ou bouder sont aussi des comportements typiques de l'enfant blessé. Dans le premier chapitre, je donnerai un aperçu des différentes manières dont l'enfant blessé contamine notre vie adulte.

Bien que pendant plusieurs années l'analyse transactionnelle ait été pour moi un modèle fondamental en thérapie, cela ne m'avait jamais amené à centrer mes recherches sur les différents stades de développement que l'enfant intérieur traverse afin de s'adapter pour survivre. Or, je crois maintenant que le manque de détails concernant le développement de l'enfant est une importante lacune dans la quasi-totalité des travaux relatifs à l'analyse transactionnelle. L'évolution de notre enfant doué peut être stoppée à tout moment, dès le début. Devenus adultes, nous pouvons agir de manière puérile; régresser et nous comporter comme des bambins; continuer de croire à la magie comme les tout-petits à l'école maternelle; aller bouder dans notre coin comme des enfants de première année qui viennent de perdre au jeu. Tous ces comportements sont infantiles et témoignent de différents degrés de blocage dans l'évolution de l'enfant. C'est pourquoi le principal objectif de ce livre est de vous aider à apprivoiser votre enfant intérieur blessé *à chacun des stades de son développement.*

Plus tard, mon travail a été influencé par l'hypnothérapeute Milton Erickson. Celui-ci affirmait que chaque être humain possède sa propre et unique carte du monde, un système inconscient de croyances profondes, lequel constitue une sorte de transe hypnotique. En me servant de l'hypnose à la manière d'Erickson, j'ai découvert des moyens naturels d'accéder à la transe dans laquelle mes clients *étaient déjà plongés,* puis j'ai appris à utiliser cette transe pour les aider à changer et à se développer. Jusqu'à ce que je commence à composer avec l'enfant intérieur blessé, une chose importante m'échappait encore: le fait que c'est lui qui élabore le système de croyances profondes et que, par conséquent, en régressant jusqu'à vivre la transe de notre enfant intérieur, il nous devient possible de changer nos croyances *directement et rapidement.*

Grâce au thérapeute Ron Kurtz, j'ai compris plus profondément la dynamique du travail avec l'enfant intérieur. La méthode de Kurtz, appelée «la thérapie Haikomi», se concentre directement sur nos fibres profondes, c'est-à-dire sur *la façon dont notre expérience intérieure s'est organisée*. Composées de nos tout premiers sentiments, souvenirs et croyances, nos fibres profondes se sont formées, au cours de l'enfance, en réaction aux stress provenant de notre environnement. Cette matière première est illogique et primitive; elle correspond à tout ce que l'enfant — vulnérable, dépendant, soumis à la pensée magique et inconscient de ses limites — possédait comme bagage de survie.

Une fois constituées, nos fibres profondes deviennent un filtre à travers lequel toute nouvelle expérience doit passer. Cela explique pourquoi, dans leur vie amoureuse, certaines personnes choisissent continuellement le même genre de relations destructrices; pourquoi d'autres font de leur existence un enchaînement de traumatismes récurrents; et pourquoi la plupart d'entre nous sommes incapables de tirer une leçon de nos erreurs.

Freud nommait ce besoin de répéter certaines expériences passées «la compulsion de répétition». La grande thérapeute contemporaine Alice Miller l'appelle «la logique de l'absurdité». La logique interne de ce besoin nous apparaît sitôt que nous saisissons comment nos fibres profondes agissent sur notre perception de la vie. Pour mieux comprendre cela, imaginez que vous portez des verres fumés: quelle que soit la luminosité du soleil, ses rayons sont tous filtrés de la même manière. Si vos lentilles sont vertes, le monde vous semble vert; si elles sont brunes, il est certain que vous ne percevez pas très bien les couleurs vives.

De toute évidence, si nous désirons nous transformer, nous devons donc modifier nos fibres profondes. Puisque, à l'origine, c'est notre enfant intérieur qui a organisé notre expérience, le fait d'entrer en relation avec lui nous offre la possibilité de transformer immédiatement cette matière première.

Le travail avec l'enfant intérieur est une nouvelle et importante ressource thérapeutique qui diffère grandement de la thérapie telle qu'elle fut autrefois pratiquée. Freud a été le premier à comprendre que nos névroses et nos troubles de personnalité sont causés par des conflits non résolus au cours de l'enfance et qui se répètent durant toute notre vie. Il a tenté de soigner l'enfant blessé en créant des conditions sécurisantes qui étaient censées favoriser son émergence et lui permettre, grâce au phénomène du transfert sur l'analyste, de combler ses besoins inassouvis. Par la suite, avec l'aide du thérapeute investi du rôle de «nouveau parent», l'enfant intérieur blessé devait être en mesure de terminer sa besogne inachevée pour aboutir, finalement, à la guérison.

La méthode freudienne exigeait un énorme investissement de temps et d'argent; en outre, elle instaurait souvent une dépendance malsaine du patient vis-à-vis de son thérapeute. Une de mes clientes, qui était venue me consulter après avoir fait dix ans de psychanalyse, continuait — même pendant que je travaillais avec elle — de téléphoner à son analyste deux ou trois fois par semaine pour lui demander son avis sur les questions les plus anodines. L'analyste était vraiment devenu le bon parent de son enfant intérieur. Cependant, il favorisait très peu sa croissance. Elle était lamentablement dépendante de lui. Un apport réellement fécond du thérapeute aurait aidé cette femme à se réapproprier ses forces d'adulte et à les utiliser pour faire grandir son enfant intérieur.

Tout au long de ce livre, je vous proposerai une nouvelle façon d'accéder à votre enfant intérieur afin que vous puissiez l'apprivoiser et favoriser sa croissance. *Vous vous devez d'accomplir le travail suggéré* si vous désirez parvenir à un changement. *La décision d'accomplir cette démarche n'appartient qu'à l'adulte ancré en vous.* Même lorsque vous vous sentirez petit comme l'enfant que vous avez été un jour, votre moi adulte saura toujours exactement où vous en êtes et ce que vous faites. Votre enfant intérieur éprouvera les choses de la manière dont vous les avez éprouvées durant l'enfance, mais cette fois-ci, votre moi adulte sera là pour le protéger et le supporter pendant qu'il terminera sa besogne inachevée.

Ce livre comporte quatre parties. Dans la première partie, nous examinerons comment votre enfant doué a perdu ses dons et comment les blessures que vous avez subies au cours de l'enfance contaminent aujourd'hui encore votre vie.

La deuxième partie vous ramènera à l'enfance, à chacun des stades de votre développement, et vous révélera ce dont vous aviez besoin pour effectuer votre croissance d'une manière saine. Chaque chapitre inclut un questionnaire qui vous permettra de déterminer si les besoins de votre enfant intérieur ont été comblés ou non à un stade précis. Ensuite, pour vous aider à retrouver votre enfant à chacune des étapes de son évolution, je vous amènerai à vivre certaines expériences que j'utilise dans mon atelier.

La troisième partie présente des exercices correctifs particuliers qui faciliteront la croissance et l'épanouissement de votre enfant intérieur; vous y apprendrez comment amener sainement d'autres adultes à satisfaire certains de ses besoins; vous y découvrirez d'excellents moyens de le protéger tandis que vous travaillerez sur le problème de l'intimité dans vos relations amoureuses. Cette partie vous expliquera aussi comment *vous* pouvez devenir le parent attentif que vous n'avez jamais eu durant votre enfance. Car quand vous aurez appris à être votre propre parent, vous ne chercherez plus à boucler la boucle du passé en essayant d'amener les autres à se comporter envers vous comme des parents.

La quatrième partie vous révélera de quelle manière l'enfant doué émerge une fois que l'enfant intérieur blessé est guéri. Vous apprendrez comment accéder à votre enfant doué et vous verrez qu'il représente la plus puissante source de création et de transformation présente en vous. L'enfant doué, c'est cette partie de vous-même qui ressemble le plus au Créateur; il est apte à vous guider vers une relation intime et immédiate avec votre moi unique et avec Dieu, quelle que soit votre conception de Dieu. Il apporte la guérison la plus profonde qui soit, celle qui a été promise par les grands maîtres de toutes les religions.

Tout au long du parcours, je raconte également ma propre histoire. Lorsque j'ai entamé cette démarche, voilà maintenant douze ans, je n'aurais jamais pu imaginer à quel point la découverte de mon propre enfant intérieur allait transformer ma façon de penser et mon comportement. Avant de faire cette découverte, je minimisais les répercussions de mon enfance sur ma vie adulte et j'étais pris dans les filets d'une compulsion me poussant à idéaliser et à protéger mes parents, ma mère en particulier. Enfant, je me disais très souvent: «Quand je serai grand et que je pourrai partir loin d'ici, tout ira très bien.» Mais à mesure que les années passaient, je me rendais compte que les choses étaient loin de s'améliorer: au contraire, elles s'aggravaient. Je pouvais le voir chez les autres membres de ma famille, et ce beaucoup plus clairement que je ne le voyais en moi-même. Dix ans après avoir vaincu mon alcoolisme, je découvrais que j'étais encore compulsif et dominé par des forces que je ne contrôlais pas.

Par un jeudi après-midi pluvieux, j'ai fait l'expérience de ce que Alice Miller a raconté au sujet de son propre enfant intérieur: «Je ne pouvais me résoudre à laisser l'enfant seul. [...] Je pris une décision qui allait profondément changer ma vie: je résolus de laisser l'enfant me guider.» Ce jour-là, j'ai décidé de retrouver mon enfant intérieur et de prendre résolument son parti. J'ai découvert qu'il était effrayé, terrorisé même. Au départ, il a fait preuve d'une grande méfiance envers moi et a refusé de m'accompagner. Aussi ai-je dû persister, m'efforçant de lui parler, l'assurant que je ne le quitterais pas; c'est seulement à ce prix que j'ai commencé à gagner sa confiance. Dans ce livre, je décris les étapes du voyage qui a fait de moi le gardien et le défenseur de mon enfant intérieur. Ce voyage a changé ma vie.

PARABOLE

La double tragédie de René Duretour
(Inspiré d'une nouvelle de P. D. Ouspensky)

Il était une fois un homme qui s'appelait René Duretour. Il vécut une existence douloureuse et tragique, mourut insatisfait et s'en alla au royaume des ténèbres.

S'apercevant que le nouveau venu était un adulte enfant, le Maître des Ténèbres pressentit qu'en lui offrant une chance de revivre sa vie il pourrait enrichir l'obscurité. Car, voyez-vous, le Maître avait pour mission de perpétuer les ténèbres — et même de les épaissir autant qu'il le pouvait. Néanmoins, il avisa tout de même René que, sans aucun doute, il *referait exactement les mêmes erreurs et revivrait exactement la même tragédie qu'auparavant.*

Le Maître des Ténèbres donna donc à René une semaine pour décider de son avenir.

Après mûre réflexion, René en arriva à la conclusion que, de toute évidence, le Maître des Ténèbres lui tendait un piège. «Bien sûr que je vais répéter les mêmes erreurs, se disait-il, puisque je ne me rappellerai plus du tout ce que j'ai subi au cours de ma vie précédente! Ainsi privé de mémoire, je n'aurai aucun moyen de les éviter!»

Lorsque finalement il comparut de nouveau devant le Maître des Ténèbres, René déclina son offre.

Comme il connaissait le «secret» de l'enfant intérieur blessé, le Maître des Ténèbres ne se trouva nullement démonté par le refus de René. Il lui annonça que, par une mesure d'exception, il lui donnerait la faculté de se rappeler toute sa vie antérieure. Cependant, le Maître des Ténèbres savait parfaitement que, même doté d'une telle mémoire, René commettrait *encore* exactement les mêmes erreurs et devrait endurer sa douloureuse existence une fois de plus.

René rigolait tout bas. «En fin de compte, jubilait-il, j'ai vraiment de la chance!» Il ignorait tout du secret de l'enfant intérieur blessé.

C'était écrit dans le ciel; malgré sa grande capacité à prévoir dans le menu détail toutes les catastrophes qu'il avait provoquées autrefois, René revécut la même douloureuse et tragique existence. Le Maître des Ténèbres en fut ravi!

PREMIÈRE PARTIE

Le problème de l'enfant intérieur blessé

La connaissance a illuminé les chambres oubliées dans la maison secrète de la prime enfance. Dès lors, j'ai su pourquoi, même chez moi, j'éprouvais cette nostalgie du foyer.

G. K. CHESTERTON

INTRODUCTION

Buckminster Fuller, l'un des plus personnages les plus créatifs de notre époque, aimait citer ce poème de Christopher Morley sur l'enfance:

Le plus grand poème qu'on ait jamais connu
C'est celui dont tous les poètes se sont détachés en grandissant:
La poésie innée, jamais dévoilée
De n'avoir que quatre ans.

Assez jeune encore pour faire partie
Du grand cœur fougueux de la nature,
Né pour être l'ami de l'oiseau, de la bête et de l'arbre
Et aussi libre de contrainte que l'abeille

Et pourtant déjà doué d'une raison charmante
Chaque jour plein d'un nouveau paradis à bâtir
Fervent explorateur de chaque sens,
Sans désarroi, sans prétention!

Dans tes yeux immaculés et transparents
Nulle conscience, nul étonnement:
Les énigmes biscornues de la vie tu acceptes,
Ton étrange divinité toujours préservée
[...].

Et la vie, qui met tout en rimes,
Pourrait bien te faire poète, toi aussi, à la longue
Mais il fut un temps, ô elfe tendre,
Où tu étais la poésie même!

Qu'est-il advenu de ces merveilleux commencements, lorsque, tous, nous étions «la poésie même»? Comment tous ces elfes tendres sont-ils devenus des assassins, des toxicomanes, des brutes, des agresseurs sexuels, d'impitoyables dictateurs, des politiciens véreux? Comment sont-ils devenus ces «blessés ambulants»? Dans tous les milieux, nous les rencontrons; tristes, déprimés, angoissés, ils sont aux prises avec la peur et le doute, remplis d'ardents désirs inexprimables. Ce gaspillage de notre potentiel humain est sûrement la pire des tragédies.

Plus nous comprendrons de quelle manière nous en sommes arrivés à perdre notre créativité et notre émerveillement spontanés, plus nous serons en mesure de trouver des moyens de les recouvrer. Peut-être même pourrons-nous faire quelque chose pour empêcher que, plus tard, nos enfants subissent la même perte.

CHAPITRE PREMIER

Comment l'enfant intérieur blessé contamine votre vie

La personne [...] en proie à une détresse ancienne dit des choses qui ne sont pas pertinentes, fait des choses qui se révèlent stériles, est incapable d'affronter une situation quelconque et endure de terribles émotions qui n'ont rien à voir avec le présent.

HARVEY JACKINS

Je n'aurais jamais cru que je pouvais être aussi puéril. J'avais quarante ans et je venais de me mettre en rage, de hurler à tel point que tous — ma femme, ma belle-famille et mon fils — en avaient été terrifiés. Ensuite, j'avais sauté dans ma voiture et les avais plantés là. Et voilà que je me retrouvais fin seul, assis dans un motel, au beau milieu de cette période de vacances dans l'île Padre. Je me sentais excessivement seul et honteux.

Quand j'ai essayé de remonter le cours des événements qui avaient précédé mon départ, je me suis rendu compte que je n'y comprenais plus rien. Totalement dérouté, j'avais l'impression de sortir d'un mauvais rêve. Plus que tout au monde, je désirais une vie familiale chaleureuse, empreinte d'amour et d'intimité. Mais c'était la troisième année de suite que j'explosais ainsi pendant nos vacances. Il m'était déjà arrivé de prendre la fuite, affectivement, mais jamais je n'étais parti ainsi.

Il me semblait que j'étais entré dans un état second. Ciel, que je me haïssais! Mais que m'arrivait-il donc?

Cet incident à l'île Padre est survenu en 1976, l'année suivant la mort de mon père. Depuis lors, j'ai découvert la cause de mes crises cycliques de rage/repliement, en grande partie grâce à l'indice majeur qui m'a été donné lors de cette fuite à l'île Padre. Alors que, submergé par la solitude et la honte, j'étais écroulé dans cette minable chambre de motel, de très vifs souvenirs de mon enfance ont commencé à émerger. Je me suis rappelé un soir de Noël — j'avais peut-être onze ans, à ce moment-là: couché dans le noir de ma chambre, les couvertures rabattues par-dessus la tête, je refusais de parler à mon père. Il était rentré tard, à moitié ivre, et je voulais le punir de gâcher ainsi notre Noël. Je ne pouvais pas lui exprimer verbalement ma colère, car on m'avait appris que la colère était un péché mortel, plus mortel encore lorsque cette hargne visait un parent. Au fil des années, ma colère avait couvé, aigrissant toute mon âme. Comme un chien affamé que l'on garde prisonnier dans une cave, elle était devenue vorace et hargneuse. La plupart du temps, je veillais attentivement à la contenir. J'étais un gentil garçon. J'étais le plus gentil des papas — hormis quand je n'en pouvais plus et que je devenais Yvan le Terrible.

J'ai finalement compris que mes colères, notamment celles qui se produisaient au cours des vacances, étaient *des régressions spontanées dans le temps*. Lorsque je me livrais à de tels accès de fureur et que je punissais ma famille en m'isolant, je régressais jusqu'à l'enfance, jusqu'à l'époque où j'avais dû ravaler ma colère et l'exprimer de la seule manière possible pour un enfant: en me repliant sur moi-même pour punir les autres. Devenu adulte, quand j'en avais fini de vivre retranché affectivement ou physiquement, je me sentais comme le petit garçon isolé et foncièrement honteux que j'avais été autrefois.

Ce que je saisis maintenant, c'est que lorsque le développement d'un enfant est arrêté, que ses émotions — et plus particulièrement sa colère et son chagrin — sont réprimées, celui-ci arrive à l'âge adulte en portant au-dedans de lui un enfant blessé et en colère. Or, inévitablement, cet enfant contaminera son comportement de grande personne.

À première vue, l'idée qu'un petit enfant puisse continuer de vivre dans un corps d'adulte peut sembler absurde; il n'empêche que c'est exactement cela que je soutiens. Je crois que cet enfant d'autrefois, blessé et négligé, est en grande partie à l'origine de la misère humaine. Tant que nous n'aurons pas apprivoisé cet enfant et résolument pris sa défense, il continuera de se manifester et d'empoisonner notre vie adulte.

Dans les pages qui suivent, je décrirai quelques-unes des manières dont l'enfant blessé qui vit en vous contamine et sabote votre existence de grande personne. (À la fin de ce chapitre, vous trouverez un questionnaire qui vous permettra d'évaluer la gravité des blessures infligées à votre enfant intérieur.)

LA CODÉPENDANCE

Je définis la codépendance comme un mal(aise) caractérisé par *une perte d'identité.* Être codépendant, c'est être incapable d'éprouver ses propres sentiments, besoins et désirs. Les exemples suivants illustrent bien ce malaise.

Solange écoute son petit ami lui raconter les angoisses qu'il connaît dans sa vie professionnelle. La nuit suivante, tourmentée par ses problèmes à *lui,* elle n'arrive pas à trouver le sommeil. Elle éprouve *les émotions de son ami,* mais non les siennes.

Quand, au terme d'une relation amoureuse ayant duré six mois, Daniel voit sa petite amie le quitter, il devient suicidaire. Tout cela parce qu'il n'a estimé sa valeur personnelle qu'en fonction de l'amour que son amie avait pour lui et qu'il croit maintenant avoir perdu toute valeur personnelle en même temps que cet amour. Daniel n'a aucune *conscience intime de sa propre valeur,* laquelle émane de l'intérieur de soi; son estime de lui-même est *extrinsèque,* c'est-à-dire qu'elle dépend non de lui, mais de personnes extérieures à lui.

Josée se voit proposer une sortie par son sportif de mari. Elle réagit plutôt tièdement à son offre mais finit par l'accepter. Lorsqu'il lui demande où elle désire aller, elle répond: «N'importe où, *ça m'est égal.*» Il l'emmène au casse-croûte Le Mundial puis au cinéma, voir *Le retour du meurtrier à la hache.* Ayant trouvé cette soirée exécrable du début à la fin, elle boude ensuite son mari et l'évite même pendant une semaine. Et quand il lui demande: «Qu'est-ce que tu as?», elle répond: «Rien.»

Josée est «un vrai chou». Tout le monde s'extasie devant sa gentillesse. En réalité, elle fait seulement semblant d'être une chic fille, jouant continuellement un numéro. Dans le cas de Josée, être gentille correspond à arborer un *faux* moi. Non consciente de sa propre identité, elle ne sait ni ce qu'*elle* désire vraiment ni ce dont *elle* a réellement besoin.

Roger a cinquante-deux ans. Il vient me consulter parce qu'il est encore fort perturbé par la liaison qu'il a entretenue pendant deux mois avec sa secrétaire de vingt-six ans. Roger affirme ignorer comment «une telle chose» a pu lui arriver. Il m'explique qu'il est très actif au sein de sa paroisse, qu'il est un membre très respecté du «Comité pour la sauvegarde de la moralité publique» et qu'il a livré bataille pour débarrasser sa ville de la pornographie. En fait, Roger joue la «comédie» de la religion et est tellement pris dans ce jeu qu'il n'est pas du tout conscient de ses pulsions sexuelles. Après avoir été réprimé pendant des années, son instinct sexuel avait finalement réussi à prendre le dessus au cours de cette aventure.

Gérard traite l'embonpoint de son épouse comme si ce problème était le sien. Il a considérablement restreint leur vie sociale parce qu'il est gêné de «montrer» sa femme à ses amis. Gérard ignore totalement où il finit et où sa conjointe commence. Il croit qu'on jugera de sa virilité d'après l'apparence de son épouse. Quant à Charles, son associé, il oblige sa compagne à se peser régulièrement devant lui pour s'assurer qu'elle maintient son poids. Le cas de Charles illustre également ce qu'est une personne dépourvue de conscience de soi: lui aussi est convaincu que sa virilité dépend du poids de sa maîtresse.

Isabelle Dupéré exige de son mari qu'il achète une Mercedes et insiste de surcroît pour qu'il renouvelle leur adhésion au chic club de golf Les Sommets. Pourtant, les Dupéré sont lourdement endettés; vivant dans le souci constant de leur prochain jour de paie, ils dépensent une énergie folle à déjouer leurs créanciers et à se fabriquer une image d'opulence digne du beau monde. Isabelle croit que son estime d'elle-même dépend du maintien d'une image sociale convenable: elle ne sait pas qui elle est.

Tous ces exemples montrent comment l'identité de certaines personnes peut dépendre de quelque chose d'extérieur à elles-mêmes. Ces cas illustrent la maladie de la codépendance.

La codépendance trouve son terrain le plus propice dans un système familial malsain. C'est ainsi, par exemple, que dans une famille dont l'un des membre est alcoolique, tous deviennent codépendants de celui qui souffre d'alcoolisme. Chacun s'adapte en restant chroniquement sur le qui-vive (hypervigilance) parce que les problèmes liés à l'alcool sont trop menaçants pour sa vie. Certes, la nature veut que nous soyons capables de nous adapter *temporairement* au stress, mais non pas de manière chronique. Au fil du temps, la personne qui est constamment angoissée par le comportement d'un alcoolique devient insensible à ses propres signaux internes: ses sentiments, ses besoins et ses désirs.

Afin d'être en mesure de capter leurs propres signaux internes, les enfants ont besoin de se sentir en sécurité et d'avoir sous les yeux des modèles de comportement affectif sains. Ils ont également besoin qu'on les aide à distinguer leurs pensées de leurs sentiments. Quand l'environnement familial baigne dans la violence (affective, physique, sexuelle ou causée par certaines substances chimiques), l'enfant doit se concentrer uniquement sur l'extérieur. Avec le temps, il devient incapable de se bâtir une estime de soi qui vienne de l'intérieur de lui-même. Sans une vie intérieure saine, on est réduit à l'exil, qui implique la constante recherche des gratifications à l'extérieur de soi. C'est cela, la codépendance, un symptôme de l'enfant intérieur blessé indiquant que, durant son jeune âge, les besoins de la personne concernée sont demeurés inassouvis et que, par conséquent, il lui est impossible de savoir qui elle est.

LES COMPORTEMENTS AGRESSIFS

Nous pourrions penser que tous les êtres portant en eux un enfant blessé sont gentils, calmes et patients, alors qu'en réalité, l'enfant intérieur blessé est en grande partie responsable de la violence et de la cruauté en ce monde. Hitler a été constamment battu durant son enfance; il a été humilié et insidieusement bafoué par un père sadique, qui était lui-même le fils illégitime d'un propriétaire foncier juif. Hitler a reproduit la forme la plus extrême de cette cruauté en faisant souffrir des millions d'innocents.

Cela me fait penser à Jean-Luc, l'un de mes clients. Lorsqu'il est venu me consulter pour un problème conjugal, il travaillait comme videur dans une boîte de nuit. Il m'a raconté que, durant la semaine, il avait brisé la mâchoire d'un homme. Avec véhémence, me décrivant comment cet homme l'avait exaspéré en se comportant comme un dur à cuire devant lui, Jean-Luc m'a expliqué que *l'autre l'avait forcé* à l'attaquer. Au cours de la consultation, Jean-Luc a ainsi argué de son irresponsabilité à maintes reprises: les agresseurs n'assument jamais la responsabilité de leurs actes.

Pendant que nous travaillions ensemble, il est devenu clair qu'en réalité Jean-Luc se trouvait souvent en proie à la frayeur. Dans ces moments-là, la peur qu'il ressentait ravivait le souvenir du petit garçon qu'il avait été autrefois. Son père était violent et le maltraitait physiquement. Pour le petit garçon du passé, tremblant devant la fureur brutale du père, le fait de vivre dans un moi terrifié s'avérait trop insécurisant; par conséquent, Jean-Luc s'était identifié au moi de son père, il était *devenu* son père. Quand survenait un événement apparenté aux anciennes scènes de violence, les vieux souvenirs d'impuissance et de peur remontaient à la surface, et Jean-Luc devenait le père brutal qu'il avait eu, infligeant aux autres les mêmes blessures que celui-ci lui avait infligées.

Les comportements agressifs, source majeure de destruction humaine, sont le résultat de la violence subie dans l'enfance, violence ayant engendré une souffrance et un chagrin refoulés depuis ce temps. L'enfant impuissant et blessé d'autrefois donne naissance à l'adulte agresseur d'aujourd'hui. Pour comprendre ce processus, il faut se rendre compte que maintes formes de mauvais traitements prédisposent l'enfant à devenir un agresseur, cela étant particulièrement vrai dans les cas de violence physique, d'abus sexuel et de brutalité affective grave. Le psychiatre Bruno Bettelheim a créé l'expression «s'identifier à l'agresseur» pour illustrer ce phénomène. Selon lui, la violence sexuelle, physique ou affective s'avère si terrifiante pour l'enfant qu'il ne peut conserver son propre moi lorsqu'il en est victime. Afin de survivre à la douleur, il perd tout sentiment de son identité et s'identifie plutôt à l'agresseur. Il est à noter que Bettelheim a mené ses recherches en étudiant le comportement de personnes qui avaient survécu aux camps de concentration allemands.

Lors d'un des mes plus récents ateliers, une thérapeute newyorkaise a demandé la parole, s'est présentée comme étant juive et, donnant d'horribles détails, a raconté au groupe ce que sa mère avait vécu dans un camp de concentration nazi. Cependant, le plus effrayant dans cette histoire, c'est que la mère avait traité sa fille de la même manière que les gardes nazis l'avaient elle-même traitée autrefois. Elle s'était mise à cracher sur sa fille et à l'injurier, en la traitant de «sale juive», alors que la petite avait à peine trois ans.

Les agresseurs sexuels sont peut-être encore plus destructeurs que ceux usant de la violence physique ou affective. Le plus souvent, étant jeunes, ils ont eux-mêmes été victimes de violence sexuelle. Quand ils agressent des enfants, ils reproduisent l'abus sexuel dont ils ont souffert durant leur propre enfance.

Bien que la plupart des comportements agressifs prennent racine dans l'enfance, ils ne sont pas toujours le résultat de mauvais traitements. Certains agresseurs ont été «gâtés» par des parents résignés ou trop faibles, ce qui les a conduits à se sentir *supérieurs* aux autres. Les enfants beaucoup trop dorlotés en arrivent à croire qu'ils ne font jamais rien de mal et qu'ils méritent des traitements de faveur. Persuadés que seuls les autres sont à l'origine de leurs problèmes, ils perdent finalement tout sens des responsabilités.

LES TROUBLES NARCISSIQUES

Tout enfant a besoin d'être aimé inconditionnellement, au moins durant ses toutes premières années. En partie parce que s'il ne peut voir son propre reflet dans le regard dénué de jugement de ses parents, l'enfant n'a aucun moyen de savoir qui il est. Nous avons tous d'abord été un *nous* avant de devenir un *je*, et nous avions pour ce faire besoin que nos parents nous renvoient une image complète de nous-mêmes, incluant tous les aspects de notre personnalité. Nous avions soif de savoir qu'on nous accordait de l'importance, qu'on nous prenait au sérieux et que chaque partie de nous-mêmes était acceptable, digne d'être aimée. Nous avions également besoin de sentir que nous pouvions compter sur l'amour de nos parents. Voilà en quoi consistaient nos besoins narcissiques normaux. Et lorsqu'ils n'étaient pas satisfaits, notre sentiment du «Je suis» s'en trouvait affecté.

L'enfant intérieur qui a subi des carences affectives, donc narcissiques, contamine l'adulte par un grand, un insatiable besoin d'amour, d'attention et d'affection. Les exigences de l'enfant insatisfait sabotent inévitablement les relations interpersonnelles de l'adulte, car quelle que soit l'ampleur de l'amour que ce dernier reçoit, il ne lui suffit jamais. L'adulte enfant frustré dans son narcissisme ne peut jamais être satisfait, puisque ses besoins sont ceux d'un enfant. Or, les enfants ont *continuellement besoin de leurs parents*. Ils sont démunis par nature, non par choix, et leurs besoins sont de l'ordre de la dépendance, dans le sens où leur assouvissement dépend d'autrui. Quand ces besoins restent entiers, l'individu ne peut trouver la guérison qu'en éprouvant la souffrance reliée à ses manques. Tant que cela n'est pas chose faite, l'insatiable enfant cherche voracement l'estime et l'amour qu'il n'a pu obtenir autrefois.

Les adultes enfants narcissiquement carencés traduisent leurs besoins de différentes manières:

- Ils passent d'une relation à l'autre et sont toujours déçus.
- En amour, ils recherchent toujours la personne parfaite qui répondra à tous leurs besoins.
- Ils sont dépendants. (Les différentes formes d'assuétude, ou de dépendance, dont ils souffrent, ne correspondent qu'à une tentative de combler un vide psychique. Les dépendances au sexe et à l'amour en sont d'excellents exemples.)
- Ils cherchent le sentiment de leur valeur personnelle dans l'argent et la possession de biens matériels.

- Ils deviennent des vedettes (acteurs ou athlètes) parce qu'ils ont besoin de l'adulation et de l'admiration constantes de leur public.
- Ils se servent de *leurs propres enfants* pour satisfaire leurs besoins narcissiques. (Dans leurs fantasmes, leurs enfants ne les quitteront jamais et se montreront toujours affectueux, attentifs, respectueux et admiratifs à leur égard.) Ils essaient d'obtenir de leurs enfants l'amour et l'admiration qu'ils n'ont pu recevoir de leurs propres parents.

LES PROBLÈMES DE CONFIANCE

Lorsque ses parents sont indignes de confiance, l'enfant développe une profonde méfiance. Il perçoit le monde comme un lieu dangereux, hostile et imprévisible. De ce fait, il est constamment poussé à rester sur ses gardes et à contrôler la situation. Il en arrive à croire à peu près ceci: «Si je *contrôle* tout, personne ne pourra me prendre au dépourvu.»

Une sorte de folie du contrôle émerge alors pour prendre la forme d'une véritable dépendance. C'est ainsi que l'un de mes clients avait une telle peur de «perdre le contrôle» qu'il travaillait une centaine d'heures par semaine. Il ne pouvait déléguer aucune responsabilité parce qu'il n'avait aucune confiance dans ses collaborateurs: il ne les croyait pas capables de faire correctement leur travail. Il était venu me voir au moment où sa colite ulcéreuse s'était tellement aggravée qu'il devait être hospitalisé.

Une de mes clientes était quant à elle affolée par la subite décision qu'avait prise son mari de demander le divorce. Cet homme avait «craqué» le jour où sa femme avait changé le modèle du téléphone qu'il venait de lui offrir et d'installer dans sa voiture. Il se plaignait de ce que sa femme ne trouvait jamais à son goût ce qu'il faisait pour elle. Il fallait toujours qu'elle repasse derrière lui. Autrement dit, elle n'était pas satisfaite tant qu'elle n'avait pas méticuleusement contrôlé les résultats des décisions prises par son mari.

La folie du contrôle occasionne de graves problèmes relationnels, en particulier dans le couple puisque l'intimité avec un partenaire n'ayant aucune confiance en vous est impossible. L'intimité exige en effet que chacun des partenaires accepte l'autre *précisément tel qu'il est.*

Les problèmes de confiance engendrent également des attitudes extrêmes: certains abandonnent tout contrôle et font confiance aux gens d'une manière crédule et naïve, se cramponnant à eux et leur accordant une foi démesurée; d'autres se retranchent dans l'isolement et la solitude, érigeant autour d'eux un mur de protection que nul ne saurait franchir.

Comme l'a souligné Patrick Carnes, un spécialiste des problèmes de dépendance, l'être qui n'a jamais appris à faire confiance confond intensité et intimité, obsession et attention, contrôle et sécurité.

Au cours de notre développement, notre première tâche vitale consiste à nous enraciner dans la confiance. Nous devons découvrir que l'Autre (maman, papa, le monde extérieur) est sûr et fiable, développer notre confiance en cet Autre. Cette confiance fondamentale est un sentiment profond, holiste. À partir du moment où nous pouvons avoir foi dans le monde, nous pouvons apprendre à croire en nous-mêmes, c'est-à-dire faire confiance à nos forces, à nos perceptions, à nos interprétations, à nos émotions et à nos désirs.

Les enfants apprennent la confiance par l'entremise de parents fiables. Si papa et maman sont prévisibles et cohérents avec eux-mêmes, s'ils croient en eux, l'enfant leur fera confiance et apprendra à croire en lui.

L'*ACTING OUT* ET L'*ACTING IN*

L'*acting out*

Si nous voulons saisir comment notre enfant intérieur blessé met en actes — par le phénomène de l'*acting out* — les besoins vitaux non satisfaits dans l'enfance et les traumatismes refoulés depuis lors, nous devons comprendre que *l'émotion est la principale force de motivation dans notre vie.* Les émotions agissent comme un stimulant qui nous permet de nous défendre et de chercher la satisfaction de nos besoins fondamentaux. J'aime d'ailleurs écrire le mot *É-motion* ainsi, afin de lui redonner tout son sens d'énergie en mouvement. Cette énergie s'avère essentielle.

La colère nous pousse à nous défendre; lorsque nous sommes irrités, nous prenons position et devenons des «foudres de guerre». C'est la colère qui nous conduit à protéger nos droits et à lutter pour qu'ils soient respectés.

La peur nous incite à fuir devant le danger; non seulement elle éveille notre circonspection, mais elle assure notre protection en nous signalant qu'un danger nous guette et qu'il est trop grand pour être affronté. C'est la peur qui nous pousse à nous enfuir et à nous réfugier en lieu sûr.

La tristesse amène les larmes, qui lavent notre chagrin et nous aident à résorber notre angoisse. Lorsque nous sommes tristes, nous pleurons sur nos manques et libérons une énergie utilisable dans le présent. Si cela nous est impossible, nous ne pouvons tourner la page sur laquelle se sont imprimées nos douleurs passées. Toute l'énergie émotionnelle reliée à notre angoisse ou à un traumatisme reste en suspens; inexprimée et refoulée, cette énergie cherche continuellement à se libérer par elle-même. Comme nous ne pouvons pas l'extérioriser par le biais d'une souffrance salutaire, elle se traduit par un comportement anormal. Ce phénomène est appelé «*acting out*». L'histoire de Marjolaine, une ancienne cliente, en constitue un bon exemple.

Marjolaine a vu durant toute son enfance son père, alcoolique hargneux et violent, rudoyer sa mère aussi bien verbalement que physiquement. Dès l'âge de quatre ans, elle avait appris à réconforter sa mère qui, après avoir été battue par son mari, avait coutume de venir rejoindre sa fille dans son lit. Toute tremblante et gémissante, cette mère éplorée se cramponnait alors à son enfant avec toute l'énergie du désespoir. Quelquefois, le père suivait sa femme à la trace et se remettait à crier après elle, ce qui terrifiait Marjolaine. À cet égard, il est à préciser qu'au sein d'une famille, toute forme de violence dirigée contre l'un des membres terrifie inévitablement les autres membres. *Toute personne qui est témoin d'un acte de violence est victime de cet acte de violence.*

Au cours de son enfance, Marjolaine aurait eu besoin d'exprimer sa terreur et de se libérer de sa tristesse. Mais elle n'avait personne vers qui se tourner, aucun confident pour la soutenir et l'aider à se libérer de sa souffrance inexprimée. Marjolaine a grandi en recherchant constamment des hommes ou des femmes susceptibles de jouer vis-à-vis d'elle le rôle de parent attentif. Quand elle est venue me voir, elle avait déjà connu deux mariages empreints de brutalité et plusieurs autres relations jalonnées de mauvais traitements. Et devinez quelle était sa profession? Elle faisait du counseling et s'était spécialisée dans le traitement des *femmes victimes de violence!*

Marjolaine mettait en actes le traumatisme de son enfance. Elle s'occupait de femmes maltraitées et nouait des relations avec des hommes qui la maltraitaient; par ailleurs, elle prenait soin des gens, mais personne ne prenait soin d'elle. Sa vieille énergie émotionnelle refoulée s'exprimait de la seule manière possible, c'est-à-dire par l'*acting out.*

Par le biais de l'*acting out,* ou mise en actes dont le moteur est une force inconsciente poussant à reproduire le passé, l'enfant intérieur blessé sabote notre vie d'une des manières les plus dévastatrices qui soient. L'histoire de Marjolaine illustre de façon spectaculaire cette compulsion à répéter le passé. «Peut-être que, cette fois-ci, je vais y arriver, se dit l'enfant blessée en Marjolaine. Peut-être que si j'arrive à être parfaite et que je donne à papa tout ce dont il a besoin, il m'accordera de l'importance et se montrera à la fois aimant et affectueux.» Ce raisonnement procède de la pensée magique d'un enfant, et non pas de la pensée rationnelle d'un adulte: lorsque enfin nous comprenons cela, tout s'éclaire. Voici d'autres exemples d'*acting out:*

- Infliger à d'autres la violence qu'on a subie soi-même.
- Faire ou dire à ses enfants des choses qu'on s'était juré de ne jamais faire ou dire.
- Régresser spontanément dans le temps: se laisser aller à des accès de fureur, bouder, etc.
- Se rebeller sans raison valable.
- Perpétuer des règles parentales idéalisées.

L'*acting in*

Lorsque, par un mécanisme semblable à l'*acting out,* une personne s'inflige *à elle-même* les mauvais traitements qu'elle a subis dans le passé, on peut alors dire qu'elle fait de l'*«acting in»:* elle se punit de la manière dont elle a été punie durant l'enfance. Tout comme cet homme, parmi mes connaissances, qui se fait du mal chaque fois qu'il commet une erreur. Dans ces moments-là, il s'abreuve d'injures comme celles-ci: «Espèce d'idiot! Comment peux-tu être aussi imbécile?» et va même jusqu'à se punir corporellement; à maintes reprises, je l'ai vu se frapper le visage à coups de poing (quand il était enfant, sa mère lui donnait des coups de poing dans la figure.)

Il est fréquent que l'ancienne émotion refoulée soit retournée contre le sujet lui-même. Ce phénomène et ses fâcheux effets, j'ai pu les observer chez Jean, par exemple. Étant enfant, Jean n'avait jamais été autorisé à exprimer sa colère. Il éprouvait beaucoup de ressentiment à l'égard de sa mère, qui ne le laissait jamais rien faire tout seul. Au moment précis où il s'attelait à une tâche quelconque, elle bondissait à ses côtés et déclarait: «Il faut que maman aide son petit lambin de fils», ou «Tu es plein de bonne volonté, mais laisse donc maman te donner un coup de main». Puis il était devenu adulte et sa mère avait persisté à faire beaucoup de choses à sa place. Jean avait appris à être parfaitement obéissant et on lui avait inculqué que c'était péché d'exprimer sa colère: il l'avait donc rentrée et retournée contre lui-même. Par conséquent, il se sentait déprimé, apathique, inepte et impuissant à réaliser ses ambitions.

L'énergie émotionnelle que l'on retourne contre soi-même, ce qui correspond à l'*acting in*, engendre de sérieux problèmes physiques, dont les troubles gastro-intestinaux, les céphalées, les maux de dos, les douleurs au cou, les tensions musculaires graves, l'arthrite, l'asthme, les attaques cardiaques et le cancer. Dans le même ordre d'idées, la «prédisposition» aux accidents ne constitue en fait qu'une autre forme d'*acting in*; on s'autopunit par le biais d'accidents que l'on provoque inconsciemment.

LES CROYANCES MAGIQUES

Les enfants sont imprégnés de magie, de cette magie qui consiste à croire que certains mots, gestes ou comportements ont le pouvoir de transformer la réalité. «Si tu marches sur les fissures du trottoir, ta mère ira au purgatoire», raisonnent-ils volontiers, totalement inconscients du caractère invraisemblable de leurs croyances. Or, il arrive souvent que des parents perturbés renforcent la pensée magique de leurs enfants. Si vous dites à des enfants que leurs actes sont directement responsables des sentiments de quelqu'un d'autre, par exemple, vous leur inculquez un mode de pensée magique. Songez seulement à la portée de ces quelques affirmations courantes: «Tu es en train de tuer ta mère!»; «Regarde ce que tu as fait: ta mère est dans tous ses états!»; «Es-tu content? Tu as réussi à mettre ton père en colère!» Ou à cette autre forme de renforcement magique qui réside dans le fameux «Je sais à quoi tu penses».

Je me souviens d'une cliente qui, à trente-deux ans, avait été mariée cinq fois. Comme elle était convaincue que le mariage résoudrait tous ses problèmes, la question se résumait, selon elle, à trouver le «bon» partenaire; après, tout baignerait dans l'huile. Une telle croyance est magique, car elle sous-tend qu'un événement ou une personne quelconques pourraient transformer la réalité de cette femme sans qu'elle ait quoi que ce soit à changer dans son comportement.

La pensée magique est naturelle chez l'enfant. Cependant, si ses besoins de dépendance restent insatisfaits, il ne grandit pas vraiment et devient un adulte contaminé par la pensée magique de l'enfance.

Voici d'autres croyances magiques extrêmement pernicieuses:

- Si je parviens à avoir de l'argent, je me sentirai bien.
- Si mon amoureux me quitte, j'en mourrai ou je ne m'en remettrai jamais.
- Un bout de papier (un diplôme) fera de moi quelqu'un d'intelligent.
- Si je me «force» beaucoup, tout le monde me récompensera.
- Si je sais attendre, j'obtiendrai des résultats fantastiques.

On narre aux petites filles des contes de fées pétris de magie. Cendrillon a appris qu'elle devait attendre dans la cuisine l'arrivée du garçon possédant le bon soulier! Blanche-Neige a reçu un message l'informant que son prince viendrait si elle savait l'attendre assez longtemps. Prise au pied de la lettre, cette histoire raconte aux femmes que leur destinée dépend d'un nécrophile (d'un homme aimant embrasser les morts) qui, juste au bon moment, tombera sur elles par hasard au beau milieu de la forêt. Pas très réjouissant comme tableau!

Les petits garçons aussi sont incités, par les contes de fées, à nourrir des attentes relevant d'une croyance magique. Plusieurs histoires leur transmettent un message selon lequel il existerait *une femme idéale,* qu'ils doivent chercher et trouver. Dans cette quête, l'homme doit voyager au loin, traverser de sombres forêts et vaincre des dragons aussi dangereux que terrifiants. Finalement, lorsqu'il trouvera cette femme, il *saura,* sans aucun doute, que c'est bien elle. (À la lueur de ces histoires, on comprend aisément pourquoi tant d'hommes sont si angoissés lorsqu'ils passent devant Monsieur le curé.)

Souvent, la destinée du mâle est façonnée par des potions, des aliments, des objets aux pouvoirs surnaturels parmi lesquels figurent la fève magique et l'épée miraculeuse. Il peut même devoir errer en compagnie d'une grenouille qui, s'il est capable de rassembler son courage pour l'embrasser, peut se transformer en princesse. (Les femmes ont leur propre version de cette histoire.)

Pour les femmes, la magie consiste à *attendre* l'homme idéal; pour les hommes, elle consiste à *chercher* sans cesse la femme idéale.

Je suis évidemment conscient de ce que les contes de fées relèvent du symbolisme et de la mythologie. Ils sont illogiques et leur langage est imagé, tout comme celui des rêves. Certains contes de fées sont des énoncés symboliques illustrant la découverte de notre identité masculine ou féminine. Lorsque notre développement se déroule sans heurts, nous arrivons à dépasser la compréhension littérale que notre enfant intérieur avait de ces histoires et nous accédons à leur signification symbolique.

Toutefois, il n'en demeure pas moins qu'à partir du moment où notre enfant intérieur est blessé, il continue de prendre ces histoires au mot et que, subjugués par la pensée magique, les adultes enfants que nous sommes attendent ou recherchent leur dénouement parfait contenant la promesse d'un bonheur indestructible.

LES DYSFONCTIONS DANS LES RELATIONS D'INTIMITÉ

Il n'est pas rare que des adultes enfants oscillent entre la peur d'être abandonnés et la peur d'être engloutis par quelqu'un. Certains s'isolent à demeure parce qu'ils craignent d'être «engloutis» alors que d'autres s'accrochent à une relation amoureuse destructrice, terrorisés qu'ils sont par la perspective de se retrouver seuls. Mais la plupart d'entre nous oscillons entre ces deux extrêmes.

En matière de relations sentimentales, Éric adopte toujours le même comportement: il tombe follement amoureux d'une femme puis, sitôt que la relation prend une tournure plus intime et qu'il se sent proche de cette femme, il commence à s'en éloigner, à prendre ses distances. Il se met alors à dresser petit à petit une «liste de critiques» concernant d'insignifiantes particularités de comportement, des manies dont il tire prétexte pour provoquer de petites querelles. Face à ces disputes mesquines, sa partenaire effectue généralement un mouvement de retraite et le boude pendant un jour ou deux. Par la suite, ils se réconcilient avec fougue, faisant l'amour de manière sauvage et passionnée, savourant les joies d'une relation très intime. Cela dure jusqu'à ce que Éric se sente englouti de nouveau et recrée une certaine distance dans les rapports en déclenchant une autre petite guerre.

Âgée de seulement quarante-six ans, Andréanne n'a quant à elle fréquenté aucun homme depuis quinze ans, c'est-à-dire depuis que son «grand amour» est mort dans un accident de voiture. Elle soutient qu'à ce moment-là, elle s'est juré — par fidélité à la mémoire de son bien-aimé — de ne jamais toucher à un autre homme. En fait, cette seule relation amoureuse, la seule qu'ait connue Andréanne, n'a duré que trois mois. De toute sa vie adulte, elle n'est jamais allée au lit avec un homme. En matière de sexualité, son unique expérience se résume aux cinq années durant lesquelles son beau-père a abusé de la petite fille qu'elle était. Andréanne a érigé une muraille d'acier autour de son enfant intérieur blessé. Elle se sert de la mémoire de son ami de cœur décédé comme d'une défense contre toute forme d'intimité avec qui que ce soit.

Une autre femme que j'ai suivie en thérapie entretenait une relation conjugale totalement dénuée de passion depuis trente ans. Son mari était un fieffé coureur de jupons, un véritable «obsédé sexuel». Elle savait qu'il avait eu six liaisons (et l'avait même déjà surpris au lit avec l'une de ses maîtresses). Pourtant, quand je lui ai demandé pourquoi elle restait avec lui, elle m'a répliqué qu'elle «aimait» son mari. Cette femme confondait dépendance et amour. Son père l'ayant abandonnée lorsqu'elle avait deux ans et n'ayant depuis lors plus jamais donné de ses nouvelles, sa dépendance déguisée en amour s'enracinait dans une terrible peur de l'abandon profondément enfouie en elle.

Dans tous les cas cités précédemment, l'enfant intérieur blessé se trouve au cœur du problème: il contrecarre toute intimité dans les relations amoureuses parce qu'il n'a aucun sentiment de son moi authentique. De ce fait, la pire blessure que l'on puisse infliger à un enfant, c'est de rejeter son moi authentique. Lorsqu'un parent est incapable de reconnaître la légitimité des sentiments, des besoins et des désirs de son enfant, celui-ci sent que l'on rejette son vrai moi et se trouve ainsi forcé de se bâtir un faux moi.

Pour mieux se croire aimé, l'enfant blessé façonnera son comportement en se conformant aux attentes *présumées* de ses parents. Son faux moi se développera au fil des ans et sera renforcé tant par les besoins du système familial que par les exigences immanentes aux rôles sexuels propres à chaque culture. Graduellement, le faux moi deviendra ce que la personne croit réellement être; elle en oubliera que ce moi n'est qu'une adaptation, une sorte de mise en scène inspirée d'un scénario écrit par quelqu'un d'autre.

Vous ne pourrez connaître *l'intimité si vous n'avez aucune conscience de votre moi réel*. Car comment pourriez-vous partager un peu de vous-même avec une autre personne si vous ne savez pas vraiment qui vous êtes? Comment quelqu'un pourrait-il vous connaître si vous ignorez qui vous êtes en réalité?

C'est notamment en établissant des limites fermes qu'un être humain se bâtit une solide conscience de soi. Tout comme les frontières d'un pays, nos limites physiques protègent notre corps et nous envoient des signaux lorsqu'une personne s'approche trop près de nous ou nous touche d'une manière inopportune. Nos balises sexuelles nous gardent en sécurité et à l'aise dans notre sexualité. (Les gens qui, sur ce plan, ont des limites fragiles acceptent souvent d'avoir des relations sexuelles alors qu'ils n'en ont pas vraiment envie.) Nos limites affectives nous disent où finissent nos émotions et où commencent celles des autres; elles nous indiquent si nos sentiments nous concernent en propre ou s'ils concernent les autres. Nous possédons également des frontières intellectuelles et spirituelles qui déterminent nos convictions ainsi que nos valeurs.

Dès qu'on blesse un enfant en négligeant ses besoins ou en abusant de lui, on viole ses frontières. Cela instaure chez lui la peur d'être abandonné ou d'être englouti. Quand une personne sait qui elle est, elle ne craint pas d'être engloutie. Quand elle a confiance en elle-même et qu'elle a conscience de sa valeur, elle ne redoute pas l'abandon. Mais sans frontières bien établies, elle ne peut savoir où elle finit et où les autres commencent. Elle a du mal à dire non et à savoir ce qu'elle veut, deux attitudes qui s'avèrent cruciales dans l'établissement d'une relation intime.

Les problèmes d'intimité sont grandement aggravés par la présence d'une dysfonction sexuelle. Or, le développement sexuel des enfants qui grandissent au sein d'une famille dysfonctionnelle est toujours gravement perturbé; cela s'explique par la pauvreté des modèles sexuels offerts dans la famille; par la déception d'un parent face au sexe de l'enfant; par le mépris et les humiliations qu'on lui fait subir; et par la négligence dont on fait montre à l'égard de ses besoins de dépendance liés à son développement.

Pour illustrer mon propos, voici deux exemples des ravages que peuvent causer des relations familiales dysfonctionnelles. Véronique n'a guère conu son père, un véritable bourreau de travail qui n'était jamais à la maison. En réaction à cette absence, elle s'est créé un père imaginaire lorsqu'elle était toute jeune. Véronique en est actuellement à son troisième mariage. Parce qu'elle entretient des idées irréalistes à propos des hommes, aucun d'entre eux n'a jamais pu jusqu'à présent se montrer à la hauteur de ses attentes.

Jacques a longtemps vu son père rudoyer verbalement sa mère, qui s'en accommodait toujours du mieux qu'elle pouvait. Jacques ignore totalement comment il pourrait établir une relation d'intimité avec une femme. Il a tendance à choisir des partenaires passives et soumises qui, rapidement, ne l'intéressent plus sur le plan sexuel étant donné qu'il les méprise comme il méprisait sa mère. Ses expériences érotiques les plus satisfaisantes, il les vit par le biais de la masturbation, en fantasmant sur des femmes qu'il se plaît à imaginer dans un contexte sexuel avilissant.

De nombreux enfants savent pertinemment que leur sexe a déçu leurs parents: papa voulait un garçon mais il a eu une fille; maman désirait une fille mais elle a mis un garçon au monde. Ils en conçoivent une honte de leur sexe qui, en retour, peut les conduire plus tard à différents degrés d'*acting out* prenant la forme d'une soumission sexuelle.

Un enfant qui est méprisé et humilié par ses parents risque fort de développer une sérieuse tendance au sadomasochisme. Ce processus, Jules avait finalement réussi à le saisir après maintes souffrances. La mère de Jules, victime d'inceste n'ayant cherché nulle aide thérapeutique, n'avait jamais surmonté la rage contre les hommes que cet abus avait fait naître en elle. Jules s'était rallié à sa mère en intériorisant sa colère «sexualisée». Il était devenu un «obsédé sexuel» et possédait une vaste collection de matériel pornographique. Pour s'exciter sexuellement, il fantasmait sur des scènes où il se laissait avilir et humilier par une femme dominatrice à l'apparence maternelle.

L'enfant a besoin d'être fermement guidé pour maîtriser les apprentissages inhérents à chaque stade de son développement. Si à un stade donné il ne peut assouvir les besoins propres à son évolution et à son âge, il reste bloqué à ce stade. Ainsi, les enfants qui, étant nourrissons, n'ont pu obtenir la satisfaction de leurs besoins ne cessent de se raccrocher aux gratifications buccales. Plus tard, cela peut se traduire par une fixation aux relations sexuelles bucco-génitales.

Les enfants dont le développement a été bloqué au cours de leur prime enfance sont souvent fascinés par les fesses. Cette irrésistible attirance pour une partie génitale est appelée l'«objectivation sexuelle»: elle réduit les autres à des objets génitaux.

L'objectivation sexuelle s'avère le fléau des relations d'intimité authentiques, celles-ci exigeant que deux personnes intégrales s'estiment mutuellement en tant qu'individus. Ce fléau touche maints couples codépendants que l'on voit s'engager dans une sexualité fortement objectivée et marquée par l'accoutumance, puisque leur enfant intérieur blessé ne connaît que cette façon de parvenir à se sentir proche de quelqu'un.

L'INDISCIPLINE

Le mot «discipline» vient du latin *disciplina,* qui signifie «éducation». Lorsque nous disciplinons les enfants, nous leur montrons comment vivre une existence plus féconde et plus remplie d'affection. Comme l'a souligné Scott Peck, la discipline constitue un moyen de réduire la souffrance inhérente à la vie. C'est par le biais de la discipline que nous découvrons que le fait de dire la vérité, de retarder la satisfaction, d'être honnête avec soi-même et de se prendre en main accroît les joies et les plaisirs de la vie.

L'enfant a besoin que ses parents incarnent pour lui des modèles d'autodiscipline, et cela lui est beaucoup plus nécessaire que des sermons. Il apprend en se basant sur ce que ses parents *font* réellement et non sur ce qu'ils *disent* faire. Lorsque ses parents ne lui offrent pas un modèle de conduite, il devient indiscipliné; quand ses parents lui imposent des règles excessivement rigides (et les transgressent eux-mêmes), il devient ultradiscipliné.

L'enfant intérieur indiscipliné flâne, remet tout au lendemain, refuse de différer ses plaisirs, se rebelle, s'obstine, se montre buté et agit impulsivement, sans réfléchir le moins du monde. L'enfant ultradiscipliné, par contre, est rigide, obsessionnel, contrôlé et obéissant à l'extrême, soucieux de plaire à tout le monde, rongé par la honte et la culpabilité. Cependant, parmi tous ceux d'entre nous dont l'enfant intérieur est blessé, la plupart oscillent entre le comportement indiscipliné et le comportement ultradiscipliné.

LA DÉPENDANCE ET LA COMPULSION

L'enfant intérieur blessé est la principale cause des problèmes de dépendance et de compulsion. Je suis devenu alcoolique à un âge précoce. Mon père, alcoolique lui aussi, m'a abandonné physiquement et affectivement lorsque j'étais petit, ce que j'ai ressenti comme la preuve que je ne méritais pas qu'il me consacre un tant soit peu de son temps. Parce qu'il n'était jamais là pour me donner une ligne de conduite, je ne me suis jamais attaché à lui, je n'ai jamais su à quoi cela pouvait ressembler d'être aimé et valorisé par un homme. Par conséquent, pendant longtemps je ne me suis jamais vraiment aimé *en tant qu'homme*.

Au tout début de mon adolescence, je traînais dans les rues avec des copains qui n'avaient pas de père eux non plus. Au cours de nos escapades, nous buvions et courions les filles pour prouver notre virilité. À l'âge de quinze ans, je buvais et me droguais déjà de manière compulsive. Ce n'est qu'à trente ans que j'ai mis un terme à ces abus: le 11 décembre 1965, j'ai décidé de revisser le bouchon de la bouteille. J'en avais fini avec ma dépendance aux substances chimiques, mais pas avec mon comportement compulsif. Je continuais de fumer, de travailler et de manger compulsivement.

Pour moi, il ne fait aucun doute que mon bagage génétique me prédisposait à devenir alcoolique. L'alcoolisme est héréditaire, cela semble maintenant assez certain. Néanmoins, l'hérédité ne suffit pas à expliquer l'alcoolisme. Si c'était le cas, tous les enfants d'alcooliques deviendraient alcooliques eux aussi. Or, de toute évidence, cela ne se passe pas ainsi. Ni mon frère ni ma sœur ne sont alcooliques. J'ai travaillé pendant vingt-cinq ans avec des alcooliques et des toxicomanes, dont quinze années pendant lesquelles je me suis occupé d'adolescents qui abusaient de drogues diverses. Eh bien, je n'ai jamais rencontré une seule personne souffrant uniquement d'une dépendance aux substances chimiques, et ce en dépit du fait que certaines de ces substances provoquent une accoutumance très rapide — j'ai vu des adolescents sérieusement «accrochés» au crack au bout de deux mois seulement. J'ai toujours constaté que le dénominateur commun était l'enfant intérieur blessé, source inépuisable de tous les problèmes de dépendance et de compulsion. J'en veux pour preuve que, une fois guéri de mon alcoolisme, je me suis tourné vers d'autres façons de modifier mes états d'âme. Je me suis mis à travailler, à manger et à fumer de manière compulsive, une conduite attribuable aux insatiables besoins de mon enfant intérieur blessé.

Comme tous les enfants d'alcooliques, j'ai été abandonné sur le plan affectif. Et pour un enfant, l'abandon est synonyme de mort. Afin de combler les deux besoins essentiels à ma survie (c'est-à-dire afin d'acquérir la double certitude que *mes parents sont fiables* et que *je suis important*), je suis devenu le «mari affectif» de ma mère et le parent de mon frère cadet. Je devais les *aider*, elle, lui et les autres, à me donner le sentiment que j'étais quelqu'un de bien. Par ailleurs, je croyais à ce que l'on m'avait raconté: papa éprouvait de l'amour pour moi, mais il était trop malade pour l'exprimer, et maman était une sainte. Tout cela masquait mon sentiment d'avoir moins de valeur que le temps de mes parents (la honte toxique). Mes fibres profondes, composées de perceptions triées sur le volet, de sentiments refoulés et de fausses croyances, étaient devenues le filtre à travers lequel j'interprétais toute nouvelle expérience. Cette adaptation primitive conçue par le petit garçon que j'étais m'a permis de survivre à l'enfance, mais le filtre s'est révélé médiocre pour assurer ma survie en tant qu'adulte. À l'âge de trente ans, je me suis retrouvé à l'hôpital — l'aboutissement logique de mes dix-sept années d'alcoolisme.

Le fait d'être conscient que l'enfant intérieur blessé se trouve au cœur des problèmes de dépendance et de compulsion nous aide à voir ces problèmes dans une perspective plus large. La dépendance consiste ici en une relation maladive avec tout moyen entraînant une modification des états d'âme et ayant des répercussions néfastes sur la vie humaine. Parmi les moyens utilisés pour modifier l'état d'esprit, l'ingestion est certainement l'un des plus spectaculaires dans ses effets, l'alcool, les drogues et les aliments ayant un potentiel chimique propre à influer sur l'humeur. Cependant, il existe plusieurs autres manières de transformer son état d'âme; j'aime bien parler alors d'une dépendance aux *activités*, au *savoir*, aux *sentiments* ou aux *objets*.

La dépendance aux activités concerne plus précisément le travail, le magasinage, les jeux d'argent, le sexe et les rituels religieux. Mais en réalité, on peut utiliser n'importe quelle occupation pour modifier ses sentiments. Les activités, quelle que soit leur nature, changent nos sentiments ou nos émotions parce qu'elles nous *distraient*.

La dépendance au savoir constitue une manière fort efficace d'échapper aux sentiments. *J'ai vécu dans ma tête* pendant des années. J'étais professeur d'université. *Penser*, cela peut être un moyen d'éviter de ressentir. La pensée fait partie intégrante de tous les types de dépendance, mais dans ces cas, elle prend plutôt la forme d'une «obsession».

Les sentiments eux-mêmes peuvent créer une accoutumance. J'ai été un enragé invétéré pendant longtemps. La rage, la seule limite que je connaissais, dissimulait ma peine et ma honte. Quand j'étais furieux, je me sentais fort et puissant plutôt que vulnérable et sans pouvoir.

Vous connaissez probablement l'un de ces «drogués» de la peur pour qui tout n'est à peu près que catastrophe et abomination. Il a sombré progressivement jusqu'à ne plus être que le prolongement de son inquiétude et il rend tout le monde fou.

Certaines personnes développent une véritable accoutumance à la tristesse ou au chagrin. Elles ne semblent plus *éprouver* de la tristesse: elles *sont* la tristesse même. Pour ces affligés invétérés, la mélancolie est devenue une manière d'exister.

Les «drogués» de la gaieté sont les gens que je redoute le plus. Il s'agit de ces bonnes filles et de ces bons garçons qui, ayant dès leur plus jeune âge été forcés à sourire et à être joyeux, donnent l'impression que leur sourire s'est figé sur leurs lèvres. Les réjouis invétérés ne voient jamais rien de négatif. Ils souriraient même en vous annonçant que leur mère vient de mourir! Cela donne froid dans le dos.

Les objets peuvent susciter une forte dépendance également. Parmi eux, l'argent constitue sans aucun doute l'objet de l'accoutumance la plus répandue. Mais il n'en demeure pas moins que toute chose peut devenir une préoccupation et, à ce titre, un moyen de changer son état d'esprit.

Au cœur de la plupart des problèmes d'accoutumance — indépendamment des facteurs génétiques — on retrouve un enfant intérieur blessé, constamment en état de manque et tenaillé par des besoins insatiables. Il n'est du reste pas nécessaire de côtoyer très longtemps une personne mue par une quelconque dépendance pour reconnaître ces caractéristiques en elle.

LES DISTORSIONS DE LA PENSÉE

Jean Piaget, le grand psychologue du développement, a dit que les enfants étaient des «étrangers cognitifs» pour souligner le fait qu'ils ne pensent pas de la même manière que les adultes.

Les enfants sont des «absolutistes» dans le sens où ils sont incapables de nuances. Cette caractéristique de la pensée enfantine se manifeste par la polarité du «tout ou rien». Si tu ne m'aimes pas, tu me détestes: il n'y a pas d'entre-deux. Si mon père m'abandonne, *tous les hommes* vont m'abandonner aussi.

Les enfants ne sont pas logiques; ce qu'on a décrit comme étant leur «raisonnement affectif» le démontre. Je me sens comme ceci, donc la réalité doit être comme ça. Si j'éprouve de la culpabilité, je dois être quelqu'un de méprisable.

Les enfants ont besoin d'avoir sous les yeux des modèles de comportement sains afin d'apprendre à distinguer leurs pensées de leurs émotions; ils doivent être à même de réfléchir à leurs sentiments et de ressentir leurs pensées.

Les enfants ont une pensée empreinte d'égocentrisme, laquelle se manifeste par leur façon de tout ramener à leur propre personne. Si papa n'a pas de temps à me consacrer, cela doit vouloir dire que je ne suis pas correct; il doit y avoir quelque chose qui cloche en *moi*. Les enfants interprètent également ainsi la plupart des mauvais traitements dont ils sont victimes. L'égocentrisme est la condition naturelle de l'enfance, et non un signe d'égoïsme, puisqu'il est lié au fait que, dans leurs jeunes années, les êtres humains ne sont tout simplement pas encore aptes à prendre en considération le point de vue d'autrui.

Lorsque ses besoins de dépendance normaux sont demeurés inassouvis durant toute son enfance, l'adulte ne peut être que contaminé par le mode de pensée de son enfant intérieur. J'entends d'ailleurs fréquemment des adultes s'exprimer selon un mode de pensée puéril et vicié. Quant à la vision du monde plutôt manichéenne adoptée par les Occidentaux, elle illustre bien la pensée «absolutiste».

Je connais plusieurs personnes se trouvant aux prises avec de graves problèmes financiers parce qu'elles raisonnent de manière *affective*. Elles croient que le simple fait de *désirer* quelque chose constitue une raison suffisante pour l'acheter. Lorsqu'il n'a pas appris, étant enfant, à distinguer ses pensées de ses émotions, l'adulte est souvent amené à se servir de la pensée comme d'une échappatoire face aux émotions douloureuses: il sépare sa tête de son cœur, leur redonnant ainsi leur totale indépendance originelle. Les deux modèles les plus courants d'une telle déformation de la pensée sont l'*universalisation* et la *particularisation*.

En soi, l'universalisation n'est pas une distorsion de la pensée. Toutes les sciences abstraites exigent une capacité de généraliser et de réfléchir dans l'abstraction. L'universalisation ne devient une distorsion qu'à partir du moment où on l'utilise pour se distraire de ses sentiments. C'est pourquoi beaucoup de gens possèdent une sorte de génie théorique mais arrivent de peine et de misère à gérer leur vie quotidienne.

Une autre forme d'universalisation vraiment tordue consiste à tout noircir, à s'épouvanter en élaborant de sombres hypothèses abstraites concernant l'avenir. «Qu'arrivera-t-il s'il ne reste plus un sou dans le fonds de sécurité sociale lorsque je prendrai ma retraite?» est certes une pensée suffisamment alarmante pour déclencher la peur. Mais puisque cette pensée, non fondée sur un fait établi, n'est qu'une pure hypothèse, il est justifié de dire que le «penseur» s'effraie littéralement lui-même. Quoi qu'il en soit, l'enfant intérieur blessé réfléchit couramment de cette façon.

À l'instar de l'universalisation, la particularisation est sans conteste une importante faculté intellectuelle; il n'y a rien de mal à penser de manière analytique et minutieuse, en s'attachant aux détails. Mais quand on utilise la particularisation pour se dérober à ses sentiments douloureux, on dénature la réalité de sa vie. Le cas du perfectionniste compulsif illustre bien cela: les détails l'absorbent tellement qu'il ne ressent pas son insuffisance.

Pour peu qu'on soit le moindrement attentif, on peut observer n'importe où des manifestations de la pensée égocentrique. Récemment, dans un avion, j'ai surpris la conversation d'un couple. La dame feuilletait un catalogue présentant les divers forfaits de vacances offerts par la compagnie aérienne. Innocemment, elle a fait remarquer qu'elle rêvait depuis toujours d'aller en Australie. Avec colère, le monsieur lui a aussitôt rétorqué: «Veux-tu bien me dire, sapristi, ce que tu attends encore de moi! Je me tue constamment à l'ouvrage et ce n'est pas encore assez!» Son enfant intérieur blessé croyait que sa femme le jugeait insuffisant en tant que pourvoyeur financier, simplement parce qu'elle désirait aller en Australie.

LE SENTIMENT DE VIDE (APATHIE, DÉPRESSION)

L'enfant intérieur blessé contamine également la vie de l'adulte par une déprime chronique qui est ressentie comme un sentiment de vide. Ce genre de dépression est dû au fait que le sujet a été obligé, durant son enfance, d'adopter un faux moi et de laisser son vrai moi derrière lui: cet abandon du vrai moi crée inévitablement un vide intérieur que j'ai baptisé «le phénomène du trou dans l'âme». Lorsqu'une personne perd ainsi son moi authentique, elle n'est plus en contact avec ses vrais sentiments, ses besoins et ses désirs. Ce qu'elle éprouve à la place, ce sont les sentiments et les exigences du faux moi, qui la conduiront, par exemple, à «être gentille», une des attitudes typiques du faux moi. Une «gentille femme» n'exprime jamais ni sa colère ni ses frustrations.

Vivre avec un faux moi équivaut à *faire du théâtre*. Une représentation pendant laquelle le vrai moi de la personne n'est à aucun moment présent. Une cliente en voie de guérison m'a un jour décrit cela de la manière suivante: «C'est comme si je me tenais à l'écart en me contentant de regarder passer la vie.»

Le fait de se sentir vide constitue une forme de dépression chronique, puisque l'on ressent constamment la perte de son vrai moi. Tous les adultes enfants éprouvent cette déprime chronique plus ou moins intensément.

Le sentiment de vide intérieur se traduit quelquefois par de l'apathie. En tant que thérapeute, j'entends souvent des adultes enfants se plaindre que la vie leur semble monotone et dénuée de sens. Estimant que l'existence se caractérise par une sorte de manque, ils ne peuvent comprendre pourquoi les gens s'emballent à ce point pour toutes sortes de choses.

À propos de l'absence, la grande analyste jungienne Marion Woodman raconte l'histoire d'une femme qui était allée voir le pape lors de son séjour à Toronto. La femme en question avait emporté toute une panoplie d'appareils sophistiqués afin de prendre une photo du Saint-Père. Le moment venu, l'utilisation de son équipement l'avait tellement absorbée qu'elle n'avait pu le photographier qu'une seule fois, à l'instant même où il était passé devant elle. En définitive, elle n'avait pas vraiment vu le pape! Et quand elle avait développé sa photo, l'homme qu'elle était allée voir se trouvait bien là, mais elle, elle n'y était pas. Cette femme était *absente de ce qu'elle avait vécu.*

Lorsque notre enfant intérieur est blessé, nous nous sentons vides et déprimés. La vie nous semble irréelle; nous sommes au monde, mais nous n'en faisons pas partie. Ce vide conduit à l'isolement. Parce que nous ne sommes jamais qui nous sommes réellement, nous ne nous sentons jamais vraiment présents. Et même si les gens nous admirent et recherchent notre compagnie, nous nous sentons seuls. J'ai éprouvé cela pendant une grande partie de ma vie. Je m'arrangeais toujours pour être le chef dans tout groupe dont je faisais partie. Les gens autour de moi m'admiraient et m'encensaient; pourtant, à aucun moment je ne me suis senti vraiment en relation avec l'un d'eux.

Je me souviens d'un soir où je donnais une conférence à l'Université de Saint-Thomas. Le sujet en était: «Jacques Maritain et sa compréhension de la doctrine thomiste du Malin». Je m'étais montré particulièrement éloquent et perspicace ce soir-là, si bien qu'à la fin, la foule s'était levée pour me faire une ovation. Je garde encore un souvenir très vif de ce que j'éprouvais alors: je voulais en finir avec mon sentiment de vide et d'isolement. Je me sentais suicidaire!

Cette expérience démontre aussi comment l'enfant intérieur blessé nous contamine avec son égocentrisme. Les adultes enfants sont totalement centrés sur eux-mêmes. Leur sentiment de vide est comme une rage de dents perpétuelle, et quand on souffre d'une douleur chronique, on ne peut penser qu'à soi-même. En tant que thérapeute, je peux dire qu'il est souvent exaspérant de composer avec l'égocentrisme de tels clients. Dernièrement, je faisais remarquer à mes collègues qu'un incendie aurait beau faire rage dans mon bureau, il se trouverait toujours quelqu'un qui, en me voyant me précipiter hors de la pièce en flammes, viendrait me demander: «Avez-vous une minute à me consacrer?»

Les types de contamination dont j'ai parlé dans ce chapitre couvrent la majeure partie du champ de l'esclavage humain. *J'espère donc vous avoir donné, par ces explications, la possibilité de déceler les sérieux problèmes que votre enfant intérieur blessé continue de vous créer.* Cependant, pour mieux déterminer encore les torts que votre enfant blessé peut vous causer, répondez par «oui» ou par «non» aux questions qui suivent.

QUESTIONNAIRE RELATIF À L'ENFANT BLESSÉ

Les questions ici posées vous donneront un aperçu de l'ampleur des blessures que votre enfant intérieur a subies. Toutefois, dans la deuxième partie de ce livre, je vous présenterai à chaque stade de développement étudié un «inventaire des signes suspects» plus précis.

A. L'IDENTITÉ	OUI	NON
1. J'éprouve de l'anxiété et de la peur chaque fois que j'envisage de faire quelque chose de nouveau.	____	____
2. Je cherche à plaire à tout le monde (à être un gentil garçon/une bonne fille) et je n'ai pas d'identité propre.	____	____
3. Je suis un rebelle. Je me sens en vie lorsque je suis en conflit avec quelqu'un.	____	____
4. Au plus profond de mon moi secret, je sens qu'il y a quelque chose qui cloche.	____	____
5. J'accumule tout et ne jette rien; j'ai du mal à me départir de quoi que ce soit.	____	____
6. Je ne me sens pas à la hauteur en tant qu'homme/que femme.	____	____
7. Je suis perplexe en ce qui a trait à mon identité sexuelle.	____	____
8. Je me sens coupable quand je défends mes propres intérêts; je préférerais plutôt me soumettre aux décisions et attentes des autres.	____	____
9. J'ai du mal à commencer quelque chose.	____	____
10. J'ai de la difficulté à terminer quelque chose.	____	____
11. J'ai rarement une pensée ou une idée qui me soit propre.	____	____
12. Je me reproche continuellement mes défauts et déficiences.	____	____
13. Je me considère comme un épouvantable pécheur/une effroyable pécheresse et j'ai peur d'aller en enfer.	____	____

	OUI	NON
14. Je suis rigide et perfectionniste.	____	____
15. Je ne me sens jamais à la hauteur; je n'arrive à rien de bon.	____	____
16. J'ai l'impression de ne vraiment pas savoir ce que je veux.	____	____
17. Je me sens poussé à démontrer des compétences exceptionnelles.	____	____
18. Je crois que je ne suis pas vraiment important, sauf dans les relations sexuelles. J'ai peur d'être rejeté et abandonné si je ne suis pas un bon amant/une bonne maîtresse.	____	____
19. Ma vie est vide; je suis déprimé la plupart du temps.	____	____
20. Je ne sais pas vraiment qui je suis. Je ne saurais dire avec certitude quelles sont mes valeurs ni ce que je pense de ceci ou cela.	____	____

B. LES BESOINS FONDAMENTAUX

1. Je ne suis pas sensible à mes besoins physiques. Je ne parviens pas à repérer les moments où je suis fatigué, ceux où j'ai faim et ceux où je suis excité sexuellement.	____	____
2. Je n'aime pas être touché.	____	____
3. J'accepte souvent d'avoir des relations sexuelles alors que je n'en ai pas vraiment envie.	____	____
4. J'ai déjà souffert de troubles de l'alimentation, ou j'en souffre actuellement.	____	____
5. Je suis «accroché» aux relations sexuelles bucco-génitales.	____	____
6. J'ai rarement conscience de ce que j'éprouve.	____	____
7. J'ai honte chaque fois je m'emporte contre quelqu'un.	____	____
8. Je me fâche rarement mais quand cela arrive, je deviens vite une vraie furie.	____	____

	OUI	NON
9. Je redoute la colère des autres et je ferais n'importe quoi pour l'apaiser.	____	____
10. J'ai honte de moi quand je pleure.	____	____
11. J'ai honte de moi quand je suis effrayé.	____	____
12. Je n'exprime pratiquement jamais des émotions désagréables.	____	____
13. Je suis obsédé par les relations sexuelles anales.	____	____
14. Je suis obsédé par les relations sexuelles sadomasochistes.	____	____
15. J'ai honte de mes fonctions physiologiques.	____	____
16. Je souffre de troubles du sommeil.	____	____
17. Je consacre un temps excessif à la pornographie.	____	____
18. Je me suis déjà exhibé sexuellement d'une manière outrageante pour les autres.	____	____
19. Je suis attiré sexuellement par les enfants et je crains de passer aux actes.	____	____
20. Je crois que parmi mes besoins, celui que je ressens le plus vivement est le besoin de nourriture ou de rapports sexuels.	____	____

C. LES RELATIONS SOCIALES

1. Au fond, je me méfie de tout le monde, y compris de moi-même.	____	____
2. J'ai été ou je suis actuellement marié avec une personne souffrant d'un problème de dépendance.	____	____
3. Je suis obsessionnel dans mes relations et fort soucieux de les contrôler.	____	____
4. Je souffre d'un problème de dépendance.	____	____
5. Je suis isolé et j'ai peur des gens, plus particulièrement des figures d'autorité.	____	____

	OUI	NON
6. Je déteste être seul et je ferais n'importe quoi pour éviter la solitude.	____	____
7. Je me retrouve souvent en train de faire ce que je crois que les autres attendent de moi.	____	____
8. J'évite les conflits à tout prix.	____	____
9. Je m'oppose rarement aux suggestions de quelqu'un et je les perçois presque comme des ordres auxquels je dois obéir.	____	____
10. J'ai un sens des responsabilités excessivement développé. Il m'est plus facile de m'occuper des autres que de moi-même.	____	____
11. Souvent, je ne dis pas «non» directement; ensuite, je refuse d'accéder aux demandes de quelqu'un en utilisant divers moyens indirects, passifs et manipulateurs.	____	____
12. J'ignore comment résoudre mes conflits avec les autres. Soit que j'écrase mes «adversaires», soit que je m'éloigne complètement d'eux.	____	____
13. Je demande rarement à quelqu'un de clarifier ses propos lorsque je ne les comprends pas.	____	____
14. J'essaie fréquemment de deviner le sens des propos d'autrui et j'y réagis en me basant sur cet à-peu-près.	____	____
15. Je ne me suis jamais senti proche de ma mère, de mon père ou des deux.	____	____
16. Je confonds amour et pitié, et j'ai tendance à aimer les personnes sur qui je peux m'apitoyer.	____	____
17. Je me tourne en ridicule lorsque je commets une erreur, tout comme je ridiculise les autres lorsqu'ils se trompent.	____	____
18. Je plie facilement et cherche généralement à me conformer à mon entourage.	____	____
19. Je suis férocement compétitif et mauvais perdant.	____	____

20. Ma peur la plus profonde, c'est la peur d'être abandonné; je suis prêt à tout pour m'accrocher à une relation. ____ ____

Si vous avez répondu «oui» à dix (ou plus) de ces questions, vous avez besoin de faire un sérieux travail sur vous-même. Ce livre s'adresse tout particulièrement à vous.

CHAPITRE 2

Comment votre merveilleux enfant intérieur a été blessé

Il fut un temps où Mer, Bois, Fleuve,
La Terre et les objets communs que nous voyons,
M'apparaissaient vêtus de célestes rayons,
De la limpide splendeur neuve
Des rêves et des visions.
Que sont ces gloires devenues?
Où que je dirige mes yeux,
Vers l'Océan ou vers les Cieux,
Je ne puis plus revoir les choses que j'ai vues.

WILLIAM WORDSWORTH[1]

La grande majorité des adultes voient leur humeur égayée par la présence d'un bébé. Même les plus grincheux peuvent être émus par le fou rire d'un enfant.

De par sa nature, l'enfant s'émerveille constamment, est spontané et vit le moment présent. Dans un certain sens, le présent constitue pour lui une forme d'exil. Les pages suivantes tracent le profil de cet enfant doué à partir de chacun de ses traits de caractère naturels; d'une façon ou d'une autre, le mot «merveilleux» englobe toutes ces caractéristiques.

---

1. Extrait du poème intitulé «Ode, indices d'immortalité tirés de souvenirs de la première enfance», dans *Choix de poésies,* traduit en vers par Émile Legouis, Paris, Société d'édition Les Belles-Lettres, 1961, 282 p.

L'ÉMERVEILLEMENT

Toute chose s'avère intéressante et passionnante pour l'enfant naturel. En fait, il s'émerveille par le biais de tous ses sens, une attitude qui n'est que la manifestation de son besoin inné de connaître, d'expérimenter, d'explorer, de regarder et de toucher. La curiosité pousse tout d'abord le bébé à découvrir ses mains, son nez, ses lèvres, ses organes génitaux, ses doigts et ses orteils, pour finalement le guider vers la découverte de son moi.

Cependant l'expérimentation et l'exploration sont aussi susceptibles de causer des difficultés à l'enfant. Cela se présente surtout quand, dans leurs jeunes années, les parents ont dû réprimer leur tendance naturelle à l'émerveillement; parvenus à l'âge adulte, ils inhibent leur enfant de la même manière, ce qui amènera ce dernier à se refermer sur lui-même par crainte d'explorer un territoire inconnu et de prendre des risques. L'existence lui apparaît alors graduellement comme un problème à résoudre plutôt que comme une aventure à vivre; il devient morose, circonspect et s'attache à jouer serré.

L'émerveillement et la curiosité sont d'une importance capitale pour assurer une croissance et une adaptation saines. Elles poussent l'enfant à acquérir une connaissance fondamentale du monde et à apprendre les rouages de la survie.

En outre, l'émerveillement et la curiosité constituent l'énergie vitale qui nous pousse à élargir sans cesse nos horizons. Nous avons *besoin* de cette étincelle de vie, indispensable à notre évolution et essentielle au travail du poète, de l'artiste et du penseur créatif. Nous avons besoin de ce sens de l'émerveillement et de cette curiosité qui génèrent une sorte d'intérêt exalté devant la vie, créant l'espoir d'«un plus à venir». Charles Darwin et Albert Einstein n'étaient-ils pas tous deux animés par cette curiosité et cet émerveillement enfantins devant les mystères de l'univers?

L'OPTIMISME

La nature a doté l'enfant d'une étincelle de vie qui le pousse à explorer son environnement avec *optimisme*. Et pour peu que ses parents agissent avec un minimum de cohérence, il parvient vite à s'en remettre au monde extérieur pour la satisfaction de ses besoins. C'est dans la nature des enfants de croire que le monde est amical; tout espoir leur est permis; tout un champ de possibilités s'étend devant eux. Cette confiance et cet optimisme innés — les piliers de ce que l'on appelle «la foi enfantine» — constituent d'ailleurs une partie fondamentale de notre génie naturel.

C'est précisément parce que les enfants sont d'un naturel optimiste et confiant qu'ils peuvent être aussi cruellement blessés par leurs parents. Car lorsqu'un enfant s'en remet complètement à quelqu'un, il est particulièrement *sensible* à l'humiliation et aux abus. Contrairement au petit de l'animal, le petit de l'homme n'a aucun «système informatique instinctuel» pour lui dicter ce qu'il doit faire. Il a besoin d'apprendre, et son apprentissage dépend entièrement de ses protecteurs adultes. Le développement de ses ressources intérieures résulte donc des interactions en jeu dans les relations qu'il entretient avec ces derniers. Toutefois, suivant un schéma directeur, la nature prédispose l'enfant à développer chacune de ses aptitudes à un âge approprié, c'est-à-dire au moment où il est capable de le faire.

Quand un enfant est maltraité ou couvert de honte, sa confiance s'en trouve émoussée et son ouverture réduite. Le lien qui lui permettait de s'abandonner et de s'aventurer avec optimisme se brise. Ne pouvant plus compter sur la protection parentale, il devient d'autant plus inquiet et vigilant. Si cette rupture se répète constamment, il devient *pessimiste.* Il perd espoir et en arrive à se croire obligé de manipuler son entourage pour obtenir la satisfaction de ses besoins. Plutôt que d'investir son énergie dans une interaction directe avec le monde extérieur, il l'emploie à leurrer ses «protecteurs», les amenant par la ruse à faire à sa place des choses qu'en réalité il pourrait faire lui-même.

L'optimisme et la confiance sont l'âme de l'intimité. Pour établir une relation d'intimité avec quelqu'un nous devons inévitablement risquer de nous montrer vulnérables. Cependant, comme nous ne pouvons jamais recueillir assez d'informations pour acquérir une confiance absolue en quiconque, nous devons prendre le risque de faire confiance à ceux que nous aimons jusqu'à un certain point seulement. Nous avons aussi besoin d'optimisme dans notre existence, cet élément nous permettant d'apprécier l'ensemble de la réalité à sa juste valeur. L'optimisme nous conduit à envisager le bon côté des choses, à voir le beigne plutôt que le vide en son centre.

LA NAÏVETÉ

La naïveté des enfants fait partie de leur charme et de leur magnétisme, elle est le fondement de leur innocence. Les enfants vivent dans le présent et sont tournés vers le plaisir. Ils acceptent les «énigmes biscornues» de la vie, comme le disait Christopher Morley. Leur «étrange divinité» provient d'une absence totale de conscience du vrai ou du faux, du bien ou du mal.

Les enfants sont résolument orientés vers la vie. Au début, ils se lancent dans toutes les directions, car tout les intéresse si vivement qu'il leur est difficile de s'arrêter à une seule chose: ils vont dans des endroits défendus, touchent des objets dangereux et goûtent des substances nocives. Voilà pourquoi les enfants ont constamment besoin d'attention et de soins, et pourquoi les parents doivent faire en sorte que leur maison soit «à l'épreuve des enfants». Élever des enfants demande aux adultes tellement de temps et de vigilance que même les plus sains d'entre eux connaissent des moments d'exaspération. Dans ces moments-là, l'enfant est bien sûr étonné et confus de voir que papa ou maman est fâché; ce à quoi il s'occupait lui semblait tellement délicieux, voire excitant!

Les parents doivent faire preuve de patience et de compréhension envers leur enfant afin d'éviter de nourrir à son égard des attentes beaucoup trop élevées. Dans la plupart des cas de mauvais traitements physiques dont j'ai eu connaissance, le parent en cause croyait que l'enfant s'était montré délibérément malicieux. Il est d'ailleurs fréquent que les parents s'attendent à ce que leur enfant agisse avec beaucoup plus de maturité qu'il ne le peut, compte tenu de son âge.

La tendance à s'aventurer sur un territoire défendu a maintes fois été citée comme la preuve manifeste d'une perversité naturelle chez l'enfant. Cette prétendue perversité innée ayant été présentée comme une conséquence du péché originel commis par Adam et Ève, le dogme de la faute originelle a donné naissance à quantité de pratiques éducatives cruelles et répressives. Il n'existe pourtant aucune preuve clinique confirmant la présence, chez l'enfant, d'une quelconque tendance innée à la dépravation.

À l'opposé de cette méprise, on retrouve la volonté de préserver à l'extrême la naïveté et l'innocence de l'enfant, ce qui favorise, à l'âge adulte, une ingénuité plutôt embarrassante. Je me souviens d'un séminariste qui, à une année de son ordination, avait exprimé sa certitude que les femmes étaient pourvues de trois orifices génitaux! Je connais également plusieurs femmes qui, n'ayant reçu aucune information en matière de sexualité au cours de leur croissance, ont été prises de panique lors de leurs premières règles.

Les enfants peuvent aussi apprendre à manipuler en feignant la naïveté et l'innocence. En jouant les nigauds, par exemple. Puis, plus tard, en adoptant de préférence le rôle de «la blonde évaporée», qui est une forme classique d'innocence feinte par une personne adulte. Chez l'enfant qui craint d'être abandonné, les pleurs ou les supplications hystériques constituent une manière de jouer les nigauds, ce comportement lui évitant de grandir, d'être responsable et de prendre des risques.

La naïveté et l'innocence de votre enfant doué peuvent représenter un précieux atout dans votre processus de guérison, car la naïveté est l'une des composantes essentielles de la docilité, qui est elle-même considérée comme un état de réceptivité à l'apprentissage. À mesure que vous soutenez votre enfant intérieur blessé, votre enfant doué émerge; de concert avec lui, vous pouvez alors apprendre à aller au-devant de nouvelles expériences qui vous renforceront.

LA DÉPENDANCE

L'enfant est dépendant et démuni par nature, non par choix. Contrairement à l'adulte, il est incapable de satisfaire ses besoins par lui-même et ainsi voué à dépendre des autres. Par malheur, cette dépendance représente sa plus grande vulnérabilité. L'enfant ne connaissant même pas ses besoins et encore moins ses sentiments et émotions, sa vie est dès le début façonnée, pour le meilleur ou pour le pire, par l'aptitude de ses parents à reconnaître et à satisfaire ses besoins au fur et à mesure qu'il se développe.

Quand les parents portent en eux un enfant blessé, leur propre état de manque les rend incapables de combler les manques de leur progéniture. En ce cas, soit ils ressentent de la colère face aux besoins de leur enfant, soit ils tâchent de satisfaire leurs propres besoins en réduisant leur enfant à une sorte de prolongement d'eux-mêmes.

Si l'enfant doué est à ce point dépendant, c'est parce qu'il se trouve engagé dans un processus de maturation, de «mûrissement». Dans cette perspective, chaque stade de son développement représente une étape de plus vers l'émergence de son être adulte. Ses besoins doivent donc être satisfaits en temps voulu et dans l'ordre approprié, sinon il abordera le stade suivant sans avoir les ressources nécessaires pour réussir les tâches inhérentes à ce nouveau stade. Une toute petite erreur au début aura ainsi une grande portée plus tard.

Une vie saine se caractérise par une croissance constante. Or, les particularités de l'enfance que je décris ici — l'émerveillement, la dépendance, la curiosité et l'optimisme — s'avèrent décisives en ce qui a trait à la croissance et à l'épanouissement de l'être humain.

D'une certaine façon, nous sommes appelés à rester dépendants durant toute notre existence, puisque nous aurons toujours besoin d'amour et d'interaction sociale. Aucun d'entre nous ne se suffit à lui-même au point de pouvoir se passer des autres. La dépendance de notre enfant doué nous incite tout d'abord à créer des liens et à nous engager affectivement. Puis nous avons besoin qu'à son tour quelqu'un ait besoin de nous. Une fois que nous avons atteint un certain stade d'une croissance normale, nous engendrons et entretenons la vie même: c'est en quelque sorte notre vocation, le but ultime de notre évolution. Tout est finalement une question d'équilibre entre dépendance et indépendance. Mais lorsque l'enfant intérieur a été blessé parce qu'en cours de route on a négligé ses besoins de dépendance, il préfère s'isoler, se replier sur lui-même ou se cramponner aux autres, et il se retrouve ainsi pris au piège.

LES ÉMOTIONS

Deux manifestations émotionnelles se révèlent être l'apanage du bébé: le rire et les larmes. «Il est naturel, pour les enfants, de rire et de trouver drôles toutes sortes de choses, qu'elles soient réelles, fictives ou totalement créées par eux. Ils se délectent du comique», affirme l'anthropologue Ashley Montagu. Et si l'humour paraît de toute évidence l'une de nos facultés innées les plus précoces, c'est aussi l'une des plus importantes. Les philosophes ont d'ailleurs longtemps fait valoir que seul l'homme possède «le don du ridicule» (l'aptitude à rire).

Le sens de l'humour importe grandement dans notre survie. L'existence ne nous semble-t-elle pas plus facile à supporter lorsqu'on a le sens de l'humour? En tant que thérapeute, j'ai toujours observé qu'au moment où mes clients commençaient à se sentir mieux, ils pouvaient rire d'eux-mêmes; ils cessaient alors de se prendre trop au sérieux.

Selon Ashley Montagu, le sens de l'humour se manifeste chez les enfants vers leur douzième semaine de vie. Observez l'expression et le regard d'un bébé qui a été aimé et caressé: vous y verrez cette sorte de gaieté naturelle. Prêtez attention à un groupe d'enfants qui s'ébattent bruyamment et jouent ensemble: vous entendrez le pur délice qu'expriment leurs rires.

Évidemment, on peut rapidement couper court au bonheur et à l'effervescence d'un enfant. Comme se sent poussé à le faire un parent qui, après avoir été rabroué sèchement durant toute son enfance chaque fois qu'il s'amusait, est à son tour devenu le rabat-joie de son propre enfant: «Ne ris pas si fort!»; «Arrête ce vacarme tout de suite!»; «Ne sois pas si turbulent!»; «C'est terminé la rigolade!» figurent alors parmi ses remarques favorites. Je me suis souvent demandé pourquoi il m'était si difficile de rire de bon cœur, de danser ou de chanter. Je pouvais très bien faire tout cela quand je buvais mais, sobre, j'étais raide: mes muscles me semblaient congelés.

Les enfants à qui on ne permet pas de rire et d'exprimer leur gaieté apprennent à être sombres et stoïques. Parvenus à l'âge adulte, ils incarnent généralement le type parfait du parent, de l'enseignant ou du prédicateur crispés qui ne peuvent tolérer ni la surexcitation ni le franc rire des gamins.

Les larmes sont l'envers du rire. «Votre joie est votre tristesse démasquée, nous dit le poète Kahlil Gibran. Et votre rire fuse du même puits que vos larmes remplissent[1].»

De tous les représentants du règne animal, seuls les humains ont la capacité de pleurer. (Les animaux poussent des cris, mais ils ne versent pas de larmes.) Selon Montagu, les pleurs ont une fonction sociale et psychologique analogue à celle du rire. Tout comme le rire et la gaieté nous rapprochent de nos semblables, les pleurs nous inspirent de la générosité et de la compassion; ce faisant, ils se révèlent utiles à la survie du nourrisson. Ses joyeux gazouillis et ses petits gloussements exercent une forte attraction sur nous, favorisant le développement du lien symbiotique dont il a besoin. Ses larmes sont des signaux de détresse qui nous incitent à le secourir et à le réconforter.

En tant qu'expressions émotionnelles qui provoquent une réaction chez les autres, le rire et les pleurs ont probablement eu de tout temps une grande influence sur le développement de l'humanité. Les pleurs, en particulier, ont joué un rôle de première importance dans l'évolution des humains, ces créatures capables de compassion. «La liberté de pleurer, écrit Montagu, contribue à la santé des individus et tend à approfondir leur participation au bien-être d'autrui.»

Les enfants qui sont humiliés parce qu'ils pleurent se trouvent par le fait même gravement affectés dans leur développement. Dans la majorité des familles, l'enfant en pleurs touche la tristesse refoulée de

1. *Le prophète,* présentation et traduction de Marc de Smedt, Paris, Albin Michel (coll. Spiritualités vivantes), 1990, 142 p.

l'enfant blessé au-dedans du parent. Un parent qui, comme la quasi-totalité des adultes enfants, a certainement dû ravaler ses larmes à maintes reprises au cours de sa jeunesse.

Croyant qu'ils feraient de leurs bambins des êtres plus forts en agissant de la sorte, les parents avaient autrefois l'habitude de réprimer systématiquement les pleurs de leurs enfants. Cette conviction est d'une fausseté criante. Le présent livre serait tout à fait inutile si la plupart d'entre nous avions eu la permission d'exprimer pleinement notre chagrin. Ce que j'appelle l'«expression de la première souffrance» est essentiellement une extériorisation de notre ancien chagrin, l'élément clé dans la recherche de notre enfant intérieur blessé.

LA FLEXIBILITÉ

La flexibilité est cette faculté que nous possédons de toujours «retrouver notre forme» malgré les pressions de l'environnement. La nature a doté les enfants de ce ressort; plus ils sont jeunes, plus ils en ont. Il suffit de regarder un enfant en train d'apprendre à manger ou à marcher pour découvrir immédiatement cette flexibilité dans toute son évidence. J'ai un jour observé une bambine de vingt mois qui essayait de grimper sur un canapé. Chaque fois qu'elle y arrivait presque, elle retombait sur le sol. À deux ou trois reprises elle a pleurniché pendant un petit moment puis s'est remise à sa besogne: escalader le canapé. Après au moins cinq tentatives, elle a finalement réussi. Savourant le plaisir de son exploit, elle est restée assise durant quelques minutes. Lorsque mon gros chien est entré dans la pièce, elle l'a observé d'un air circonspect puis elle est descendue du canapé pour examiner cette étrange créature. Alors qu'elle s'approchait de lui, le chien l'a joyeusement bousculée et, contrariée, la petite lui a aussitôt claqué la truffe. Elle était trois fois plus petite que l'animal et pourtant, elle osait lui taper le nez! Cela s'appelle sans conteste avoir du courage. À vrai dire, tous les enfants sont braves. Nous, les adultes, sommes des géants, comparés à eux. Aussi, plutôt que de considérer leur entêtement comme de la dépravation ou de l'inconduite, nous ferions mieux de le voir comme une preuve de cran. Les enfants ont du ressort et du *courage* (ce mot vient du latin *cor* qui signifie «cœur»), ils ont du cœur et sont de braves aventuriers. À ce propos, le grand psychologue adlérien Rudolf Dreikurs soutenait que tous les enfants se conduisant mal sont «*dé-couragés*»:

ayant perdu leur cœur, ils se croient obligés de manipuler les autres afin de les amener à satisfaire leurs besoins.

Proche parente de la flexibilité, la souplesse de caractère permet à l'enfant d'apprendre à se comporter selon le modèle de socialisation auquel il est exposé. Une telle souplesse est propre au genre humain, en ce sens que la plupart des animaux en sont démunis, et elle constitue un signe de santé mentale éloquent.

Cependant, ces mêmes qualités de flexibilité et de souplesse nous servent également à nous adapter de façon malsaine. Tous les comportements que j'attribue à l'enfant intérieur blessé sont des comportements résultant de son adaptation. Sa flexibilité et sa souplesse lui ont permis de survivre à la maladie, aux désordres et à l'abandon affectif. Mais il demeure déplorable que, enfants, nous ayons dû utiliser notre dynamisme et notre ressort pour survivre plutôt que pour croître et favoriser l'émergence de notre moi.

Puisque la flexibilité fait partie de l'essence même de notre moi authentique, nous pourrons la récupérer en même temps que nous apprivoiserons et soutiendrons notre enfant intérieur blessé. Cela prendra du temps, car ce dernier devra apprendre à nous faire confiance avant de nous laisser jouer auprès de lui le rôle de protecteur. Mais à mesure que son sentiment d'être protégé et en sécurité grandira, sa faculté d'émerveillement innée ainsi que sa flexibilité naturelle feront surface et s'épanouiront complètement.

LE JEU LIBRE

Les enfants ont un sens naturel de la liberté et, lorsqu'ils se sentent en sécurité, sont capables de s'activer très spontanément. Ces deux caractéristiques, la liberté et la spontanéité, constituent la substance du jeu. Pour Platon, le besoin qu'ont les enfants de *sauter* — qui implique l'évaluation des limites de la gravité terrestre — illustre parfaitement ce qu'est le jeu authentique. Lorsqu'il joue librement, l'enfant transcende la répétition de simples habitudes. Avec l'âge, nous perdons souvent ce sens du jeu et en arrivons à tenir le jeu pour une activité frivole tout juste bonne pour les petits. En fait, bien des adultes assimilent le jeu à l'oisiveté et considèrent l'oisiveté comme la proverbiale «mère de tous les vices».

Malheureusement, nous, les Nord-Américains, avons dénaturé le jeu libre et spontané en le transformant en une course agressive dont le but est essentiellement de gagner. Au départ, l'authentique jeu libre consiste en une activité de purs plaisir et délice. Ce n'est que dans les derniers stades du développement que l'on s'y adonne pour le plaisir de développer l'adresse et l'esprit sportif que requiert un jeu particulier.

Le jeu libre fait partie intégrante de notre nature profonde. Tous les animaux s'amusent, mais le jeu des enfants a une portée beaucoup plus grande. Ashley Montagu a écrit que «le jeu de l'enfant est un bond de l'imagination qui va bien au-delà des capacités de toute autre créature». L'imagination tient effectivement un rôle essentiel dans l'enjouement enfantin. Je me souviens encore des créations nées de mon imagination enfantine: le plus souvent, il s'agissait d'activités préparatoires à la vie adulte — nous jouions à «faire comme si» nous étions grands et imaginions à quoi cela pouvait ressembler d'être papa, d'être maman.

Le jeu libre est une affaire sérieuse pour les enfants, car il fait partie des fondements de leur vie future. Si, tout jeunes, il nous avait été possible de jouer à notre aise et en toute sécurité, peut-être qu'une fois devenus adultes nous n'aurions pas eu recours au jeu non créatif. Ce genre de jeu n'est qu'un palliatif pour nos besoins inassouvis depuis l'enfance et il nous pousse à accumuler des «jouets de grandes personnes». Vous avez peut-être vu un jour cet autocollant à appliquer sur le pare-chocs des voitures qui proclame: «Le Gagnant, c'est celui qui possède le plus de jouets le jour de sa mort.» Une telle corruption du jeu enfantin nous empêche de considérer la vie comme une aventure sous le signe de la liberté et de la spontanéité.

Si nous considérons l'enfance comme l'époque privilégiée du jeu libre et créatif, nous nous apercevons qu'être humain c'est être enjoué. Les plus grandes réalisations humaines correspondent à ces «bonds de l'imagination» qui expliquent les inventions, les découvertes et les théories les plus importantes. Comme Nietzsche l'a souligné, pour atteindre la maturité, nous devons retrouver la ferveur de nos jeux d'enfants.

L'UNICITÉ

Malgré son immaturité, l'enfant a un sentiment viscéral de son intégrité, de son «Je suis». En d'autres termes, il sent qu'à l'intérieur de lui-même tout est lié et unifié. Ce sentiment d'être un tout intègre et complet se rapproche du vrai sens de la perfection et, vu sous cet angle, tout enfant est parfait.

L'intégrité unifiée est également ce qui rend chaque enfant *spécial, unique* et *merveilleux.* Nul être n'est *exactement* pareil à lui. De cette originalité résulte le fait que tout enfant est une personne vraiment précieuse, c'est-à-dire rare et de grande valeur. Les joyaux et l'or sont précieux, mais n'importe quel enfant l'est beaucoup plus, et de loin. D'ailleurs, dès sa naissance le poupon éprouve cela au plus profond de lui-même. Freud parlait de «Sa Majesté le Bébé».

Il n'en demeure pas moins que ce sentiment inné de sa valeur et de sa dignité étant très précaire, l'enfant doit trouver très tôt son reflet et son écho aussi bien dans le regard que dans les attitudes d'un parent affectueux. Si le parent ne reflète pas fidèlement et amoureusement l'enfant tel qu'il est, celui-ci perdra son sentiment d'être spécial et unique.

Les enfants ont aussi une spiritualité naturelle. Sur ce point, je dois préciser que, à mes yeux, intégrité et spiritualité sont synonymes. Les enfants sont des mystiques naïfs, dont l'«étrange divinité» est «toujours préservée» ainsi que le fait ressortir Christopher Morley dans son poème. Il est question ici d'une spiritualité naïve, dénuée de sens critique, mais elle deviendra plus tard la base d'une spiritualité mûre et réfléchie.

La spiritualité concerne ce qu'il y a de plus profond et de plus authentique en nous: notre vrai moi, si bien qu'à partir du moment où nous la laissons émerger, nous ressentons notre unicité et notre originalité. Elle réside dans notre être essentiel, dans ce sentiment du «Je suis». Néanmoins, elle implique également notre sentiment d'être reliés et ancrés à quelque chose de plus grand que nous. Les enfants sont des croyants naturels: ils savent qu'il existe quelque chose de plus grand qu'eux-mêmes.

Je pense que notre conscience du «Je suis» constitue le fondement de notre essence divine. Lorsqu'une personne éprouve ce sentiment d'être, elle s'accepte et ne fait qu'un avec elle-même. Cet état est naturel et propre à l'enfance; il suffit d'observer un enfant sain de corps et d'esprit pour s'apercevoir que tout son être exprime effectivement «Je suis qui je suis». Il est intéressant de constater que dans la théophanie du Buisson ardent, Dieu dit à Moïse que son nom est *Je suis celui qui est* (Exode, 3,14). Le sens le plus profond de la spiritualité humaine réside dans ce «Je suis», qui englobe le sentiment d'être quelqu'un de grande valeur, précieux et spécial. Le Nouveau Testament regorge de situations où Jésus se préoccupe de la «personne unique»: la brebis égarée, le fils prodigue, l'ouvrier de la dernière heure qui mérite son plein salaire... La «personne unique» est celle qui est qui elle est; elle n'a jamais existé auparavant et elle n'existera jamais plus.

Plus que tout autre facteur, c'est la blessure spirituelle qui nous prédispose à devenir des adultes enfants codépendants et pétris de honte. Toute histoire de chute, qu'elle concerne un homme ou une femme, raconte comment un enfant merveilleux, de grande valeur, spécial et précieux, a perdu son sentiment du «Je suis qui je suis».

L'AMOUR

Les enfants sont naturellement enclins à l'amour et à l'affection. Cependant, *l'enfant doit d'abord être aimé avant de pouvoir aimer,* puisqu'il apprend à aimer en étant aimé. «Parmi tous les besoins purement humains, le besoin d'aimer est [...] le plus fondamental. [...] C'est un besoin humanisant; plus que tout autre, il fait de nous des humains», écrit Ashley Montagu.

Aucun tout-petit n'a la capacité d'aimer de façon mûre et altruiste; il aime plutôt à sa manière, selon son âge. Il grandira sainement pour peu qu'on satisfasse son besoin d'être aimé et accepté inconditionnellement, auquel cas son «potentiel d'amour» sera libéré de sorte qu'il pourra à son tour aimer les autres.

Quand un enfant n'est pas aimé pour ce qu'il est, son sentiment du «Je suis» disparaît. Parce qu'il est très dépendant, l'égocentrisme s'ancre alors profondément en lui et son moi authentique ne fait jamais vraiment surface. Les contaminations puériles que j'ai attribuées à l'enfant intérieur blessé représentent les conséquences de cette adaptation égocentrique. En réalité, le manque d'amour inconditionnel fait subir à l'enfant la plus pernicieuse des privations. Seuls de vagues échos de l'univers d'autrui parviennent à l'adulte qui porte en lui un enfant blessé et frustré. Le besoin d'amour ne le quitte jamais; cette faim le tenaillant, l'enfant intérieur blessé tente de combler son manque à l'aide des moyens que j'ai décrits.

Au cours de votre démarche visant à retrouver et à soutenir votre enfant intérieur blessé, *vous* lui donnerez la véritable acceptation inconditionnelle qu'il désire si ardemment. Par le fait même, vous le rendrez apte à reconnaître et à aimer les autres pour ce qu'ils sont.

LA BLESSURE SPIRITUELLE

Je crois que les multiples blessures susceptibles d'être infligées à l'enfant doué se traduisent toutes par la perte de son sentiment du «Je suis». Tout enfant a désespérément besoin de savoir: 1) que ses parents sont sains et capables de s'occuper de lui; 2) qu'il est important à leurs yeux.

L'enfant éprouve le sentiment de son importance lorsqu'il peut voir le reflet de son unicité dans le regard de ses parents ou d'autres protecteurs significatifs pour lui. Par ailleurs, la somme de temps que ces êtres passent avec lui le renseigne également sur son importance, car les enfants savent intuitivement que l'on consacre du temps à ce que l'on aime. De ce fait, les parents remplissent leurs enfants de honte en ne trouvant pas le temps de s'intéresser à eux.

Tout enfant issu d'une famille dysfonctionnelle se verra infliger cette blessure spirituelle — cette perte de son sentiment du «Je suis» — jusqu'à un certain point. Une mère alcoolique et un père codépendant par la force des choses seront incapables de faire preuve de disponibilité à l'égard de leurs enfants. L'alcoolique sera absorbée par son besoin de s'adonner à la boisson et le codépendant sera absorbé par l'alcoolique. Ils ne pourront tout simplement pas être affectivement présents pour leurs enfants. La même situation se présente quand la coalition parentale est dominée par une angoisse chronique, celle-ci pouvant être liée à des problèmes de dépendance vis-à-vis du travail ou des activités religieuses, à des troubles de l'alimentation, à un contrôle ou à un perfectionnisme obsessionnels, à une maladie mentale ou physique. De toute façon, quel que soit le trouble en cause, sitôt que les parents sont absorbés par leurs propres problèmes émotionnels, ils se révèlent incapables d'être là pour leurs enfants. À ce sujet, la psychiatre Karen Horney constate:

> Mais à travers diverses influences défavorables, un enfant peut se voir refuser le droit de grandir conformément à ses possibilités et à ses besoins individuels. [...] Lorsqu'on les résume, ces influences se ramènent toutes au fait que les gens dans l'entourage de l'enfant sont *trop préoccupés par leurs propres névroses pour être capables de l'aimer,* ou même d'imaginer qu'il possède une individualité qui lui est propre. (Dans cette citation, c'est moi qui ai voulu mettre en relief le passage figurant en italiques.)

Lorsqu'on frustre l'enfant dans son espoir d'être aimé en tant que personne et qu'on n'accepte pas l'amour qu'il a à donner, on lui fait subir le plus grand des traumatismes.

Dans une famille dysfonctionnelle, les parents sont eux-mêmes si démunis qu'ils ne sont ni l'un ni l'autre en mesure de répondre aux besoins de leur enfant. De fait, *la majorité des enfants de familles dysfonctionnelles ont été le plus cruellement blessés au moment même où ils étaient le plus complètement démunis.* Je pense ici à Jean, dont le père était alcoolique. À l'âge de sept ans, il ne savait jamais si son père allait rentrer à la maison. Puis, à l'âge de onze ans, Jean avait été abandonné par son père, affectivement et financièrement. Or, un garçon a besoin de son père; pour être capable de s'aimer en tant qu'homme, il a besoin à la fois d'être aimé par un homme et de s'attacher à lui. Mais Jean n'avait jamais connu ce type de lien avec son père. La plupart du temps, il était terrifié et ressentait une profonde insécurité d'enfant privé de toute protection, une situation d'autant plus grave que le père représente la protection. À cela s'ajoutait le fait que sa mère haïssait inconsciemment les hommes. En trois occasions différentes, à table, au cours du dîner, elle avait humilié Jean en se moquant de la taille de son pénis. Il l'avait mal pris, mais elle avait prétendu qu'il s'agissait d'une blague et l'avait encore couvert de honte en affirmant qu'il était trop sensible. À vrai dire, cette humiliation avait touché son fils au point le plus vulnérable de son identité masculine puisque, aussi insensé que cela puisse paraître, la taille du pénis *est* un symbole de virilité dans notre culture. C'est ainsi qu'un garçon ayant désespérément besoin d'être confirmé dans sa virilité s'était retrouvé trahi par le seul parent significatif qu'il avait. La mère, une victime d'inceste non traitée, avait fait rejaillir sur son fils — par le biais de l'*acting out* — la rage et le profond mépris qu'elle éprouvait à l'égard des hommes.

LES SÉVICES SEXUELS, ÉMOTIONNELS ET PHYSIQUES

Les abus sexuels

Dans le phénomène de l'abus sexuel, l'enfant est *utilisé* par des adultes à des fins de plaisir sexuel, ce qui le conduit à acquérir la conviction que le seul moyen d'être considéré comme important, c'est de se montrer sexuel avec l'adulte. Par suite d'un tel avilissement, il grandira dans l'idée qu'il se doit d'être un fameux partenaire sexuel ou d'être sexuellement attirant s'il veut qu'on se préoccupe vraiment de lui. Il existe plusieurs formes d'abus sexuels; parmi ces différentes formes, les abus non physiques sont les plus méconnus et peuvent être les plus dévastateurs sur le plan psychique.

Pour saisir clairement la nature de l'abus sexuel non physique, ou affectif, il faut comprendre que la famille est un système social gouverné par ses propres lois, dont les principales sont les suivantes:

- Le système entier reflète chacun des membres de la famille de manière telle que celle-ci peut se définir uniquement par les interrelations entre ses membres, et non par la somme de ses parties.
- Le système entier fonctionne selon un principe d'équilibre; ainsi, lorsqu'un membre fait trop pencher la balance, un autre membre se charge de rétablir l'équilibre en faisant contrepoids. Par exemple, un père ivrogne et irresponsable pourrait avoir comme corollaire une mère totalement abstinente et hyperresponsable; le pendant d'une femme hargneuse et hystérique pourrait être un mari conciliant, doucereux et d'humeur égale.
- Le système entier est régi par ses propres règles. Dans un système sain, les règles sont ouvertes et négociables; dans un système malsain, elles sont strictes et inflexibles.
- Les membres du système ont un rôle à jouer pour maintenir les besoins de la famille en équilibre. Dans un système familial sain, les rôles sont flexibles et partagés, tandis qu'ils sont rigides et figés dans un système familial malsain.

Le système familial a également ses parties constituantes, dont la principale est le couple. Lorsque le lien conjugal souffre d'une dysfonction en ce qui a trait à l'intimité, le principe d'équilibre et de complémentarité du système familial entre en jeu. Pour être équilibrée, la famille a besoin d'un couple sain. Quand l'équilibre est absent, l'énergie dynamique du système pousse les enfants à le créer. Si papa est insatisfait de maman, il se tournera éventuellement vers sa fille pour combler ses besoins affectifs. Une fille peut devenir la Poupée Chérie ou la Petite Princesse de son père, de même qu'un garçon peut devenir le Petit Homme de sa mère, celui qui compte vraiment, en remplacement du père. Il existe plusieurs variations sur ce thème et elles ne sont pas limitées par le sexe; par exemple, une fille peut se faire la protectrice de sa mère, à la place du père, tout comme un garçon peut être l'épouse affective de son père. Dans tous les cas, on assiste à la création d'un lien vertical ou transgénérationnel. Les enfants sont là pour s'occuper du mariage de leurs parents et ils sont utilisés pour soigner le sentiment d'abandon de papa et maman. Souvent, l'un des parents s'est fermé à la sexualité mais ses besoins sexuels demeurent présents. Poussé par eux à cajoler exagérément son enfant, il ne perçoit guère le malaise que ses caresses ou ses baisers «collants» suscitent chez lui. *En règle générale, chaque fois qu'un parent accorde à son enfant une plus grande importance qu'à son conjoint, l'abus sexuel affectif existe potentiellement.* Il s'agit d'un abus, car le parent utilise l'enfant pour satisfaire ses propres besoins. Un tel comportement renverse l'ordre naturel des choses. Les parents se doivent de donner du temps, de l'attention et une direction à leurs enfants; ils n'ont pas à les *utiliser* pour combler leurs propres manques. Utiliser, c'est abuser.

L'avilissement sexuel inflige une blessure spirituelle beaucoup plus vive que tout autre genre de dégradation. Ce n'est que très récemment que nous avons réussi à saisir la violence sexuelle dans toute son ampleur. Force nous est de constater que les horribles histoires de pénétration physique ne sont que la pointe de l'iceberg. Nous savons maintenant beaucoup de choses sur les répercussions de l'exhibitionnisme et du voyeurisme à l'intérieur de la famille. Il semble que le facteur clé d'un tel abus réside dans l'état d'esprit des parents, susceptibles d'être excités sexuellement soit par leur propre nudité, soit par la contemplation du corps de leurs enfants.

Une grande partie de la violence sexuelle qui éclate dans les familles provient du non-respect des frontières personnelles. Ce qui est le cas quand l'enfant ne peut disposer d'aucun espace privé et sûr, ses parents étant capables de faire irruption dans la salle de bains pendant qu'il utilise la toilette; quand les parents soumettent l'enfant à d'interminables interrogatoires afin de connaître chaque détail de sa vie sexuelle.

La violence sexuelle est aussi imputable au fait que les parents ne posent pas de balises sexuelles appropriées dans leurs rapports avec leurs enfants. Cela se caractérise souvent par des remarques et des discussions déplacées. Pour cette raison, Danielle, une de mes clientes, se sentait fréquemment mal à l'aise en présence de son père. Celui-ci avait l'habitude de lui tapoter les fesses, tout en lui parlant de son «petit c... sexy» et en lui expliquant combien il aurait souhaité être plus jeune pour pouvoir «se l'envoyer». Ces remarques bouleversaient Danielle. Par la suite, elle s'est attachée à rechercher des hommes plus âgés qu'elle et fort attirés par sa croupe.

Pour sa part, Claudia se sentait fort gênée face à sa mère qui lui exposait volontiers sa vie sexuelle, lui racontant quel amant ignoble était son père et quel petit pénis il avait. En la traitant comme une camarade de collège qui aurait été sa complice, sa «sœur de sang», la mère avait violé les frontières psychologiques de la fille. Claudia s'était retrouvée tellement prise dans les filets de sa mère qu'elle n'avait aucune identité sexuelle propre. Elle nouait quantité de liaisons avec des hommes mariés, mais elle finissait toujours par leur refuser toute relation sexuelle et par les rejeter. Elle m'avait rapporté que pour atteindre l'orgasme elle devait s'imaginer dans la peau de sa mère!

Le fait de ne pas donner d'éducation sexuelle à un enfant constitue une autre forme d'abus. Un abus dont Julie, qui n'a reçu de ses parents *aucune* information sur la sexualité, a énormément souffert à un moment crucial de son existence. Le jour où elle a eu ses premières règles, elle s'est crue atteinte d'une grave maladie et en a été totalement terrifiée.

La violence sexuelle peut aussi provenir des frères ou des sœurs plus âgés. En règle générale, on peut parler d'une différence d'âge d'environ deux ans. Les jeunes du même âge se lancent souvent dans l'exploration sexuelle, mais cela ne constitue qu'une facette normale de leur développement. Par contre, si avec un jeune du même âge l'enfant met en actes un comportement inapproprié compte tenu de son degré d'évolution intellectuelle, on peut souvent considérer cela comme un symptôme: l'enfant agresseur a probablement été lui-même victime d'un abus sexuel et il agresse sexuellement l'autre enfant à son tour.

Considérons le cas de Pierrot, qui, à six ans et demi, s'est fait «sodomiser» plusieurs fois par son meilleur ami, un petit garçon du même âge. On a découvert que l'ami en question avait été violé par un oncle. Le petit garçon répétait cet abus sur la personne de Pierrot.

Les enfants ont foi en leurs parents et vont jusqu'à se créer des liens fantasmatiqucs pour entretenir cette foi. Je me suis nié et illusionné à l'extrême en me raccrochant à l'idée que mon père alcoolique m'aimait vraiment. Je me suis créé une rêverie dans laquelle il pensait énormément à moi; en réalité, il était si malade qu'il n'avait pas du tout le temps de m'aimer. Personne ne se plaît à être utilisé. Nous, les adultes, devenons furieux lorsque nous sommes conscients d'avoir été utilisés, mais les enfants ne peuvent savoir qu'ils le sont. En conséquence, l'enfant intérieur garde cette blessure au-dedans de lui. Toute victime d'un abus sexuel se sent moins digne d'amour qu'elle ne l'est en réalité; elle devient antisexuelle ou hypersexuelle dans l'espoir d'éprouver le sentiment d'être importante.

Les mauvais traitements physiques

Les mauvais traitements physiques infligent, eux aussi, une blessure à l'âme. Un enfant que l'on secoue en lui serrant le cou, que l'on bat ou à qui l'on ordonne d'aller chercher ses propres instruments de torture peut difficilement être convaincu qu'il est spécial, merveilleux et unique. Comment le pourrait-il lorsque ceux-là même qui sont censés le protéger lui font du mal physiquement? Les châtiments corporels brisent le lien interpersonnel unissant l'enfant à son père ou à sa mère. Pour avoir une idée de leurs effets, imaginez simplement ce que vous ressentiriez si votre meilleur ami s'avançait vers vous et vous frappait.

On ne se rend généralement pas compte qu'il existe quantité de familles violentes. Les données sur ce sujet restent cachées dans les salles d'urgence des hôpitaux, dans la honte familiale et, surtout, dans la terreur d'être battu davantage si l'on en parle à quelqu'un.

La violence physique infligée aux enfants et aux femmes est une tradition séculaire fort répandue. De nos jours encore nous croyons aux vertus du châtiment corporel. Il y a seulement trois ans, j'en étais toujours à justifier le recours au châtiment corporel lorsqu'il se présentait sous une forme modifiée. Pourtant, *rien* ne prouve que la fessée et les autres châtiments physiques ne laissent pas de séquelles durables. Même si l'enfant que l'on abreuve de fessées, de gifles ou de menaces est persuadé qu'on lui accorde de l'importance, ce ne sera que dans une vision totalement pervertie. Par ailleurs, les enfants qui sont témoins de violence sont également victimes de violence. Je ressens inévitablement une réaction dans mon corps lorsque je pense à mon ami Marc. À l'école primaire, j'ai vu une religieuse le frapper rudement au moins une douzaine de fois au visage; il était clair qu'elle ne se maîtrisait plus. Marc était un petit dur et avait assurément besoin d'être dirigé. Son père, un homme alcoolique et violent, le battait. Quoi qu'il en soit, je me rappelle nettement la scène: j'étais assis là, tressaillant de douleur à chaque coup porté par la religieuse, sachant confusément que la même chose pouvait m'arriver à moi aussi. Dans toute école où les punitions corporelles sont autorisées, on court le risque de voir un enseignant perdre toute maîtrise de lui-même d'une manière aussi abusive.

Je n'oublierai jamais non plus le soir où, trente ans plus tard, Marc m'a téléphoné de l'hôpital pour anciens combattants dans lequel il était interné, me suppliant de l'aider à se guérir de son alcoolisme. Où était le merveilleux enfant venu au monde avec le sentiment d'être spécial, unique et irremplaçable?

Les sévices émotionnels

Les sévices émotionnels infligent également une blessure spirituelle. Les cris et les hurlements adressés à un enfant portent atteinte à son sentiment d'avoir une valeur personnelle. Les parents qui qualifient leur enfant de «gros bêta», d'«idiot», d'«abruti», de «minus» et ainsi de suite le blessent avec chacun de leurs mots. Les sévices émotionnels se présentent aussi sous la forme de la rigidité, du perfectionnisme et du contrôle. Le perfectionnisme provoque un intense sentiment de honte toxique. Quoi que l'on fasse, on n'est jamais à la hauteur. Toutes les familles enracinées dans la honte utilisent le perfectionnisme, le contrôle et le blâme comme outils de manipulation. Rien de ce que l'on puisse dire, faire, ressentir ou penser n'est correct: nos sentiments sont injustifiés, nos idées folles et nos désirs stupides. On est continuellement pris en défaut, en flagrant délit d'incompétence.

Les sévices à l'école

La honte toxique n'est pas seulement suscitée par le milieu familial, elle l'est aussi par le milieu scolaire. Dès ses débuts à l'école, l'enfant est immédiatement jugé et évalué. Il entre en compétition avec les autres pour être correct. Debout auprès du tableau noir, il se fait couvrir de honte devant tout le monde. Même l'évaluation peut être humiliante en soi. Il n'y a pas longtemps, j'ai dû réconforter le petit garçon d'un ami parce qu'il avait obtenu la note «F» pour un dessin exécuté *lors de sa première journée d'école*.

Par ailleurs, le milieu scolaire est propice à l'humiliation des enfants au sein de leurs groupes de pairs. Les jeunes se taquinent cruellement les uns les autres, se montrant particulièrement impitoyables devant les larmes. Dans leur crainte d'être bafoués par leurs camarades, de nombreux enfants se retrouvent doublement piégés par l'école: d'une part, leurs parents et leurs enseignants les pressent de travailler fort afin qu'ils obtiennent de bons résultats scolaires, mais, d'autre part, leurs camarades se moquent d'eux lorsqu'ils réussissent bien.

C'est à l'école que nous avons commencé à prendre conscience de réalités telles que l'origine ethnique et le statut socio-économique. Mes amis juifs m'ont raconté des histoires horribles à propos des souffrances qu'ils y avaient connues du simple fait qu'ils étaient juifs. C'est également à l'école que beaucoup d'enfants noirs se font dire qu'ils «parlent mal». À l'époque où je fréquentais une institution scolaire du Texas, on punissait encore les enfants mexicains lorsqu'ils utilisaient leur langue maternelle à l'école.

Ma famille ne possédant pas de voiture, je me rappelle la honte que j'éprouvais de devoir me rendre à l'école à pied et, plus tard, en autobus. Cette situation m'était d'autant plus pénible que la plupart de mes camarades d'école étaient issus de familles riches. Très vite, les jeunes d'âge scolaire en savent long sur le statut social.

Les sévices à l'église

Un enfant peut éprouver de la honte à l'école du dimanche, au catéchisme ou à l'église, en écoutant un sermon sur les tourments de l'enfer. Récemment, à la télévision, j'ai entendu un prédicateur affirmer: «Vous ne pourrez jamais être assez bons pour que Dieu vous considère comme acceptables.» Quel terrible affront au Créateur! Mais comment un enfant aurait-il pu savoir que cet homme utilisait une telle enflure verbale pour dissimuler sa propre honte? Je me souviens qu'à l'école primaire on m'a appris la prière de sainte Catherine de Gênes. Si ma mémoire est bonne, la prière en question se récitait comme suit: «Tendant de toutes mes forces à quitter cette vie de malheur, avec angoisse je pousse des hurlements perçants et profonds. Je meurs de ne pas mourir.» Très gai pour commencer la journée, n'est-ce pas? Cette prière mystique prend tout son sens dans les hautes sphères de la spiritualité, mais de tels propos blessent l'âme d'un enfant de dix ans.

LA HONTE CULTURELLE

Notre culture possède ses propres systèmes de perfection qui nous blessent spirituellement. Nous avons la parfaite note de dix sur dix.

Nous avons, d'une part, les hommes au gros membre viril et, d'autre part, les femmes à la poitrine opulente et à la croupe bien ferme. Si nos caractéristiques sexuelles ne sont pas très développées, nous sommes considérés comme inférieurs. Je me rappelle la souffrance que constituait le simple fait de prendre une douche dans les vestiaires après une séance d'entraînement au football. Les grands gars harcelaient les plus jeunes et s'amusaient à leurs dépens. Je priais le Ciel pour qu'ils ne décident pas de s'en prendre à moi. Et quand ils se rabattaient sur quelqu'un d'autre, je riais nerveusement et me ralliais à eux.

Je me souviens également des gamins gros et laids; pour eux, l'école n'était qu'un cauchemar quotidien. Quant aux maladroits, ceux qui n'avaient rien d'athlétique, ils en prenaient aussi pour leur rhume aux récréations ou durant les joutes sportives.

De tels moments nous marquent pour la vie. Ayant grandi dans la pauvreté, je me sens encore intimidé lorsque je vais dans un club de golf chic ou dans tout autre endroit sélect. Même si la plupart du temps je peux présumer que je suis plus à l'aise financièrement que les gens autour de moi, cela ne m'empêche pas d'éprouver le toxique pincement de cœur provoqué par la honte culturelle.

Très tôt, les enfants se rendent compte qu'il existe des différences économiques et culturelles entre eux et leurs amis. Ils développent rapidement une conscience très aiguisée du style d'habillement ainsi que de la richesse du voisinage et, dans ce domaine, la pression de leurs pairs se fait plus forte avec les années. On prend toujours la mesure de votre valeur — et, le plus souvent, vous ne faites pas le poids. En définitive, le message est le suivant: *Votre manière d'être n'est pas correcte. Vous devriez être comme* nous *voulons que vous soyez.*

LA HONTE TOXIQUE

Tous les types de sévices dont j'ai parlé dans le présent chapitre engendrent la honte toxique: le sentiment d'être taré, diminué, jamais à la hauteur. La honte toxique se révèle pire que la culpabilité. Quand on éprouve de la culpabilité, c'est que l'on a fait quelque chose de mal; cependant, il est possible d'agir, de faire quelque chose pour réparer sa faute. La honte toxique, par contre, donne le sentiment que quelque chose cloche en *soi-même* et que l'on n'y peut rien; on *est* insuffisant et en dessous de tout. La honte toxique est au cœur de l'enfant blessé.

Récemment, j'ai retravaillé le texte d'une éloquente méditation — écrite à l'origine par Leo Booth — et je lui ai ajouté certains thèmes de la honte toxique que j'ai explorés dans *Guérir de la honte*. J'aimerais la partager à présent avec vous.

Mon nom est «honte toxique»

J'étais là au moment de ta conception
Dans l'adrénaline produite par la honte de ta mère
Tu me sentais dans les eaux de l'utérus maternel
J'ai fondu sur toi alors que tu ne savais pas encore parler
Avant que tu ne puisses comprendre
Avant que tu ne puisses accéder à la connaissance
Je me suis abattue sur toi lorsque tu apprenais à marcher
Alors que tu étais nu et sans défense
Alors que tu étais vulnérable et démuni
Avant que tu aies quelque limite que ce soit
MON NOM EST «HONTE TOXIQUE»

Je me suis jetée sur toi lorsque tu étais envoûté par la magie
Avant que tu ne puisses savoir que j'existais
J'ai brisé ton âme
Je t'ai transpercé jusqu'à la moelle
Je t'ai inspiré le sentiment d'être taré et rempli de défauts
Je t'ai amené à te sentir méfiant, laid, stupide, incrédule, sans valeur, inférieur et indigne
J'ai fait en sorte que tu te sentes différent
Je t'ai affirmé que quelque chose clochait en toi
J'ai souillé ta divinité
JE M'APPELLE «HONTE TOXIQUE»

J'étais là avant la conscience
Avant la culpabilité
Avant le sens moral
Je suis l'émotion maîtresse
Je suis la petite voix intérieure qui chuchote les mots de la condamnation

Je suis le frisson qui t'envahit à l'improviste
JE SUIS LA HONTE TOXIQUE

Je vis cachée
Dans la profonde moiteur des rives de l'ignorance, de la
dépression et du désespoir
Toujours je me glisse furtivement, je te prends au dépourvu,
j'entre par la porte de derrière
Comme une intruse
La première arrivée
J'étais là aux commencements des temps
Avec Adam et Ève, mes père et mère
Et Caïn, mon frère
J'étais dans la tour de Babel et au massacre des Innocents
MON NOM EST «HONTE TOXIQUE»

Je suis née de géniteurs «honteux», de l'abandon, du ridicule, de
l'abus, de la négligence — de systèmes perfectionnistes
Je suis renforcée par le spectacle terrifiant d'un parent enragé
Par les remarques cruelles des frères et sœurs
Par les railleries humiliantes des autres enfants
Par l'image disgracieuse que me renvoient les miroirs
Par un attouchement équivoque et effrayant
Par la gifle, le pincement et le rudoiement qui brisent la confiance
Je suis intensifiée par
Une culture raciste et sexiste
Par la condamnation bien-pensante des bigots
Par les peurs et les pressions de l'école
Par l'hypocrisie des politiciens
Par la honte transmise de génération en génération par les systè-
mes familiaux dysfonctionnels
JE SUIS LA HONTE TOXIQUE

Avec moi, une femme, un Juif, un Noir, un Oriental, un
homosexuel ou un précieux enfant deviennent
Une garce, un youpin, un négro, un chinetoque, un pédé, une
gouine ou un petit bâtard égoïste
La souffrance que j'inflige est chronique
Elle est là pour rester
Je suis le chasseur qui te poursuit nuit et jour

Chaque jour, partout
Je suis sans frontières
Tu essaies de te cacher de moi
Mais tu ne le peux pas
Parce que je vis au-dedans de toi
Mon but est que tu te sentes désespéré
Que tu ne voies plus aucune issue
MON NOM EST «HONTE TOXIQUE»

La douleur que je t'inflige est à ce point intolérable que tu dois me déverser sur les autres en utilisant le contrôle, le perfectionnisme, le mépris, la critique, le blâme, l'envie, le jugement, la domination et la hargne
Ma douleur est si intense
Que tu dois l'enfouir sous des problèmes de dépendance, des rôles rigides, des mises en scène compulsives et des défenses inconscientes
Ma douleur est si intense
Que tu dois l'engourdir pour ne plus l'éprouver
Je t'ai fait croire que j'étais partie, que je n'existais pas, et maintenant tu n'éprouves plus qu'un sentiment d'absence et de vide
JE SUIS LA HONTE TOXIQUE

Je suis au cœur de la codépendance
Je suis la faillite spirituelle
La logique de l'absurdité
La compulsion de répétition
Je suis le crime, la violence, l'inceste, le viol
Je suis une gueule béante qui se nourrit voracement de l'assuétude
Je suis l'insatiabilité et la convoitise
Je suis Ahasvérus le Juif errant, le Hollandais Volant de Wagner, l'homme labyrinthique de Dostoïevski, le séducteur de Kierkegaard, le Faust de Goethe
Je dénature *la personne que tu es,* te réduisant à ce que tu fais et à ce que tu possèdes
J'assassine ton âme, et tu me transmets aux autres générations
JE M'APPELLE «HONTE TOXIQUE»

Cette méditation résume les manières dont le merveilleux enfant naturel a été blessé. La perte de son sentiment du «Je suis» équivaut à une faillite spirituelle. L'enfant doué est abandonné et tout seul. Comme Alice Miller l'a écrit dans son ouvrage intitulé *Cest pour ton bien,* cette situation est même pire que celle du survivant d'un camp de concentration.

> Le détenu maltraité [...] reste intérieurement libre de haïr ses geôliers. Cette possibilité de vivre ses sentiments, et même de les partager avec d'autres détenus, lui donne la chance de ne pas devoir renoncer à son moi. *Mais cette chance-là, précisément, l'enfant ne l'a pas.* Il ne lui est pas permis de haïr son père [...] il ne peut pas le haïr parce qu'il doit avoir peur de perdre son amour [...]. L'enfant ne se trouve donc pas comme le détenu d'un camp en face d'un bourreau qu'il exècre mais *en face d'un bourreau qu'il aime* [...].

L'enfant continue de vivre son tourment: il souffre passivement ou fustige tout le monde, fait de l'*acting out* ou de l'*acting in,* se projetant et s'exprimant de la seule manière qu'il connaisse. Les retrouvailles avec cet enfant constituent la première étape de notre retour aux sources.

PARABOLE

L'histoire quasi tragique d'un elfe tendre

Il était une fois un tendre petit elfe très heureux. Vif et curieux, il connaissait les secrets de la vie. Il savait, par exemple, que l'amour est un choix, qu'il sous-tend un dur travail et qu'il est la seule voie vers le bien-être. Il savait qu'il détenait des pouvoirs magiques et que cette forme de magie unique en son genre s'appelait «créativité». Le petit elfe savait qu'il n'y aurait pas de violence tant et aussi longtemps qu'il se montrerait vraiment créatif. Et il connaissait le plus grand de tous les secrets: il savait qu'il était quelqu'un et non pas une nullité. Il savait qu'il *était* et que *ce don représentait tout.* On appelait cela le secret du «Je Suis». Le créateur de tous les elfes était le Grand Je Suis. Le Grand Je Suis avait toujours été et serait toujours, même si personne ne savait comment cela pouvait être vrai ni pourquoi cela était vrai. Le Grand Je Suis était tout amour et créativité.

Un autre secret capital était celui de l'équilibre. Ce secret révélait que la vie dans sa totalité est un mariage d'opposés. Il n'y a pas de vie sans la mort physique; pas de joie sans la tristesse; pas de plaisir sans la douleur; pas de lumière sans l'obscurité; pas de son sans le silence; pas de bien sans le mal. La vraie santé est une forme de plénitude. Et la plénitude, c'est la sainteté. Le grand secret de la créativité parlait de trouver un équilibre en canalisant une énergie créatrice indisciplinée et dispersée dans une forme qui lui permettrait d'exister.

Un jour, notre tendre elfe, qui, au fait, s'appelait Joni, reçut la révélation d'un autre secret qui l'effraya un peu. Avant que Joni puisse créer pour toujours, il devait remplir une mission: partager ses secrets avec une féroce tribu de non-elfes. Car, voyez-vous, la vie d'elfe était si bonne et si merveilleuse que le secret de ce miracle devait à tout prix être partagé avec ceux qui ne connaissaient rien à l'émerveillement. La bonté ne cherche qu'à se répandre. Ainsi, chaque elfe se voyait assigner une famille de la féroce tribu des non-elfes, qui s'appelaient les Sniamuh. Les Sniamuh ne connaissaient absolument aucun secret. Souvent, ils dilapidaient leur *être*. Ils travaillaient sans relâche et avaient l'air de ne plus se sentir vivants sitôt qu'ils arrêtaient de faire quelque chose. Certains elfes, quand ils parlaient d'eux, les appelaient les Faiseurs. Les Faiseurs s'entretuaient et se déclaraient la guerre. Quelquefois, lors d'événements sportifs ou de concerts de musique, ils se piétinaient à mort.

À 3 h 05 le matin du 29 juin 1933, Joni entra dans sa famille sniamuh. Il n'avait aucune idée de ce que le sort lui réservait. Il ne savait pas à ce moment-là qu'il devrait utiliser chaque parcelle de sa créativité afin de révéler ses secrets.

À sa naissance, on lui donna le nom sniamuh de Farquhar. Sa mère, une éblouissante princesse de dix-neuf ans, était dominée par le besoin de tout réussir brillamment. Une étrange malédiction pesait sur elle. Cette malédiction avait pris la forme d'un petit néon fixé au beau milieu de son front; chaque fois qu'elle essayait de jouer, d'avoir du plaisir ou de seulement être, le néon clignotait et une voix lui ordonnait: *Fais ton devoir!* Elle ne pouvait jamais rester à ne rien faire et simplement être. Quant au père de Farquhar, il était un roi petit mais fort beau. Lui aussi était accablé par une malédiction: Henriette, sa méchante sorcière de mère, le hantait. Henriette vivait sur son épaule gauche et toutes les fois qu'il tentait de seulement *être*, elle se mettait à pousser des cris perçants: elle lui disait toujours de *faire* quelque chose.

Farquhar voulait bien révéler ses secrets à tout le monde, y compris à ses parents, mais ceux-ci devaient rester tranquilles et s'arrêter de *faire* assez longtemps pour le voir et l'écouter. Or, ils en étaient incapables, la mère, à cause du néon, et le père, à cause d'Henriette. Depuis sa naissance, Farquhar était tout seul. Comme il avait un corps de Sniamuh, il en éprouvait aussi les émotions. Et parce qu'on l'avait abandonné, il se sentait furieux, profondément frustré, blessé.

Voilà que cet elfe tendre qui détenait les grands secrets du Je Suis ne trouvait personne pour l'écouter. Ce qu'il avait à dire était fécond, mais ses parents étaient si préoccupés par leur devoir qu'ils ne pouvaient aucunement profiter de son précieux savoir. En réalité, ils nageaient dans la confusion, croyant que c'était leur boulot de faire en sorte que Farquhar apprenne à s'acquitter du sien. Pour cette raison, toutes les fois que Farquhar n'arrivait pas à accomplir ce que ses parents considéraient comme son devoir, ceux-ci le punissaient. Tantôt, ils le reléguaient dans sa chambre puis feignaient de l'ignorer, tantôt ils le frappaient ou criaient après lui, chose que Farquhar détestait par-dessus tout. Il pouvait supporter l'isolement, ou même les coups, ceux-ci n'étant pour lui qu'un mauvais moment à passer. Mais les cris et le rappel incessant de son devoir l'atteignaient si profondément qu'ils en menaçaient son âme d'elfe. Bien sûr, on ne pouvait pas tuer son âme d'elfe puisqu'elle était une parcelle du Grand Je Suis; cependant, on pouvait la blesser si gravement qu'elle semblerait s'être évaporée. C'est ce qui arriva à Farquhar. Afin de survivre, il n'essaya plus de révéler ses secrets à sa mère ni à son père, mais il chercha plutôt à leur faire plaisir en se montrant brillant et en accomplissant son devoir.

Sa maman et son papa demeuraient néanmoins des Sniamuh très malheureux. (En réalité, la plupart des Sniamuh sont malheureux tant et aussi longtemps qu'ils n'ont pas appris le secret des elfes.)

Le papa de Farquhar était si tourmenté par Henriette qu'il dépensait toute son énergie à se procurer une potion magique pour noyer ses sentiments. Mais la magie ne valait pas la créativité; en fait, la magie alla jusqu'à s'emparer de la créativité du père qui devint semblable à un mort vivant. Au bout d'un certain temps, même, il ne rentra plus jamais à la maison. Le petit cœur sniamuh de Farquhar s'en trouva brisé. Car, voyez-vous, tous les Sniamuh ont besoin à la fois de l'amour paternel et de l'amour maternel pour que l'elfe en eux puisse révéler ses secrets.

Farquhar était accablé par la désertion de son père. Et comme celui-ci ne pouvait plus aider sa mère, le fameux néon clignotait de plus belle. Par conséquent, Farquhar se faisait crier après et embrigader toujours davantage. Lorsque arriva son douzième anniversaire de naissance, il avait totalement oublié qu'il était un elfe. Quelque temps après, il découvrit la potion magique que son père buvait pour noyer la voix d'Henriette et, à l'âge de quatorze ans, il commença à l'utiliser fréquemment. Tant et si bien que dans sa trentième année il dut être transporté dans un hôpital sniamuh. Pendant son séjour dans cet établissement, il entendit une voix intérieure qui le pressait de se réveiller: c'était la voix de l'«être» qui provenait de son âme d'elfe. *Comme vous le voyez, quels que soient ses malheurs, la voix de l'elfe continuera toujours d'inviter un Sniamuh à célébrer son être.* Joni n'abandonna jamais la partie; toujours il essaya de sauver Farquhar. Si vous êtes un Sniamuh et que vous lisez ceci, je vous en prie, souvenez-vous d'une chose: au-dedans de vous, il y a une âme d'elfe qui essaie constamment de vous appeler à votre être.

Couché sur son lit d'hôpital, Farquhar entendit finalement la voix de Joni. Cela fit toute la différence. Ici commence une autre histoire, bien meilleure...

DEUXIÈME PARTIE

Renouez avec votre enfant intérieur blessé

Dans le fantasme et le mythe, le retour au foyer est un événement spectaculaire: on fait jouer un orchestre, on tue le veau gras, on prépare un banquet et des réjouissances accompagnent le retour de l'enfant prodigue. Dans la réalité, l'exil se termine souvent de manière graduelle, sans qu'à l'extérieur des événements spectaculaires ne marquent cette transition. Le brouillard ambiant se dissipe et l'image du monde devient nette; la recherche fait place à la découverte et l'inquiétude débouche sur la satisfaction. Rien n'est changé et tout a changé.

SAM KEEN

INTRODUCTION

Sam Keen résume la démarche que vous vous apprêtez à faire. Quand vous aurez terminé, aucune fanfare ne jouera pour vous convier à un banquet. Cependant, si vous avez bien accompli votre travail, vous pourrez toujours inviter votre enfant intérieur au restaurant et écouter un bon orchestre. Vous serez plus serein et plus paisible.

Le fait de retrouver votre enfant intérieur blessé vous plonge dans une expérience qui s'apparente au zen. Les enfants sont des maîtres naturels du zen; leur monde est flambant neuf à tout instant. Pour l'enfant intact, sans blessure, l'émerveillement est un état naturel et la vie demeure un mystère à vivre. Le retour aux sources n'est qu'un rétablissement — ni grandiose ni spectaculaire — de l'ordre naturel: c'est simplement ainsi que la vie devrait être.

Pour retrouver votre enfant intérieur, vous devez repasser par les stades de votre développement et terminer la besogne inachevée. Imaginez que vous êtes sur le point de trouver, par hasard, un merveilleux petit enfant qui vient tout juste de naître. Vous pouvez être là, en adulte sage et attentif, et aider cet enfant à venir au monde. Vous pouvez assister à votre naissance et revivre l'époque où vous avez appris à ramper, à marcher, puis à parler. Votre enfant aura également besoin de *votre* soutien affectueux lorsqu'il éprouvera la souffrance reliée à ses manques. À cet égard, Ron Kurtz vous propose de jouer le rôle d'un «étranger magique» pour votre enfant — ce sera magique, car vous n'étiez pas *réellement présent* la première fois que votre enfant intérieur a traversé ces stades. Je fais collection de magiciens, aussi ai-je apprivoisé mon enfant intérieur blessé en me mettant dans la peau d'un vieux magicien doux et sage. Tout comme moi, vous pouvez vous mettre dans la peau du personnage de votre choix, pour peu que votre présence soit affectueuse et non humiliante.

Chacun des stades que vous avez traversés au cours de votre enfance exigeait un type d'éducation très particulier. À mesure que vous comprendrez quels étaient vos besoins à chaque stade, vous deviendrez capable de vous donner cette éducation adéquate. Puis, plus tard, au moment où vous apprendrez à soutenir votre enfant intérieur, vous pourrez trouver des personnes aptes à vous donner la nourriture spirituelle dont vous aviez besoin autrefois et celle dont votre enfant intérieur aura besoin pour assurer sa croissance à des moments précis.

La première et la plus importante étape consiste à aider l'enfant blessé à pleurer ses besoins de dépendance inassouvis au cours de son développement. Car la plupart des contaminations que j'ai décrites dans la première partie de ce livre résultent de besoins insatisfaits dans l'enfance qui demeurent en suspens parce qu'on n'a jamais pu en faire son deuil. Il faut donc exprimer les émotions qui auraient dû être exprimées à ce moment-là et qui ne l'ont jamais été.

C'est dans l'ordre naturel des choses que ces besoins soient comblés au moment voulu et dans la séquence appropriée, sans quoi vous devenez un adulte portant en lui-même un enfant blessé qui réclame satisfaction à cor et à cri et essaie de combler ses besoins *à la manière d'un enfant* — la seule qu'il connaisse —, situation qui équivaut évidemment à laisser un petit être immature et émotionnellement affamé diriger votre vie. Pour comprendre les répercussions que cela peut avoir, passez en revue votre emploi du temps quotidien et imaginez ce que serait votre existence si un bambin de trois ans en tenait les rênes. Ce scénario vous aidera probablement à voir comment votre enfant intérieur blessé vous complique l'existence.

L'enfance est composée de quatre stades de développement majeurs. Dans la présentation de ces stades, je me suis basé principalement sur le schéma du développement psychosocial élaboré par Erik Erikson dans *Enfance et société,* ouvrage bien connu. J'ai complété ce schéma en me référant à Jean Piaget, à Pam Levin ainsi qu'à Barry et Janae Weinhold. Selon Erikson, chaque stade de développement procède d'une crise interpersonnelle — tout d'abord avec les parents mais aussi, par la suite, avec les pairs et les enseignants. Cette crise, loin d'être une catastrophe, s'avère une période où l'enfant est plus vulnérable et où il accroît ses possibilités. Chaque stade débouche sur une nouvelle crise. Erikson croit que toute crise génère une force intérieure qu'il appelle «une force du moi». Selon son postulat de départ, l'enfance normale est déterminée par quatre forces du moi tout à fait fondamentales: l'espoir, la volonté, l'intentionnalité et la compétence. L'espoir naît lorsque le nourrisson en arrive à ressentir davantage de *confiance* que de *méfiance* à l'égard de ses parents. La volonté se forme lorsque le bambin, dans sa lutte pour se séparer de ses parents et naître psychologiquement, développe un plus grand sentiment d'*autonomie* que de *honte* ou de *doute*. L'intentionnalité s'accroît lorsque le sens de l'*initiative* de l'enfant d'âge préscolaire est plus fort que son sentiment de *culpabilité*. Et la compétence résulte du fait que l'enfant d'âge scolaire se sent plus *travailleur* qu'*inférieur*.

D'après la thérapeute Pam Levin, lorsque ces forces du moi sont présentes, nous pouvons jouir de quatre pouvoirs fondamentaux: le pouvoir d'être, celui de faire, celui d'avoir une identité et celui d'utiliser nos principales ressources pour survivre.

Ce sont exactement les mêmes forces et les mêmes pouvoirs que ceux de notre enfance que nous devons développer durant les étapes ultérieures de notre vie. Les mêmes aptitudes et les mêmes besoins réapparaîtront jusqu'à ce que nous ayons atteint un âge très avancé. Selon Pam Levin, les besoins fondamentaux de l'enfance se renouvellent tous les treize ans. Bien qu'à ma connaissance aucune donnée empirique ne soit venue appuyer cette théorie des cycles de treize ans, j'aime bien m'en servir comme d'une ligne directrice.

À treize ans, la puberté ravive l'élan vital d'une manière différente. Une nouvelle structure mentale apparaît au moment où les changements biologiques liés à la maturation sexuelle s'effectuent. Nous commençons à constituer notre identité et à nous détacher de la famille; pour ce faire, nous devons contester l'autorité de nos parents et mettre à l'épreuve la vision qu'ils ont de nous-mêmes. À la puberté, nous commençons à déterminer ce que nous *pensons* être. Pour *être* nous-mêmes, il nous faut petit à petit quitter nos parents et, pour y arriver, il faut que toutes les forces de notre moi soient développées. Nous devons non seulement nous appuyer sur la confiance acquise en très bas âge — à savoir que le monde extérieur nous offre suffisamment de sécurité pour nous permettre de concrétiser nos potentialités —, mais également être assez autonomes et confiants en *nous-mêmes* pour nous aventurer dans le monde extérieur en laissant derrière nous la sécurité du foyer parental. Le bon déroulement de cette étape dépend du plus ou moins grand succès que nous avons obtenu lorsque, étant bambins, nous avons traversé la première étape de la contre-dépendance, et lorsque, à l'âge scolaire — stade de l'indépendance —, nous avons affermi notre identité naissante. Si nous avons harmonieusement franchi ces étapes, nous sommes mieux équipés pour entamer une nouvelle transition.

Pour peu que nous ayons bien tiré profit de l'école, nous la quittons en étant capables d'utiliser nos aptitudes sociales (interdépendance) pour nous faire des amis et nos aptitudes à la survie pour nous montrer travailleurs. Ces forces du moi développées durant la période scolaire nous aident à créer notre identité d'adulte, laquelle repose sur l'amour interpersonnel et le travail rémunéré.

Entre vingt-cinq et trente ans, un nouveau cycle commence. Vers l'âge de vingt-six ans, beaucoup d'entre nous se marient et fondent leur propre famille. Une fois de plus, nous devons alors miser sur notre sentiment de confiance, sur notre sens de l'autonomie, sur notre sens de l'initiative et sur notre sens de la coopération (interdépendance) afin d'apprendre à aimer et à établir des relations intimes. Ainsi, chaque stade de l'enfance se renouvellera au cours de notre quête de l'intimité.

Nous passerons d'une sorte de dépendance sans frontières (au stade de l'amour naissant) à la contre-dépendance (au stade des luttes de pouvoir, lorsque les différences individuelles se font jour) puis à l'indépendance (au stade de l'actualisation de soi), pour aboutir finalement à l'interdépendance (au stade de la coopération et de l'association). Comme ces stades ressembleront point pour point à ceux que nous avons connus durant l'enfance, le succès ou l'échec de nos relations interpersonnelles dépendra beaucoup de la manière dont nous les avons franchis autrefois.

À trente-neuf ans nous entrons dans un autre cycle, celui de l'âge moyen, passage dramatique entre tous. Le surnommé «démon de midi» suggère d'ailleurs assez bien le drame et la difficulté inhérents à cette période de transition, susceptible de se révéler désastreuse pour celui ou celle qui porte en soi-même un enfant blessé.

Lorsque nous abordons l'âge moyen, notre trajectoire de vie s'est graduellement aplanie. L'idéalisme de notre jeunesse a été tempéré par la trahison, la désillusion et la perte d'un être cher. Comme W. H. Auden l'a dit:

> Pendant ce temps-là
> Il y a des comptes à régler, des rouages à entretenir,
> Des verbes irréguliers à apprendre, l'Éphémère à libérer
> De l'insignifiance.

La vie elle-même devient semblable à un verbe irrégulier. Selon Sam Keen, «nous passons de l'illusion de la certitude à la certitude de l'illusion». Malgré cette désillusion, nous devons prendre le parti d'espérer et de croire que tout cela a une signification. Si nous optons pour la confiance, nous devons user de volonté pour prendre de nouvelles décisions touchant tous les aspects de notre vie, c'est-à-dire dans les domaines professionnel, relationnel et spirituel. Nous devons croître et nous tenir solidement debout. Quels que soient notre sens de l'autonomie et notre sens de l'initiative, nous devons relever le défi consistant à nous fixer de nouveaux buts, ce qui nous amènera éventuellement à développer d'autres talents.

Le cycle suivant, l'âge adulte plus avancé, constitue une période propice pour approfondir notre espoir et renforcer nos nouveaux engagements. Très souvent, il s'agit aussi bien d'une période paisible que d'un temps d'intense productivité. L'optimisme est permis puisque notre enfant intérieur est là, prêt à répondre à nos besoins en nous faisant profiter de sa spontanéité et de sa plasticité.

Le début du troisième âge exige que nous nous réconcilions et que nous composions avec le vieillissement et la retraite. Au cours du troisième âge, nous devons retomber en enfance! Il nous faut retrouver cet espoir enfantin qu'il existe autre chose encore, raviver notre croyance en une force supérieure à nous-mêmes qui nous aidera à élargir nos horizons. Nous aurons besoin de toutes les ressources que notre moi a développées pour envisager l'ensemble plutôt que ses parties, car lorsque nous aurons atteint à cette vision du monde, nous posséderons la sagesse.

Chaque stade s'édifie sur le précédent, et *le fondement de toute la construction, c'est l'enfance.* Une petite erreur au début devient une grande lacune à la fin. Au commencement de notre vie, nous n'avions pas voix au chapitre; notre survie dépendait complètement de nos parents biologiques ou substituts. Nos besoins étaient, par nature, de l'ordre de la *dépendance,* dans le sens où seules les personnes qui prenaient soin de nous pouvaient les combler.

Les tableaux des pages 91 à 93 présentent les différents stades du développement humain avec ses périodes de transition et de renouvellement. Le premier tableau illustre les forces du moi et les pouvoirs variés que nous devons développer à chaque étape de notre croissance personnelle. Le deuxième donne un aperçu des cycles de régénération d'une durée de treize ans chacun. Le troisième montre de quelle manière notre *être* se déploie et se développe à travers les divers cycles de la vie.

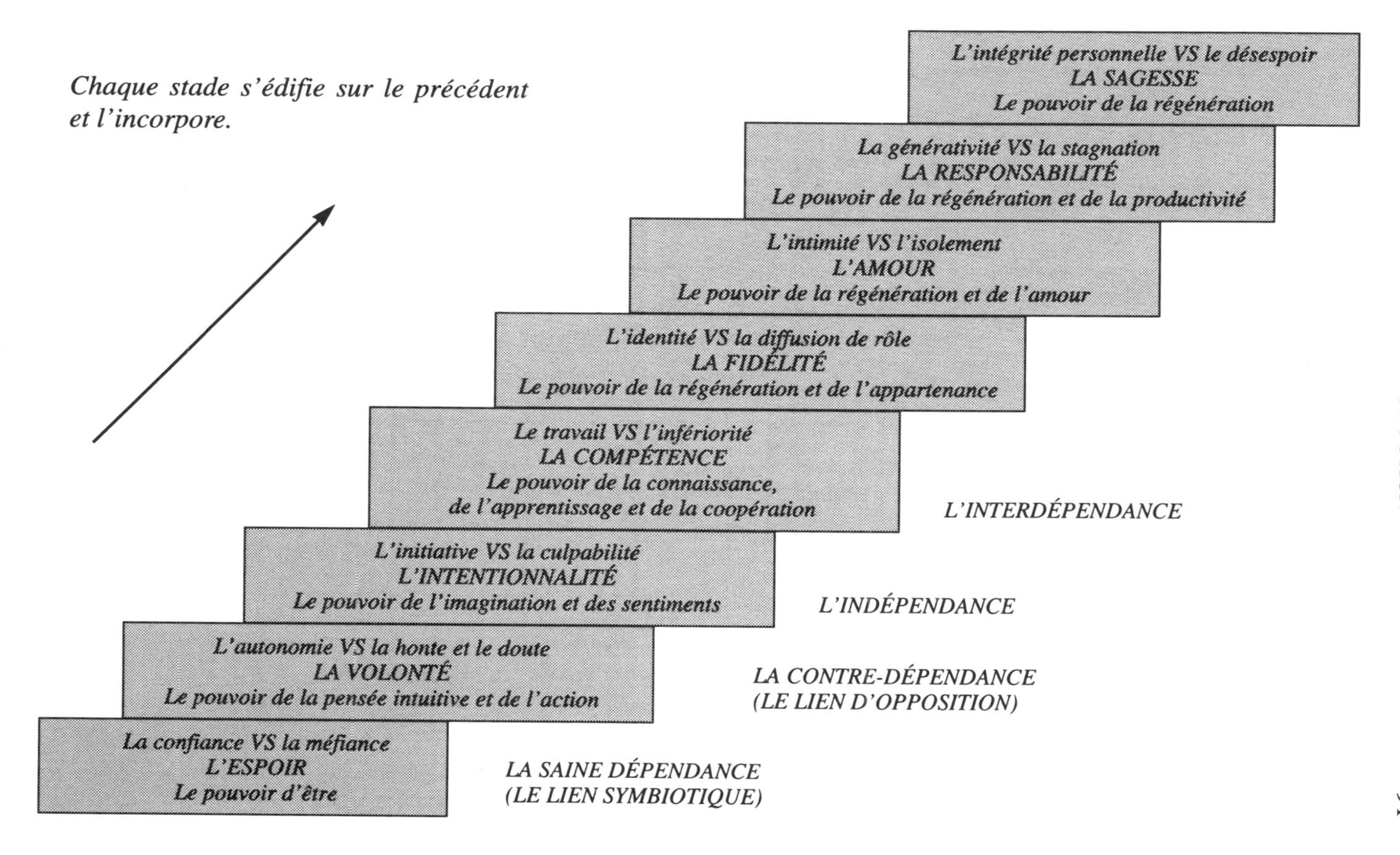
Chaque stade s'édifie sur le précédent
et l'incorpore.
L'intégrité personnelle VS le désespoir
LA SAGESSE
Le pouvoir de la régénération
La générativité VS la stagnation
LA RESPONSABILITÉ
Le pouvoir de la régénération et de la productivité
L'intimité VS l'isolement
L'AMOUR
Le pouvoir de la régénération et de l'amour
L'identité VS la diffusion de rôle
LA FIDÉLITÉ
Le pouvoir de la régénération et de l'appartenance
Le travail VS l'infériorité
LA COMPÉTENCE
Le pouvoir de la connaissance,
de l'apprentissage et de la coopération
L'INTERDÉPENDANCE
L'initiative VS la culpabilité
L'INTENTIONNALITÉ
Le pouvoir de l'imagination et des sentiments
L'INDÉPENDANCE
L'autonomie VS la honte et le doute
LA VOLONTÉ
Le pouvoir de la pensée intuitive et de l'action
LA CONTRE-DÉPENDANCE
(LE LIEN D'OPPOSITION)
La confiance VS la méfiance
L'ESPOIR
Le pouvoir d'être
LA SAINE DÉPENDANCE
(LE LIEN SYMBIOTIQUE)

LES CYCLES DE LA RÉGÉNÉRATION (cycles de 13 ans)

Besoins			Thème	Âge
LES BESOINS D'INTERDÉPENDANCE:	*Nouvelle identité* *Nouvelle compétence* *Nouveau savoir-faire*	*Nouveau but* *Nouveaux choix* *Nouvelle confiance*	*LA PRISE EN CHARGE DE LA VIE* *Vocation évolutive*	*de 39 à 52 ans*
LES BESOINS D'INDÉPENDANCE:	*Nouvelle identité* *Nouvelle compétence* *Nouveau savoir-faire*	*Nouveau but* *Nouveaux choix* *Nouvelle confiance*	*L'AMOUR (l'intimité)* *LE TRAVAIL (la maîtrise)*	*de 26 à 39 ans*
LES BESOINS DE CONTRE-DÉPENDANCE (quitter son foyer):	*Nouvelle identité* *Nouvelle compétence* *Nouveau savoir-faire*	*Nouveau but* *Nouveaux choix* *Nouvelle confiance*	*L'IDENTITÉ*	*de 13 à 26 ans*
LES BESOINS DE DÉPENDANCE:	*La pensée* *L'imagination* *Le sentiment* *La compétence* *Le savoir-faire*	*La décision* *La volonté* *L'action* *L'être* *L'intentionnalité*	*LA CONFIANCE*	*de 0 à 13 ans*

L'EXPANSION DE L'ÊTRE

J'ai la sagesse
Je suis capable de m'accepter complètement
Je ne fais qu'un avec toute chose

J'ai de la force intérieure
Je suis capable de créer et de produire
Je peux prendre soin de la génération à venir
Je suis engagé dans la vie

J'ai à mes côtés une personne qui reconnaît et confirme ma conscience de soi
Je suis capable d'aimer
Je peux être totalement proche ou complètement séparé
J'établis une relation d'intimité avec moi-même et avec l'autre

J'ai conscience de qui je suis
Je suis capable de me régénérer
Je peux croire à une personne ou à une cause
Je suis unique

J'ai de la compétence
J'ai des limites
Je peux être habile
Je peux penser et apprendre
Je suis capable

J'ai une conscience
J'ai de la valeur et je possède la capacité de m'autodéterminer
Je peux imaginer et ressentir
Je suis un être sexuel
Je suis quelqu'un

J'ai des limites
J'ai de la volonté
Je peux être séparé
Je suis capable de curiosité, je peux explorer et agir
Je suis moi

J'ai l'espoir
Je peux simplement être
Je peux te faire confiance
Je suis toi

Les tâches associées aux différents stades de notre développement infantile sont donc tout naturellement remises à jour et réaccomplies lors des étapes ultérieures de notre vie. Toutefois, ce «recyclage» des étapes importantes de notre évolution s'opère également de plusieurs autres façons. Ainsi, dès que nous jouons à notre tour le rôle de parent, nous revivons nos toutes premières difficultés de croissance. À chaque stade de l'évolution de nos bambins, nos propres problèmes de développement non résolus et nos besoins demeurés inassouvis depuis l'enfance resurgissent, provoquant fréquemment une conduite parentale toxique. Voilà pourquoi les adultes enfants provenant d'une famille dysfonctionnelle et n'ayant pas été guéris psychologiquement éprouvent autant de difficultés à assumer leur rôle de parents avec cohérence et efficacité. Les relations entre les parents et les enfants se corsent habituellement durant l'adolescence et sont d'autant plus délicates qu'au moment où les enfants traversent cette difficile période de l'existence, leurs parents sont eux-mêmes aux prises avec leur «démon de midi». C'est loin d'être la vie en rose!

Devenus adultes, chaque fois que nous nous trouvons dans la détresse ou que nous subissons un traumatisme quelconque, nous sommes susceptibles de revivre certains stades de notre développement infantile. La mort d'un parent agira certainement comme un catalyseur sur nos anciens problèmes. Le décès d'un ami ou de l'être aimé nous ramènera le plus souvent en arrière, au cœur de nos besoins existentiels. Comme Tennyson l'a dit, face à la mort, nous sommes pareils à «un enfant qui pleure dans la nuit [...] sans autre langage que les larmes».

Toute situation inédite: un nouvel emploi, l'emménagement dans une nouvelle maison, le mariage, la naissance d'un enfant, peut réveiller en nous des besoins qui sommeillaient depuis notre plus tendre enfance. La façon dont nous assumons les nouveaux départs à l'âge adulte dépend par conséquent de la qualité du soutien que nous avons reçu lors de nos débuts dans la vie.

En résumé, les premières étapes de l'enfance établissent les fondements de notre vie adulte. Ceux d'entre nous qui sont devenus des adultes enfants après avoir grandi dans une famille dysfonctionnelle sont dépourvus de telles assises. Dans la première partie de ce livre, vous avez été en mesure de voir à quel point les lacunes de votre développement avaient des conséquences néfastes sur votre existence. Si vous désirez changer ces schémas nuisibles, vous devez vous réapproprier votre enfance.

La démarche consistant à nous réapproprier notre enfance est douloureuse, car elle réclame que nous éprouvions la souffrance liée à nos blessures. Par contre, il est réconfortant de savoir que cela, nous sommes *capables* de le mener à bon terme. Ce processus apparenté au deuil ne fait que révéler la souffrance légitime à laquelle nous avons échappé par le biais de nos névroses. Jung a d'ailleurs bien exprimé ce dernier point en affirmant: «La névrose est toujours un succédané d'une souffrance légitime.» Le processus d'extériorisation du chagrin, que j'appelle «l'expression de la première souffrance», exige que nous éprouvions ce que nous n'avons pu éprouver en perdant nos parents, notre enfance et, par-dessus tout, notre conscience du «Je suis». La blessure spirituelle *peut* être guérie, mais la guérison doit inévitablement passer par le chagrin, ce qui est douloureux, bien sûr.

Dans les chapitres qui suivent, j'expliquerai en quoi consiste l'expression de la première souffrance, je décrirai les types de nourriture spirituelle dont vous aviez besoin durant les quatre principaux stades de votre développement infantile et je vous proposerai plusieurs exercices adaptés à chacun de ces stades. Si vous êtes actuellement en thérapie, je vous prierai de ne pas entreprendre le travail dont il est ici question avant d'avoir obtenu l'approbation de votre thérapeute. Vous êtes *capable* de faire cette démarche par vous-même, en recourant à l'adulte en vous — ce vieux magicien doux et sage — , mais il n'en demeure pas moins que vous devez demander l'assentiment de votre thérapeute.

Chaque étude d'un stade de développement donné est également accompagnée d'exercices de méditation. Quand vous ferez ces exercices, *l'adulte en vous* nourrira spirituellement votre enfant intérieur blessé. C'est le mieux que je puisse vous offrir par le biais d'un livre. Vous pourrez effectuer tout seul les divers exercices préconisés, mais il serait préférable que vous puissiez bénéficier de la compagnie d'un ami attentif et apte à vous soutenir. L'idéal serait que vous accomplissiez cette démarche dans le cadre d'un groupe d'entraide.

Ces exercices ne sont conçus pour remplacer aucune thérapie ni aucun groupe de thérapie dans lesquels vous pourriez être déjà engagé. Ils ne sont pas non plus destinés à remplacer un Programme en douze étapes auquel vous pourriez déjà participer[1]. De fait, ils devraient plutôt enrichir votre thérapie ou votre démarche en douze étapes. **Par ailleurs, si vous êtes un adulte**

1. L'auteur fait allusion, notamment, au Programme en douze étapes offert par les Alcooliques Anonymes. *(N.D.T.)*

ayant été victime d'abus sexuel ou de sévices émotionnels graves, ou si on a diagnostiqué chez vous une maladie mentale, ou encore si vous avez **des antécédents familiaux de maladie mentale, il serait primordial que vous ayez recours à une aide professionnelle.** Si, en effectuant les exercices, **vous commencez à éprouver des émotions étranges ou accablantes, *arrêtez-vous immédiatement.*** Demandez l'aide d'un thérapeute qualifié avant d'aller plus loin.

Bien que ce travail sur l'enfance puisse se révéler extrêmement fécond et qu'il se soit avéré salutaire pour beaucoup de gens, il n'a pas été conçu comme un remède miracle possédant des vertus magiques.

Une autre mise en garde: **Si vous souffrez actuellement d'une assuétude quelconque, sachez que vous n'avez pas la maîtrise de vous-même et que vous êtes coupé de vos vrais sentiments.** Par conséquent, vous devrez tout d'abord modifier votre comportement pour être en mesure de profiter de la démarche proposée ici. Il a été démontré que les Programmes en douze étapes sont les plus efficaces lorsqu'il s'agit de mettre fin aux problèmes de dépendance. Joignez-vous à l'un de ces groupes: vous ne sauriez vraiment trouver mieux. Pour entamer la démarche que je présente dans ce livre, vous devriez avoir au moins une année de sobriété à votre actif. Car lorsque vous êtes en voie de vous libérer d'une assuétude — surtout si elle a trait à l'ingestion —, durant les premiers temps, vos émotions sont exacerbées et fort enchevêtrées; elles ressemblent à une mer de lave bouillonnant à l'intérieur d'un volcan. Donc, si vous décidiez d'explorer à ce moment-là une expérience douloureuse de votre enfance, vous risqueriez d'en ressortir confus et accablé. Votre enfant intérieur blessé, insatiable et inconscient de ses limites, est au cœur de votre assuétude; l'alcool, la drogue, le sexe, le travail et les jeux d'argent, entre autres dérivatifs, vous servent précisément à ne pas ressentir la blessure spirituelle dont souffre votre enfant intérieur. Le dernier thème des Programmes en douze étapes évoque d'ailleurs «le réveil spirituel» en tant que résultat de la démarche entière, ce qui indique clairement que les problèmes de dépendance sont en rapport avec une faillite spirituelle.

Dans votre cas, si vous choisissiez de fouiller les causes profondes de votre assuétude, vous vous engageriez sur **une dangereuse pente qui risquerait de vous reprécipiter tout droit dans vos problèmes de dépendance.**

Cela étant dit, j'aimerais réitérer ce que j'ai affirmé dans l'introduction: Vous devez vraiment *faire* les exercices présentés dans ce livre si vous désirez retrouver et soutenir votre enfant intérieur.

Une dernière remarque. L'une des manières dont les adultes enfants évitent d'éprouver leur souffrance légitime consiste à *se réfugier dans leur tête*. Cela implique qu'ils entretiennent des idées obsessionnelles, qu'ils analysent, discutent, lisent et dépensent énormément d'énergie à essayer de comprendre. À leur sujet, je connais une histoire assez pertinente: Une pièce est pourvue de deux portes. Sur l'une d'elles on a écrit le mot «Paradis» et sur l'autre «Conférence sur le Paradis». Tous les adultes enfants codépendants font la queue devant la porte qui annonce une «Conférence sur le Paradis»!

Les adultes enfants éprouvent un grand besoin de tout comprendre parce que leurs parents, des adultes enfants eux aussi, étaient imprévisibles. Ils se comportaient tantôt en parents adultes, tantôt en parents enfants égoïstes et blessés. Ils étaient parfois plongés dans *leurs* problèmes d'assuétude et quelquefois pas. De tout cela ressortait une profonde confusion et une grande imprévisibilité. Ainsi que certains auteurs l'ont fort justement souligné, être élevé au sein d'une famille dysfonctionnelle, c'est comme «arriver au cinéma au beau milieu d'un film et ne *jamais* en comprendre l'intrigue» ou «grandir dans un camp de concentration». C'est le caractère imprévisible d'une telle éducation qui a instauré en vous ce constant besoin de tout comprendre. Et tant que vous ne serez pas guéri de votre passé, vous continuerez de chercher à comprendre.

Rester dans sa tête constitue également un mécanisme de défense du moi. Lorsqu'on est obsédé par une idée quelconque, on n'a pas à *ressentir.* Le fait de ressentir quelque chose équivaut à s'enfoncer dans l'immense réservoir de sentiments refoulés qui sont tous en rapport avec la honte toxique de l'enfant blessé.

Aussi, je le répète, si vous souhaitez guérir votre enfant intérieur blessé, vous devez réellement laisser émerger votre première souffrance. Pour vous en sortir, la seule solution, c'est de vous engager dans cette voie difficile. «Pas de souffrance, pas de progrès», dit-on dans les Programmes en douze étapes.

Je crois que le fait de se rétablir d'une enfance marquée par l'abandon, la négligence et l'abus doit bien être vu comme un processus, et non comme un événement. Même si vous lisez ce livre et que vous *faites* tous les exercices recommandés, vos problèmes ne s'envoleront pas instantanément. Cependant, je vous assure que vous découvrirez en vous-même un délicieux petit être. Vous serez en mesure de prêter l'oreille à la colère et à la tristesse de cet enfant, puis, en sa compagnie, vous pourrez célébrer la vie de manière plus joyeuse, plus créative et plus enjouée.

CHAPITRE 3

L'expression de la première souffrance

La névrose est toujours un succédané d'une souffrance légitime.

C. G. JUNG

Les problèmes ne peuvent pas se résoudre avec des mots, mais seulement par le biais d'une expérience, et celle-ci ne doit pas simplement être une expérience corrective mais un moyen de revivre la première peur (la tristesse, la colère).

ALICE MILLER

Je crois que si la théorie concernant l'expression de la première souffrance était mieux comprise, elle révolutionnerait le traitement des névroses en général et celui des compulsions et des problèmes de dépendance en particulier. Trop souvent, des patients ayant désespérément besoin de régler des problèmes affectifs sont drogués à coups de tranquillisants. À notre centre de traitement Life Plus de Los Angeles, nous nous heurtons parfois à l'opposition de certains professionnels de la santé mentale qui ne peuvent saisir les raisons pour lesquelles nous refusons d'inclure une médication à nos soins aux patients. À notre avis, la seule manière de traiter les problèmes de compulsion et de dépendance, c'est de travailler sur le plan de l'affectivité.

Nous avons pour spécialité le traitement de la codépendance, laquelle s'enracine dans la honte toxique, ce sentiment intériorisé d'être taré et insuffisant en tant qu'humain. Dans le processus d'intériorisation, la honte, qui pourrait n'être qu'un juste rappel de nos limites, devient un mode d'existence permanent et accablant, une identité en quelque sorte. Lorsqu'une personne est intoxiquée par ce genre de honte, elle perd contact avec son moi authentique. Il s'ensuit une forme de deuil chronique en rapport avec le moi perdu. En médecine, cet état est décrit sous le nom de «dysthymie» ou de «dépression chronique». Dans mon livre intitulé *Guérir de la honte,* j'ai montré comment la honte toxique s'installe en émotion maîtresse, s'infiltrant dans tous nos sentiments: nous ne pouvons éprouver de la colère, de l'angoisse, de la peur ou même de la joie sans ressentir également de la honte; le même phénomène se produit avec nos besoins et nos pulsions. Dans les familles dysfonctionnelles, les parents sont eux-mêmes des adultes enfants; leur propre enfant intérieur blessé est dans le besoin. Chaque fois que leur enfant manifeste son indigence, chose qu'il fait tout naturellement, ces parents se mettent en colère contre lui et le couvrent de honte. Par voie de conséquence, lorsque l'enfant intérieur blessé du bambin se sentira démuni, celui-ci éprouvera de la honte. En ce qui me concerne, durant une grande partie de ma vie adulte, je n'ai pu éprouver le besoin d'être aidé sans ressentir conjointement de la honte. En définitive, quel que soit le contexte, la personne élevée dans la mortification finira toujours par avoir honte d'exprimer sa sexualité.

Une fois que les sentiments font corps avec la honte, on s'engourdit. Cette torpeur est une condition préalable à tous les problèmes de dépendance, car ce n'est qu'à travers la dépendance que l'on sera capable de ressentir quelque chose. C'est ainsi qu'un homme souffrant d'une dépression chronique et devenu un cadre ultraperformant par le biais de sa dépendance au travail ne peut éprouver quelque chose que dans les moments où il travaille. Qu'un alcoolique ou un toxicomane éprouve de l'exaltation grâce aux substances agissant sur l'humeur et la modifiant. Qu'un mangeur compulsif éprouve un sentiment de plénitude et de bien-être lorsque son estomac est rempli. Chaque type de dépendance, en agissant sur la douleur et la peine de l'enfant intérieur blessé spirituellement, permet d'éprouver des sentiments agréables ou d'éviter ceux qui sont douloureux. Quant à la blessure spirituelle qu'inflige la honte toxique, elle se caractérise par une rupture du moi avec le moi. On se sent douloureusement diminué *à ses propres yeux*; on devient un objet de mépris pour soi-même.

Lorsqu'une personne se croit incapable d'être elle-même, elle ne peut plus se sentir unifiée. Cependant, par l'exaltation qu'elle ressent en s'adonnant aux abus liés à son accoutumance, elle accède à un certain sentiment de bien-être et d'unité. En outre, puisqu'elle éprouve de la honte chaque fois qu'elle laisse émerger ses sentiments réels, elle s'engourdit pour éviter cette souffrance.

Lorsque la réalité devient intolérable, on recourt à différents mécanismes de défense du moi pour engourdir sa souffrance. Parmi ces mécanismes, les plus couramment employés sont: le déni («Cela n'arrive pas vraiment»); le refoulement («Cela n'est jamais arrivé»); la dissociation («Je ne me rappelle pas ce qui est arrivé»); la projection («Cela t'arrive à toi, pas à moi»); la compensation («Je mange ou j'ai des relations sexuelles quand je sens que cela va arriver»); et la minimisation («Cela est arrivé, mais ce n'est rien du tout»).

Fondamentalement, nos mécanismes de défense sont des moyens de nous distraire de la souffrance que nous éprouvons.

LA PRIMAUTÉ DES ÉMOTIONS

Silvan Tomkins, un chercheur en psychologie, nous a beaucoup aidés à mieux comprendre le comportement humain grâce à sa thèse sur la primauté des émotions. L'émotion, nous dit-il, est une forme d'expérience *immédiate*; elle nous met en contact direct avec notre réalité physique. Comme l'émotion est aussi une forme d'énergie, elle a une vie matérielle; elle s'exprime par le corps avant même que nous soyons conscients de son existence.

Tomkins distingue neuf émotions *innées* qui se manifestent par différentes expressions faciales. Tous les petits des humains naissent avec cette gamme d'expressions «programmées d'avance» dans leurs muscles faciaux; les chercheurs ont démontré que, partout à travers le monde, les représentants de toutes les cultures reconnaissent ces émotions de la même manière. Elles constituent les moyens de communication fondamentaux dont nous avons besoin pour assurer notre survie biologique.

À mesure que nous nous développons, les émotions forment le schéma de base de notre pensée, de nos actes et de nos choix. Tomkins les assimile à des motivateurs biologiques innés. Elles sont cette «énergie qui nous met en mouvement», comparable à l'essence qui fait avancer nos voitures. L'émotion intensifie et amplifie notre existence. Sans elle, rien n'a vraiment d'importance; avec elle, tout peut en avoir.

Selon la théorie de Tomkins, les six motivateurs principaux sont l'intérêt, le plaisir, l'étonnement, l'angoisse, la peur et la colère. Il classe la honte parmi les émotions auxiliaires et soutient qu'à un niveau primitif celle-ci est vécue comme une interruption. Caractérisée par une mise à nu soudaine et fortuite, la honte freine ou *restreint* le cours des choses.

De leur côté, les répulsions olfactive et gustative sont des réactions défensives innées. Lorsqu'une odeur délétère parvient jusqu'à nous, la répulsion olfactive nous porte à relever la lèvre supérieure et le nez puis à rejeter la tête en arrière. Lorsque nous goûtons ou avalons une substance nocive, la répulsion gustative nous la fait recracher ou vomir. À l'instar des autres réflexes, les répulsions olfactive et gustative ont évolué biologiquement pour mieux nous protéger des substances dangereuses, mais elles nous permettent tout aussi bien d'exprimer des aversions non physiques.

Tout cela se résume à une idée très simple: nos émotions constituent nos *ressources* primordiales. Elles nous servent de gardes du corps en ce qui a trait à nos besoins fondamentaux. Sitôt que l'un de nos besoins est négligé, notre énergie émotionnelle nous envoie un signal.

Nous avons, pour la plupart, la possibilité de laisser libre cours à notre joie, à notre intérêt ou à notre étonnement, que Tomkins appelle les «émotions positives». À tout le moins, on nous apprend à les considérer comme de «bonnes émotions». Mais en fait, quand notre peur, notre tristesse et notre colère sont refoulées, notre capacité à éprouver de l'enthousiasme, de l'intérêt et de la curiosité s'en trouve également bloquée. Cela étant précisément ce que nos parents ont vécu, ils sont incapables de nous laisser exprimer ces sentiments. Ainsi, les enfants se font couvrir de honte lorsqu'ils sont exaltés, curieux ou investigateurs.

Pour remédier à ce double blocage, le modèle de thérapie proposé par Harvey Jackins, appelé «thérapie par la réévaluation», ressemble assez à l'expression de la première souffrance. Jackins soutient qu'à partir du moment où l'émotion causée par une expérience traumatisante reste bloquée, la conscience ne peut évaluer ou intégrer cette expérience. Quand l'énergie émotionnelle bloque la résolution d'un traumatisme, la conscience elle-même perd une partie de sa capacité. Au fil des années, elle sera graduellement diminuée parce que le blocage de l'énergie émotionnelle s'intensifiera *chaque fois qu'une expérience similaire sera vécue*. En d'autres termes, toutes les fois où nous vivrons une expérience présentant quelque similarité avec l'ancien traumatisme, nous éprouverons une intensité émotive disproportionnée en regard de ce qui se passera à ce moment-là. J'ai évoqué ce phénomène précédemment, lorsque j'ai parlé de la régression spontanée. Il s'apparente à celui mis en évidence par le célèbre chien de Pavlov, à qui on faisait entendre une sonnerie chaque fois qu'on le nourrissait; au bout d'un certain temps, cet animal se mettait à saliver simplement en entendant la sonnerie, et ce même si on ne lui présentait aucune nourriture. Dans un même ordre d'idées, nous pouvons être submergés par une profonde tristesse en entendant des chants de Noël qui font surgir le souvenir d'une scène très ancienne relative à une certaine nuit de Noël gâchée par notre père complètement ivre.

L'enfant intérieur blessé est plein d'une énergie en suspens qui provient de la tristesse causée par un traumatisme infantile. Lorsque nous pouvons l'exprimer, la tristesse nous sert notamment à boucler les douloureux événements du passé, de sorte que notre énergie puisse être utilisable dans le présent. Mais lorsqu'il nous est interdit de nous désoler, notre énergie reste bloquée.

L'une des règles des familles dysfonctionnelles, *l'interdiction d'éprouver,* empêche l'enfant intérieur de simplement savoir ce qu'il ressent. Dans ces mêmes familles, une autre règle, celle du *silence,* prohibe l'expression des émotions. Dans certains cas, cela signifie que certaines émotions seulement peuvent être exprimées, car la règle du *silence* varie d'une famille à l'autre.

Dans ma famille toutes les émotions étaient proscrites, excepté la culpabilité. Les émotions étaient vues comme des signes de faiblesse. Combien de fois ne m'a-t-on pas répété: «Ne sois pas si émotif!» Sous cet aspect, ma famille n'était nullement différente des millions de familles occidentales qui véhiculent le résultat de trois siècles de «rationalisme». Le rationalisme considérant la raison comme la faculté suprême, le fait d'être raisonnable est l'essence de notre humanité, alors que se montrer émotif n'est rien moins qu'humain. En matière d'émotions, la règle appliquée dans la plupart des familles occidentales procède du refoulement et de l'humiliation.

Les émotions refoulées

Puisque les émotions constituent une forme d'énergie, elles exigent d'être exprimées. Or, l'enfant issu d'une famille dysfonctionnelle n'a habituellement aucun allié, personne vers qui se tourner pour exprimer ses émotions. Aussi les exprime-t-il par le biais de l'*acting out* ou de l'*acting in,* les seules manières qu'il connaisse. Plus le refoulement s'effectue précocement, plus les émotions refoulées s'avéreront destructives. C'est à ces émotions refoulées et inexprimées que je fais allusion quand je parle de la «première souffrance». L'expression de la première souffrance implique donc que l'on éprouve de nouveau ces traumatismes précoces et que l'on exprime les émotions refoulées; une fois ce travail accompli, on n'a plus à passer par l'*acting out* ou l'*acting in* pour tenter de s'en libérer.

Jusqu'à tout récemment, il existait peu de données scientifiques propres à étayer la théorie de l'expression de la première souffrance. Certes, Freud a abondamment traité de ces importants mécanismes de défense du moi que sont le refoulement, la dissociation et le déplacement, et précisé qu'à son avis, une fois constitués, ces mécanismes de défense fonctionnaient automatiquement et inconsciemment. Cependant, il n'a pu expliquer exactement *comment* ils fonctionnaient. Que se passe-t-il dans notre cerveau lorsque nous faisons obstruction à nos émotions douloureuses, par exemple?

Les spécialistes des thérapies corporelles, quant à eux, en sont arrivés à *décrire* quelques rouages des mécanismes de défense. Que nous ont-ils appris, entre autres? Qu'une émotion peut être paralysée par une certaine tension musculaire, ce qui est le cas quand des personnes en colère grincent des dents et serrent les mâchoires. Que nous pouvons aussi bloquer nos émotions en retenant notre souffle. Que la respiration superficielle est un moyen couramment utilisé pour éviter la souffrance émotionnelle.

Nous pouvons également freiner nos émotions en fantasmant. Par exemple, étant jeune, j'ai passé une grande partie de ma vie aux prises avec une peur quasi phobique de la colère. Dans mon fantasme, en exprimant de la colère, je courais le risque d'être rejeté ou puni de manière catastrophique. Cette peur phobique m'a fait subir une grande tension musculaire et m'a imposé une respiration superficielle.

L'ANGOISSE ET L'ENCÉPHALE

De nos jours, nous commençons à comprendre les mécanismes de défense du moi grâce aux recherches menées sur la chimie et la physiologie de l'encéphale. Nous savons que le fait de laisser tomber nos défenses nous permet d'entrer en contact avec nos anciennes émotions. Il semble même que l'expression de la première souffrance opère une profonde guérison simplement parce qu'elle permet d'éprouver ces émotions refoulées. Mais pourquoi donc ce processus est-il capable de provoquer une guérison?

Le chercheur Paul D. MacLean a présenté un modèle de l'encéphale[1] qui nous aide à comprendre comment nous pouvons être affectés par un traumatisme. Selon MacLean, l'encéphale est «triunique», c'est-à-dire divisé en trois parties. Ces trois cerveaux de l'encéphale constituent notre héritage évolutif. Le plus ancien et le plus primitif des trois est le cerveau reptilien, ou viscéral. C'est lui qui nous fournit la toute première stratégie nous permettant d'assurer notre sécurité et notre survie: *la répétition.* Un lézard, par exemple, mène une existence plutôt simple. Tous les jours de sa vie, à l'aube, il part travailler, espérant dévorer quelques mouches et moustiques sans se faire dévorer lui-même; pour peu qu'il découvre un beau matin un trajet astucieux à travers les herbes et les rochers, il *répétera* ce schéma jusqu'à sa mort. Cette répétition est nécessaire à la survie. C'est aussi le cerveau viscéral qui assure le maintien des fonctions physiologiques involontaires telles que la respiration. Je me plais à dire aux gens que notre lézard ne se montre vraiment que le jour où, nouvellement mariés, nous nous heurtons aux habitudes bien ancrées d'une autre personne.

Le deuxième, le paléomammifère, est le cerveau *qui ressent* ou, plus techniquement, le système limbique. Lorsque les mammifères à sang chaud ont fait leur entrée sur la scène de l'évolution des espèces, l'énergie émotionnelle était née. Le système limbique est le siège de nos sentiments d'exaltation, de plaisir, de colère, de peur, de tristesse, de joie, de honte et de répulsion gustative ou olfactive.

Le plus perfectionné de nos trois systèmes cérébraux est le néocortex, ou cerveau *qui pense,* dont l'évolution remonte à environ deux millions d'années seulement. C'est lui qui nous donne, entre autres facultés proprement humaines, celles de raisonner, d'utiliser le langage, d'élaborer des projets et de résoudre des problèmes complexes.

D'après MacLean, ces trois systèmes cérébraux sont indépendants, bien qu'ils travaillent également de concert pour maintenir l'équilibre de tout l'encéphale. À propos de cet équilibre du système encéphalique, il est à préciser qu'il est gouverné par la nécessité de maintenir la douloureuse angoisse à son plus bas niveau.

L'encéphale se débrouille très bien avec les petites inquiétudes de la vie courante: il recourt à l'expression des émotions pour maintenir son équilibre. Ainsi, lorsque notre anxiété atteint un certain pic, nous

1. Dans *Les trois cerveaux de l'homme,* Paris, Robert Laffont, 1990, 367 p. *(N.D.T.)*

bouillonnons de colère, nous pleurons de tristesse ou nous transpirons et tremblons de peur. Les scientifiques ont d'ailleurs démontré que les larmes nous lavent vraiment des agents chimiques stressants que nous sécrétons lorsque nous sommes bouleversés. Notre encéphale retrouve donc tout naturellement son équilibre par le biais de l'extériorisation des émotions, à condition que l'on ne nous ait pas appris à les inhiber.

Les enfants qui grandissent au sein d'une famille dysfonctionnelle sont conduits de trois manières à inhiber leurs émotions: premièrement, en ne se heurtant qu'à de l'indifférence ou en n'étant pas reflétés (l'effet miroir), en n'étant littéralement pas vus; deuxièmement, en n'ayant pas de modèles de comportement grâce auxquels ils apprendraient à nommer et à exprimer leurs émotions; et troisièmement, en étant humiliés ou même punis lorsqu'ils expriment leurs émotions. Les enfants de familles dysfonctionnelles entendent fréquemment des choses telles que: «Je vais t'en donner, moi, une bonne raison de pleurer!»; «Si tu élèves encore la voix en t'adressant à moi, je te fiche une raclée!» Souvent, ces enfants reçoivent effectivement une fessée parce qu'ils sont apeurés, furieux ou tristes.

Sitôt que les émotions sont inhibées, ou que le stress devient accablant et chronique, l'encéphale éprouve des difficultés. En présence d'un stress traumatique, pour maintenir son équilibre, le système encéphalique recourt à des mesures extraordinaires: les mécanismes de défense du moi.

L'empreinte des anciens traumatismes

Plus les émotions sont inhibées précocement, plus les dommages sont profonds. En matière de croissance, on a prouvé que l'encéphale se développe en suivant une séquence de maturation identique à celle qu'il a suivie depuis le début de son évolution. Les chercheurs en neurologie ont démontré que le cerveau viscéral est prédominant chez le bébé, durant les derniers stades de la gestation et la première période post-natale.

De son côté, le système limbique commence à fonctionner au cours des six premiers mois suivant la naissance. Ce cerveau émotionnel favorise l'établissement de ce premier lien relationnel si important que l'on désigne sous le nom d'«attachement».

Quant au néocortex, il poursuit sa maturation durant les premières années; mais pour se développer sainement, ce cerveau pensant a besoin d'un environnement adéquat et de stimulations appropriées. Au cours de ses recherches sur le développement cognitif des enfants, Piaget n'a pas constaté chez eux de réelle pensée logique avant l'âge de six ou sept ans. (Même si quelques découvertes de Piaget ont été mises en question, il semble que l'âge de sept ans marque bien un tournant sur le plan cognitif.)

Lorsque nous réfléchissons au fait que le cerveau viscéral est concerné par les problèmes de survie et gouverné par la répétition, l'idée des *empreintes permanentes* prend tout son sens. Le neuroscientifique Robert Isaacson a soutenu que si les souvenirs d'événements traumatisants sont tellement difficiles à déraciner, c'est parce qu'ils sont liés à un réflexe de survie. Comme le cerveau viscéral est capable d'apprendre et de mémoriser, mais quasiment incapable d'oublier, tout traumatisme forme une empreinte permanente qui le domine après coup. En définitive, tout ce à quoi l'enfant survit durant les premières années de sa vie — une période d'extrême vulnérabilité — est enregistré dans son cerveau au profit de sa survie.

La compulsion de répétition

Ces découvertes en neurologie sont venues appuyer en bonne partie ce que, depuis Freud, tous les psychothérapeutes savaient: les gens souffrant d'une névrose souffrent également d'une compulsion de répétition.

En outre, la neurologie apporte une explication au phénomène des réactions excessives dont j'ai parlé précédemment. Des chercheurs étudiant l'encéphale ont avancé que des empreintes neuronales hypertrophiées résultant d'une expérience stressante dénaturent la réponse de l'organisme adulte à un stimulus. En fait, les expériences douloureuses et continues gravent de nouveaux circuits dans l'encéphale, celui-ci devenant alors de plus en plus enclin à traiter comme des souffrances des stimuli auxquels l'encéphale d'une autre personne resterait insensible.

Cela renforce la théorie selon laquelle, une fois constituées durant l'enfance, les fibres profondes agissent à la manière d'un filtre extrêmement sensible donnant une couleur particulière à certains événements. Ainsi s'expliquent les contaminations dont l'enfant blessé est responsable. Lorsqu'un adulte ayant un enfant intérieur blessé affronte une situation ordinaire, mais semblable au prototype d'un ancien événement douloureux, cela déclenche aussi la toute première réponse. Harvey Jackins compare ce phénomène à un magnétophone dont le bouton de mise en marche serait perpétuellement enfoncé. Une simple peccadille ou une situation plutôt banale provoquent une intense réaction émotive. On réagit dans ce cas à quelque chose qui ne se trouve pas à l'extérieur de soi mais qui est toujours présent à l'intérieur.

Au moment où j'écris ces lignes, j'effectue une croisière à travers les capitales de l'Europe en compagnie de ma fille. Il y a deux jours, lorsque nous sommes arrivés au Havre, en France, ma fille a suggéré que nous prenions le train plutôt que l'autobus nolisé pour aller à Paris, ce qui devait nous faire gagner deux heures. Ma fille a subi très peu de traumatismes durant son enfance; elle est spontanée, curieuse et adore l'aventure. Quant à moi, sa proposition m'a plongé dans des ruminations obsessionnelles: «Et si le train déraillait?»; «Qu'arriverait-il si le train accusait du retard et que le bateau partait sans nous?». La simple proposition de ma fille a déclenché en moi une réaction démesurée. Enfant, j'ai été traumatisé par l'abandon de mon père. Maintenant, je suis obsédé par l'idée de ne pas arriver à temps pour prendre le bateau, par la crainte que *l'on parte sans moi.*

LES DÉFENSES DU MOI ET LA THÉORIE DU PORTILLON

L'expression de la première souffrance est fondée sur l'hypothèse voulant que l'ancienne douleur affective demeure paralysée et inhibée. *Nous la transposons dans l'*acting out *parce qu'elle n'a jamais été résolue.* Et nous ne pouvons pas la résoudre parce qu'un mécanisme inhibiteur (les défenses du moi) nous empêche de savoir que cette souffrance émotionnelle existe.

«Vous ne pouvez pas savoir ce que vous ignorez», dit-on souvent en thérapie. Avec nos sentiments, nous faisons de l'*acting out,* ou de l'*acting in,* ou encore de la projection en les attribuant aux autres. Comme nous sommes incapables de les éprouver, et comme ils restent en friche, ils doivent être exprimés. Pour ce faire, l'enfant blessé ne connaît d'autres manières que l'*acting out,* l'*acting in* et la projection, qui ne sont aucunement des solutions permanentes. Ma compulsion (un problème enraciné au cœur de mon enfant blessé) ne s'est pas arrêtée le jour où j'ai cessé de boire. Je l'ai simplement transformée en devenant un travailleur compulsif.

Jusqu'à ce que j'aie résolu la première souffrance de mon enfant blessé, je n'ai cessé de traduire en *acting out* mon insatiable besoin d'éprouver des émotions fortes et de modifier mes états d'âme. Grâce à mon système de défense, mes émotions restaient inhibées. Il y a tout au plus dix ans que j'ai découvert les importants schémas de comportement que sont la codépendance, l'inceste physique et non physique ainsi que l'alcoolisme, lequel est inscrit dans mon histoire familiale depuis plusieurs générations. Jusqu'à ce que j'aie laissé tomber illusions et dénis au sujet de ma famille et de mon enfance, j'étais incapable d'exprimer ma première souffrance.

Les travaux de Ronald Melzack sur l'encéphale peuvent également contribuer à expliquer le fonctionnement des défenses du moi. Melzack a découvert un mécanisme neural d'adaptation biologique qui agit comme un portillon et sert à inhiber la douleur. Ce chercheur soutient que les trois systèmes cérébraux de l'encéphale possèdent des fibres d'interconnexion qui assument une double fonction: faciliter et inhiber; quant au portillon il contrôle l'information circulant entre les trois cerveaux. Ce qu'on appelle le «refoulement» pourrait à l'origine s'opérer au niveau du portillon entre le cerveau qui pense et celui qui ressent.

LES TROIS CERVEAUX DE L'ENCÉPHALE

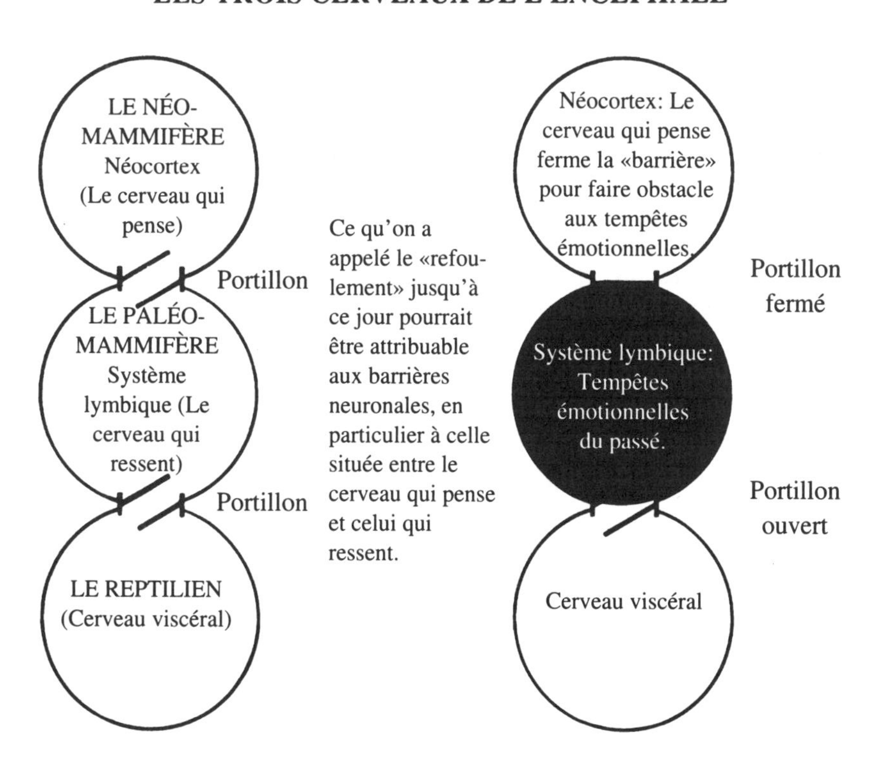

Pour simplifier au mieux, disons que si la souffrance émotionnelle générée dans le système limbique devient accablante, un mécanisme automatique referme le portillon du néocortex. C'est comme s'il y avait un grand vacarme dans la pièce voisine et que vous vous leviez pour aller fermer la porte de cette pièce.

D'après Freud, les principaux mécanismes de défense du moi s'intègrent à d'autres défenses secondaires, plus sophistiquées, à mesure que l'être humain s'achemine vers la maturité. Ces mécanismes secondaires revêtent la forme d'une qualité de *pensée*: la rationalisation, l'analyse, la justification et la minimisation en sont des exemples.

Les dernières recherches de R. L. Isaacson sur le système limbique viennent appuyer cette théorie. Isaacson rapporte que le système de portillon du néocortex (le cerveau qui pense) agit pour «surmonter les habitudes et les souvenirs du passé» et que «le néocortex est grandement impliqué dans la suppression du passé». Ces habitudes et ces souvenirs incluent les profondes empreintes (les sillons neuronaux) créées par un stress et un traumatisme accablants. Notre cerveau pensant peut ainsi fonctionner sans être entravé par le vacarme et les signaux générés dans notre monde intérieur.

Mais ces signaux *ne disparaissent pas*. Au contraire, selon la théorie de certains chercheurs, ils continuent de voyager interminablement à l'intérieur du système limbique, dans les circuits fermés de ses fibres nerveuses.

Ainsi, les défenses du moi court-circuitent la tension et la douleur, mais la tension et la douleur persistent. Elles s'enregistrent dans la matière cérébrale et y sont perçues comme un déséquilibre, une séquence d'actes avortés qui attendent qu'on les libère et qu'on les intègre. L'énergie du traumatisme d'origine n'en demeure pas moins pareille à un orage électrique, propageant des tensions à travers tout le système biologique. Les personnes qui mènent une vie adulte censément empreinte de rationalité peuvent tout aussi bien continuer d'avoir *une vie émotionnelle orageuse*. Leurs tourments persistent parce que leur première souffrance n'est pas résolue.

L'EXPRESSION DE LA PREMIÈRE SOUFFRANCE

L'expression de la première souffrance implique que l'on éprouve de nouveau les toutes premières émotions refoulées. Ce processus, que j'appelle «processus de dévoilement», est le seul capable d'entraîner une transformation «du deuxième type», des types de changements qui, de par leur profondeur, résolvent vraiment les émotions. Avec une transformation du premier type, on troque une compulsion contre une autre; avec celle du deuxième type, on cesse d'être compulsif. C'était ce qu'il me fallait pour me guérir de mon comportement compulsif. Je faisais de l'*acting out* compulsivement parce que l'enfant blessé et isolé en moi ne s'était jamais libéré de sa toute première détresse. J'ai participé à des Programmes en douze étapes et j'ai réussi à dominer mon alcoolisme, mais je continuais de faire de l'*acting out*. En tant que professeur, théologien et thérapeute, je me suis réfugié dans ma tête, mais je continuais de faire de l'*acting out*. J'ai lu tous les nouveaux livres qui pouvaient me tomber sous la main et j'ai discuté de mes problèmes en thérapie, mais je continuais de faire de l'*acting out*. J'ai cherché à élever ma conscience; j'ai appris les méthodes des anciens chamans; j'ai étudié la guérison par l'énergie; j'ai étudié *A Course in Miracles* (Un cours sur les miracles); j'ai médité et prié (quelquefois pendant des heures); mais je continuais à faire de l'*acting out*. J'étais compulsif même en ce qui concernait l'élévation de ma conscience. Ce que j'ignorais, c'est qu'il me fallait étreindre mon petit garçon au cœur brisé, faire corps avec son isolement et sa peine non résolue depuis la perte de son père, de sa famille et de son enfance. Je devais intégrer ma première souffrance, cette douleur légitime dont parlait Carl Jung.

Exprimer la première souffrance: l'émergence du chagrin

Il est réconfortant de savoir que l'expression de la première souffrance déclenche un processus de guérison naturel. Ceci tient à ce que *le chagrin est un sentiment qui guérit*. Nous nous rétablirons donc naturellement si nous nous autorisons à pleurer et à exprimer notre douleur.

Le chagrin implique toute la gamme des émotions humaines. Quant à la première souffrance, elle est constituée d'une accumulation de conflits non résolus dont l'énergie a fait boule de neige avec le temps. Au fil des années, l'enfant intérieur blessé est resté figé parce qu'il ne disposait d'aucun moyen pour exprimer son chagrin. Toutes ses émotions sont liées à la honte toxique. Cette honte qui nous ronge a été occasionnée par la rupture de notre premier «pont interpersonnel». Tout jeunes, nous avons peu à peu acquis le sentiment que nous ne pouvions pas nous en remettre à la première personne à avoir pris soin de nous. De ce fait, nous en sommes arrivés à croire que nous n'avions pas le droit de *dépendre* de qui que ce soit. L'isolement et la peur de dépendre de quelqu'un sont deux importantes conséquences de la honte toxique.

Restaurer le pont entre soi et les autres

Afin de guérir nos émotions intoxiquées par la honte, nous devons sortir de notre cachette et faire confiance à quelqu'un. Dans ce livre, je vous demande de *me croire* et de *vous faire confiance*. Car pour sortir de l'ombre, l'enfant blessé en vous a besoin non seulement de sentir que vous serez à son écoute, mais également d'avoir un allié réconfortant et respectueux qui reconnaîtra dans toute leur réalité l'abandon, la négligence, les abus et les pièges dont il a été victime. Ce sont là les éléments essentiels en ce qui a trait à l'expression de la première souffrance.

J'espère donc qu'au moment où vous laisserez émerger votre chagrin, vous vous ferez assez confiance pour devenir l'allié de votre enfant intérieur. Ce que je veux dire, en fait, c'est que vous ne pouvez pas vous en remettre entièrement à moi ni à qui que ce soit d'autre. Si je me trouvais pris dans une bousculade, je tenterais probablement de sauver ma peau avant tout. Mais vous pouvez croire en vous-même sans aucune crainte puisque, comme Jo Courdet l'a magnifiquement dit dans *Advice from a Failure* (La leçon d'un échec): «Parmi tous les gens que vous connaîtrez au cours de votre vie, vous êtes la seule personne que jamais vous ne quitterez ou perdrez.»

Reconnaître qu'on a été maltraité

Croyez-moi: en ce qui concerne le rôle de parent, une grande partie de ce qu'on vous a appris à considérer comme légitime était abusif en réalité. Si vous avez encore tendance à minimiser et/ou à rationaliser les façons dont vous avez été humilié, ignoré ou utilisé pour combler les besoins de vos parents, vous devez maintenant accepter le fait que cela a vraiment blessé votre âme. Et que vous ayez été victime d'abus flagrants, tant sur le plan affectif que physique ou sexuel, ne vous dispense nullement d'effectuer cette démarche. Mais pourquoi de mauvais traitements aussi évidents nécessitent-ils eux aussi d'être reconnus et tenus pour réels, me demanderez-vous? Parce que, étrangement, plus vous étiez maltraité, plus vous en déduisiez que vous étiez méchant et plus vous idéalisiez vos parents. C'est la résultante du lien fantasmatique que j'ai décrit précédemment. Tous les enfants idéalisent leurs parents: c'est ainsi qu'ils assurent leur survie. Cependant, lorsque l'enfant maltraité idéalise ses parents, il en est réduit à croire que c'est lui le responsable des mauvais traitements qu'on lui inflige. «Ils me battent parce que je ne suis qu'un petit pourri; ils ont des relations sexuelles avec moi parce que je suis très mauvais; ils crient après moi parce que je suis désobéissant. C'est *moi* qui suis en cause, pas eux. Eux, *ils sont* corrects.» Cette idéalisation des parents est à la base des défenses du moi et on doit la court-circuiter. Vos parents n'étaient pas méchants: ils n'étaient eux-mêmes que deux gamins blessés. Imaginez que vous avez eu pour père un bambin âgé de trois ans, pesant 90 kg et faisant cinq fois votre taille, ou que vous avez eu pour mère une enfant âgée de trois ans, pesant 63 kg et faisant quatre fois votre taille; votre enfant intérieur peut voir le tableau. Vos parents ont fait du mieux qu'ils pouvaient, au meilleur de leurs connaissances, mais cela, un enfant de trois ans ne peut pas le comprendre.

Le choc et la dépression

Si tout cela vous semble choquant, c'est parfait: *le choc marque le commencement du chagrin.* Après le choc vient la dépression, puis le déni, lequel nous plonge brutalement dans nos mécanismes de défense. Le déni revêt souvent la forme d'un marchandage: «Enfin, ça n'allait pas vraiment si mal. Je mangeais à ma faim et j'avais un toit au-dessus de ma tête.»

De grâce, croyez-moi: ça *allait* vraiment mal. La blessure spirituelle que vous avez subie, parce que vos parents ne vous permettaient pas d'être vous-même, est la pire chose qui pouvait vous arriver. Je parierais que, les jours où vous mettiez en colère, on vous disait: «N'élève plus jamais la voix en t'adressant à moi!» Vous en avez déduit que ce n'était pas bien d'être vous-même, et encore moins bien d'être en colère. Et vous en êtes arrivé à la même conclusion en ce qui concerne la peur, la tristesse et la joie. De surcroît, ce n'était pas décent de toucher votre vulve ou votre pénis, même si cela vous procurait des sensations agréables. Ce n'était pas convenable d'éprouver une aversion pour le curé, le rabbin, ou le père X. Ce n'était pas admissible de penser ce que vous pensiez, de désirer ce que vous désiriez, d'éprouver ce que vous éprouviez ni d'imaginer ce que vous imaginiez. Par moments, ce n'était pas bienséant de voir ce que vous voyiez et de flairer ce que vous flairiez. Ce n'était tout simplement pas correct *d'être différent ou d'être vous.* Le fait d'accepter et de comprendre ce que je suis en train de dire équivaut à reconnaître et à légitimer sa blessure spirituelle, cela même qui reste enfoui au cœur de tout enfant intérieur blessé.

La colère

Le deuxième sentiment habituellement suscité par l'émergence du chagrin est la colère, une légitime réaction à la blessure spirituelle. Bien que vos parents aient probablement agi du mieux qu'ils pouvaient, vous ne devrez *jamais* prendre leurs intentions en considération durant l'expression de la première souffrance: c'est uniquement *ce qui est réellement arrivé* qui compte. Imaginez qu'en reculant dans l'allée du garage, ils vous aient accidentellement écrasé les jambes. Vous auriez boité depuis toutes ces années sans jamais avoir su pourquoi. Auriez-vous le droit de savoir ce qui vous est arrivé? Auriez-vous le droit d'en être chagriné et d'en souffrir? La réponse à ces deux questions est un *oui* catégorique. Il est donc juste que vous soyez en colère, même si ce qu'on vous a fait n'était pas intentionnel. En fait, vous *devez* éprouver de la colère pour parvenir à guérir votre enfant intérieur blessé. Je ne veux pas dire que vous devez fulminer et crier à tue-tête (bien que vous pourriez le faire), mais simplement souligner que vous devez considérer comme normal et acceptable d'être furieux à cause d'une sale affaire. *Concernant ce qui m'est arrivé, je ne rejette même pas la faute sur mes parents.* Je sais qu'ils ont fait ce que deux adultes enfants blessés pouvaient faire de mieux. Mais je suis également conscient d'avoir été profondément blessé dans mon âme et je sais que cela a eu des conséquences désastreuses sur ma vie. Personnellement, je nous tiens tous pour responsables: je considère que nous sommes tous responsables d'en finir avec ce que nous nous infligeons à nous-mêmes et avec ce que nous infligeons aux autres. Je ne tolérerai plus les purs et simples dysfonctions ou abus qui ont fait la loi dans mon système familial d'origine.

La peine et la tristesse

Après la colère viennent la peine et la tristesse. Si l'on nous a pris comme victimes, nous devons pleurer cette trahison. Nous devons également nous désoler de ce qui n'a pu prendre forme — nos rêves et nos aspirations — et pleurer nos besoins de croissance inassouvis.

Le remords

Souvent, le remords suit la peine et la tristesse. Nous nous disons: «Si seulement les choses avaient été différentes, peut-être que j'aurais pu agir autrement. Si j'avais plus aimé mon père et si je lui avais dit à quel point j'avais besoin de lui, peut-être ne m'aurait-il pas abandonné.» En consultation, lorsque je rencontrais des victimes d'inceste ou d'abus sexuel, il m'était difficile de croire qu'*elles* éprouvaient de la culpabilité et du remords par suite de tels viols, comme si elles en étaient responsables de quelque manière. Lorsque nous pleurons une personne décédée, le remords semble quelquefois plus pertinent; nous aurions souhaité, par exemple, passer plus de temps avec cette personne. Mais quand nous pleurons un abandon survenu au cours de notre enfance, nous devons aider notre enfant blessé à comprendre que, de tout ce qu'il a fait, *rien* n'aurait pu être fait différemment. Sa douleur met en cause ce qui lui est arrivé *à lui*, et non ce qu'il est *en soi.*

La honte toxique et la solitude

La honte toxique et la solitude constituent le noyau dur de l'affliction. Le fait d'avoir été abandonnés nous a tout d'abord mortifiés; nous nous sommes sentis *méchants*, comme si nous avions été contaminés. Puis, cette honte nous a conduits à la solitude. Étant donné que l'enfant en nous se sentait taré et insuffisant, il a dissimulé son vrai moi derrière un faux moi adapté auquel il s'est identifié peu à peu. Son vrai moi est alors demeuré seul et isolé. Pour cette raison, la présente étape, qui consiste à rester en contact avec une dernière couche de sentiments douloureux, est la plus difficile de tout le processus d'affliction. «La seule façon d'en sortir, c'est de passer au travers», dit-on en thérapie. Il est certes difficile de faire face à tant de honte et d'isolement; mais à mesure que nous nous réapproprions ces sentiments, nous abordons une autre rive, faisant connaissance avec un moi jusque-là caché, qui nous était inconnu du fait que nous le dissimulions aux autres. En faisant corps avec notre honte et notre isolement, nous commençons à toucher notre moi le plus authentique.

ÉPROUVER SES SENTIMENTS

Il est nécessaire d'éprouver tous les sentiments dont j'ai parlé. Nous avons besoin de frapper du pied et de tempêter; de sangloter et de crier notre douleur; de transpirer et de trembler. Tout cela demande du temps, la guérison des sentiments étant un processus et non pas un événement; cependant, il n'en demeure pas moins qu'on se sent mieux dès les premiers pas dans ce sens. Le fait d'établir un contact avec l'enfant en soi, le fait qu'il sache que quelqu'un est là pour rester, suscite la joie et procure un soulagement immédiat. Pour revenir à la durée du chagrin, elle est impossible à déterminer d'avance car elle varie d'une personne à l'autre. La clé pour l'écouter, c'est d'apprendre à laisser tomber ses défenses. Il est vrai toutefois que vous ne pouvez pas vivre continuellement en marge de vos défenses. Avec certaines personnes et dans certains milieux, vous ne vous sentirez peut-être pas assez en sécurité pour exprimer votre chagrin. Et à l'occasion, vous aurez besoin de «faire relâche».

Ainsi, l'émergence de votre chagrin suivra un mouvement de va-et-vient. Vous pourrez, un jour, être en pleine phase de reconnaissance de votre réalité puis, trois jours plus tard, vous surprendre à minimiser ce qui vous est arrivé. Mais vous êtes capable de poursuivre votre démarche malgré ces cycles. L'essentiel, c'est que vous éprouviez vos sentiments. *Vous ne sauriez guérir ce que vous ne pouvez pas ressentir!* De surcroît, au fur et à mesure que vous éprouverez les sentiments du passé et que vous vous rapprocherez de votre enfant intérieur, la guérison s'opérera de manière naturelle. À condition, néanmoins, que vous preniez certaines précautions. Veillez à vous sentir en sécurité lorsque vous exprimerez vos sentiments; l'idéal serait que vous fassiez cette démarche avec un partenaire ou au sein d'un groupe. Je vous en prie, tenez compte aussi de la mise en garde figurant dans l'introduction de cette deuxième partie. Assurez-vous que vous pourrez parler à quelqu'un après avoir fait les exercices présentés dans ce livre. Ne précipitez pas les choses; pas mal d'années se sont écoulées avant que le piège ne se referme et que vous ne soyez paralysé, aussi aurez-vous besoin de temps pour guérir. Si vous vous sentez au bord de l'accablement, arrêtez-vous aussitôt. Laissez-vous le temps d'intégrer le travail que vous avez accompli. Et si jamais votre sensation d'accablement persistait, vous devriez chercher de l'aide auprès d'un thérapeute expérimenté.

CHAPITRE 4

Apprivoisez le nourrisson en vous

La femme, en la personne de notre mère, est le premier être avec lequel nous soyons en contact. [...] Au début, c'est vraiment la fusion de deux êtres. [...] l'enfant est une extension de la mère, sans limite nettement perceptible. Il existe une mystique de la participation, un courant psychique de l'enfant à la mère et de la mère à l'enfant.

KARL STERN
Refus de la femme

Là où la mère n'est pas suffisamment en relation avec son corps, elle ne peut offrir à l'enfant le lien dont il aurait besoin pour gagner la confiance en son propre instinct. L'enfant ne peut se détendre dans le corps de sa mère, et, plus tard, il ne le pourra pas plus dans le sien.

MARION WOODMAN

Le nourrisson
(Le lien symbiotique)

Je suis toi

Âge:	de 0 à 9 mois
Polarité du développement:	la confiance fondamentale *versus* la méfiance
Force du moi:	l'espoir
Pouvoir:	le pouvoir d'être
Enjeux relationnels:	le sain narcissisme et la codépendance

INVENTAIRE DES SIGNES SUSPECTS*

Répondez par oui ou par non aux questions suivantes. Après avoir lu une question, attendez et restez à l'écoute de ce que vous ressentez. Si vous vous sentez fortement poussé vers le oui, répondez oui, vers le non, répondez non. Si vous répondez par l'affirmative à l'une de ces questions, vous pouvez vous douter que votre merveilleux nourrisson intérieur a été blessé. La gravité de la blessure varie d'une personne à l'autre. La vôtre se situe quelque part sur une échelle allant de 1 à 100. Plus les questions auxquelles vous vous sentez poussé à répondre affirmativement sont nombreuses, plus la blessure dont souffre votre «moi» de nourrisson est grande.

	OUI	NON
1. Souffrez-vous ou avez-vous déjà souffert dans le passé d'une assuétude ayant trait à l'ingestion (manger, boire ou se droguer à l'excès)?	___	___
2. Avez-vous de la difficulté à croire en votre capacité de combler vos besoins? Croyez-vous qu'il vous faut trouver quelqu'un pour les satisfaire?	___	___
3. Vous est-il difficile de faire confiance aux gens? Vous sentez-vous toujours obligé de tout contrôler?	___	___

* Cette idée d'un «inventaire des signes suspects» m'a été inspirée par le travail de pionnier que le regretté Hugh Missildine a rendu public dans *Your Inner Child of the Past (Votre enfant intérieur du passé)*, son livre bien connu. Le Dr Missildine était un de mes amis et il m'a beaucoup encouragé à poursuivre ce travail.

	OUI	NON
4. Êtes-vous incapable de reconnaître les signaux que vous envoie votre corps en ce qui concerne vos besoins physiques? Par exemple, mangez-vous lorsque vous n'avez pas faim? Ou êtes-vous le plus souvent inconscient du degré de fatigue que vous avez atteint?	____	____
5. Négligez-vous vos besoins physiques? Feignez-vous d'ignorer les principes d'une saine alimentation? Négligez-vous le fait que vous devriez faire plus d'exercice? N'allez-vous consulter un médecin ou un dentiste qu'en cas d'urgence?	____	____
6. Éprouvez-vous des peurs profondes à l'idée d'être abandonné? Vous êtes-vous déjà senti ou vous sentez-vous actuellement désespéré en raison de la perte d'une relation amoureuse?	____	____
7. Avez-vous déjà envisagé de vous suicider parce qu'une relation amoureuse avait pris fin (rupture entre amants ou procédure de divorce entamée par l'un des conjoints)?	____	____
8. Avez-vous souvent l'impression, où que vous soyez, de n'être pas à votre place ou de n'avoir aucun sentiment d'appartenance? Avez-vous le sentiment que les gens ne sont pas vraiment heureux de vous voir ou qu'ils ne désirent pas votre présence?	____	____
9. En société, tâchez-vous de vous rendre invisible en espérant que personne ne remarquera votre présence?	____	____
10. Dans vos relations amoureuses ou affectueuses, vous efforcez-vous d'être serviable (et même indispensable) au point que l'autre personne (ami, amoureux, époux, enfant, parent) ne pourrait vous quitter?	____	____
11. La sexualité bucco-génitale est-elle, par-dessus tout, l'objet de vos désirs et de vos fantasmes?	____	____

		OUI	NON
12.	Éprouvez-vous un grand besoin d'être touché et serré dans les bras de quelqu'un? (Cela se manifeste habituellement par un besoin de toucher ou d'étreindre les autres, souvent sans leur demander s'ils en ont envie.)	____	____
13.	Avez-vous besoin, constamment et de manière obsessionnelle, d'être valorisé et estimé?	____	____
14.	Vous montrez-vous souvent *mordant* et sarcastique avec les autres?	____	____
15.	Avez-vous tendance à vous replier sur vous-même et à passer beaucoup de temps seul? Avez-vous souvent le sentiment que ça ne vaut pas la peine de chercher à établir des relations interpersonnelles?	____	____
16.	Vous montrez-vous souvent crédule? Acceptez-vous les opinions des autres ou «avalez-vous tout rond» n'importe quelle histoire, sans y réfléchir?	____	____

LA PETITE ENFANCE NORMALE

En venant au monde, nous avions des besoins très précis. Lorsque j'ai conçu le tableau figurant à la page 91, mon but était d'expliquer sommairement, *à titre indicatif*, en quoi consistent les «blocs de construction fondamentaux» servant à édifier un moi raisonnablement sain. Puisqu'il n'existe pas deux personnes exactement identiques, on doit se méfier des idées absolues lorsqu'il est question de développement humain. Cependant, il n'en demeure pas moins que nous avons tous des choses en commun. Le grand thérapeute Carl Rogers a dit un jour que «tout ce qu'on peut trouver de plus personnel relève du plus général». À mon sens, cela signifie que mes besoins les plus profondément humains, tout comme mes plus grandes peurs et mes pires angoisses, sont, dans une plus ou moins large mesure, le lot de tout le monde. D'ailleurs, lorsque je partage mes secrets, je suis souvent étonné de voir jusqu'à quel point on peut s'identifier à moi.

Le pont interpersonnel

Pour repérer chacun des besoins de dépendance inhérents au développement de l'enfant, nous utiliserons les «blocs de construction fondamentaux» que j'ai déjà présentés à titre indicatif. Durant la petite enfance, nous avions besoin de nous sentir accueillis favorablement en ce monde. Nous avions besoin de nous lier à une personne bienfaisante, maternelle, capable de nous refléter comme un miroir. Nous étions parfaitement *codépendants* de notre mère — ou de toute autre figure maternelle ayant veillé sur nous —, et c'est pour cette raison que la prime enfance est appelée le «stade symbiotique». Nous dépendions de notre mère pour nous connaître nous-mêmes et pour combler nos besoins physiques fondamentaux afin de survivre. À ce stade, nous étions *indifférenciés,* c'est-à-dire que nous avions le sentiment naturel et inconscient de ne faire qu'un avec nous-mêmes, mais que nous ne jouissions pas de la capacité de réfléchir ni de savoir consciemment que nous avions un moi. Nous devions nous refléter dans le regard de notre mère et entendre notre écho dans sa voix pour découvrir notre sentiment du «Je suis». Nous étions un «nous» avant de devenir un «je». La vie commence par une vraie fusion de l'être; notre destin dépend de la personne qui nous prodigue à ce moment-là des soins maternels. «La main qui fait osciller le berceau» est vraiment la main qui fait tourner le monde. Si notre mère était là pour nous, nous nous sommes liés à elle. Ce lien a créé un «pont interpersonnel» qui allait s'avérer le fondement de toutes nos relations futures. Quand ce pont est construit sur le respect mutuel et la valorisation, il procure à l'enfant la structure à partir de laquelle il peut établir par la suite de nouvelles relations. Mais quand l'enfant est indûment couvert de honte, le pont se brise et l'enfant en arrive à croire qu'il n'a pas le droit de dépendre de qui que ce soit. Par le fait même, il sera enclin à développer des relations pathologiques avec la nourriture, les substances chimiques, la sexualité et ainsi de suite.

Le sain narcissisme

Nous avions aussi besoin que la personne qui nous prodiguait des soins maternels nous prenne au sérieux; qu'elle considère chaque partie de nous-même comme acceptable; qu'elle nous fasse sentir que quelqu'un s'occuperait de nous quoi qu'il arrive. Ces besoins comprennent ce que Alice Miller appelle les «besoins narcissiques»: être aimé pour la personne unique que l'on est; être admiré et valorisé; être touché et traité de manière spéciale; sentir avec certitude que notre mère nous prend au sérieux et qu'elle ne nous quittera pas. Quand on a eu la chance de voir ces besoins satisfaits durant l'enfance, on n'a pas à les traîner avec soi jusqu'à l'âge adulte.

Les soins maternels appropriés

Pour qu'une mère puisse bien jouer son rôle, elle a besoin d'être en contact avec son propre sentiment du «Je suis». Elle doit s'aimer elle-même, accepter chaque partie de sa personne et se percevoir positivement. Elle doit particulièrement accepter son corps et être en harmonie avec celui-ci. Une mère ne saurait procurer à son enfant une sensation de bien-être physique si elle-même n'éprouvait pas cette sensation, pas plus qu'elle ne pourrait lui apprendre à faire confiance à son instinct si elle-même n'était pas à l'aise avec le sien. Erich Fromm a décrit comment l'attitude anti-vie d'une mère inspire à son enfant une peur de la vie, et plus spécialement une peur de la vie instinctive du corps.

L'effet miroir

La vie instinctive est gouvernée par les parties les plus primitives de l'encéphale. Elle concerne l'alimentation, le sommeil, le toucher et l'élimination ainsi que la sensualité et les douleurs ou les plaisirs physiques. Comme l'indique le tableau de la page 120, au début de la vie, «Je suis toi», «Je suis l'autre»; en d'autres termes, on est ligoté à la personne qui nous materne. *On éprouve ce qu'elle éprouve.* On est dégoûté lorsqu'elle est dégoûtée. *On éprouve à notre égard ce qu'elle-même éprouve envers nous.* Durant la petite enfance, la sensation prime sur tout. Il importe peu que maman soit ou non une mère modèle. Ce qui importe, c'est ce qu'elle ressent réellement pour son enfant. Si votre mère était en colère parce que, étant enceinte de vous, elle s'était sentie obligée de se marier, vous avez pu le percevoir à un profond niveau kinesthésique.

Le toucher

Étant nourrisson, vous aviez besoin que quelqu'un vous touche et vous prenne dans ses bras *au moment même ou vous aviez besoin d'être touché et étreint.* Vous aviez besoin d'être nourri lorsque vous aviez faim, raison pour laquelle le biberon à heures fixes a été la hantise des générations passées. Sam Keen fait observer que les maîtres zen consacrent des années à atteindre l'illumination que tout enfant naturel connaît déjà: devenir la totale incarnation du sommeil quand on est fatigué et celle de l'alimentation quand on a faim. N'est-il pas ironique de constater que cet état de béatitude propre au zen est progressivement et systématiquement détruit? Lorsque vous étiez un nourrisson, vous aviez besoin que l'on vous donne le bain et que l'on veille constamment à vous garder propre. Comme vos fonctions physiologiques n'étaient pas encore contrôlées par vos muscles, la propreté de vos fesses dépendait de la personne qui prenait soin de vous. Il s'agissait là de *besoins de dépendance*: vous étiez incapable de les combler par vous-même.

L'effet écho

Vous aviez besoin d'entendre des voix accueillantes, paisibles et chaleureuses autour de vous. Vous aviez besoin d'entendre résonner beaucoup de roucoulements, de oooh!, de aaah! Vous aviez besoin d'entendre une voix rassurante et réconfortante, vous faisant sentir que vous jouissiez d'un maximum de sécurité. Peut-être la plupart d'entre vous ont-ils eu besoin d'être en contact avec une personne qui faisait confiance au monde et à son propre sentiment de faire corps avec ce monde. À ce sujet, Erik Erikson affirme que le premier défi de notre développement consiste à nous installer dans une profonde conscience d'être, laquelle se caractérise par une *confiance* dans le monde extérieur. Quant à Carl Rogers, il disait que l'événement le plus significatif à ses yeux avait été la découverte que «les faits sont amicaux» — autrement dit, que l'on peut croire à la réalité. Acquérir une confiance fondamentale, et faire échec à la méfiance, constitue la première tâche du développement. Lorsque cette polarité se résout au profit de la confiance, une force essentielle du moi s'accroît. Cette force jette les bases de l'espoir: si le monde extérieur s'avère foncièrement digne de confiance, il me sera donc possible de devenir qui «Je suis», car je peux croire que dans le monde je trouverai de quoi satisfaire mes besoins.

Pam Levin voit dans cette première étape le moment où se développe le *pouvoir d'être*. Quand tous les facteurs que j'ai énumérés sont présents, l'enfant peut simplement s'abandonner au plaisir d'*être qui il est*. Puisque le monde extérieur est sûr, et puisque mes parents comblent leurs propres besoins en faisant appel à leurs propres ressources et en se soutenant mutuellement grâce à leur amour, je peux simplement être. Pour survivre, je n'aurai pas besoin de leur plaire ou de me débattre. Je n'ai qu'à me faire plaisir à moi-même et à jouir de la satisfaction de mes besoins.

ÊTRE PARENT: LE TRAVAIL LE PLUS ARDU DE TOUS

Être un bon parent est une tâche très difficile. Je crois même que c'est *l'œuvre la plus ardue que nous puissions jamais accomplir.* Pour être un bon parent, nous devons jouir d'une bonne santé mentale. Nous devons être en mesure de satisfaire nos besoins à l'aide de nos propres ressources, et nous avons besoin que notre conjoint ou une autre personne importante à nos yeux nous appuie tout au long de ce travail de longue haleine. Par-dessus tout, nous *devons avoir guéri notre propre enfant intérieur blessé.* Car si notre enfant intérieur souffre encore de ses blessures, nous jouerons notre rôle de parent en nous comportant comme si nous étions réduits à ce petit être effrayé, blessé et égoïste qui se cache en nous. Nous nous efforcerons de modeler notre comportement sur celui qu'avaient adopté nos parents, ou bien nous essaierons de faire exactement le contraire de ce qu'ils faisaient. D'une façon ou d'une autre, nous nous appliquerons à être le parent parfait dont rêvait l'enfant blessé en nous. Cependant, cette attitude de pure opposition s'avérera aussi néfaste pour nos propres enfants. Quelqu'un n'a-t-il pas déjà dit que «à cent quatre-vingts degrés de la maladie, on est encore malade»?

Rappelez-vous que *je ne blâme les parents de personne.* Ils étaient simplement des adultes enfants blessés qui essayaient d'accomplir une tâche extrêmement ardue. En ce qui me concerne, mes parents ont souvent effectué des choix justes, faisant fi d'une pédagogie pernicieuse. Ma mère m'a raconté combien cela la chagrinait de nous imposer un horaire de tétée, mais elle le faisait parce que les «experts» le recommandaient. Pour elle, c'était difficile de ne pas suivre les conseils des soi-disant experts et de venir furtivement me réconforter lorsque je pleurais. Il s'agissait là d'instants de grâce salutaires. C'était l'enfant doué *en elle* qui l'inspirait dans ces moments-là et qui comprenait les principes fondamentaux des soins maternels!

Il n'empêche que jamais aucun parent n'a été parfait et que jamais aucun nouveau parent ne le sera. L'important, c'est que nous tâchions de guérir notre propre enfant intérieur blessé et qu'ainsi nous ne causions pas de préjudices à nos enfants.

LE TROUBLE DE LA CROISSANCE

Fritz Perls qualifie la névrose de «trouble de la croissance». J'aime bien cette définition, car elle exprime avec justesse le problème de la honte toxique et de la codépendance dont souffre l'enfant intérieur blessé. Nous ne serions pas devenus des adultes enfants codépendants si nos besoins de développement avaient été comblés. En effet, lorsque ces besoins ne sont pas adéquatement satisfaits durant la petite enfance, il en résulte de graves problèmes. L'«inventaire des signes suspects», au début du présent chapitre, évoquait quelques-uns de ces problèmes, qui relèvent tous, en définitive, d'une *carence narcissique*. Quand l'enfant ne trouve ni le miroir ni l'écho dont il a besoin et n'est pas aimé inconditionnellement, il ne peut développer la confiance fondamentale nécessaire à son épanouissement. Cela crée d'insatiables appétits que certaines personnes transposent, par le biais de l'*acting out*, en une dépendance à l'ingestion. Cette lacune donne également naissance à un besoin excessif d'être constamment reconnu par les autres, comme si notre existence même tenait à cette reconnaissance. Parmi les autres conséquences de la carence narcissique figurent: le besoin insatiable d'être touché et tenu dans les bras de quelqu'un; une sexualité empreinte d'une oralité excessive; une absence de conscience de ses besoins physiques (les signaux de son corps); une tendance à se montrer crédule, à «avaler tout rond». En résumé, nous sommes semblables à un petit bébé «suceur» qui renaît à chaque minute et par-dessus tout, les besoins de notre prime enfance étant demeurés inassouvis, nous sommes prédisposés à avoir honte de nous-mêmes, à avoir le sentiment qu'*il y a quelque chose qui cloche au fond de nous*.

Ne grandis pas!

Peut-être avez-vous appris à rester un enfant dans le but de pouvoir soigner les blessures narcissiques de vos parents. Si vous étiez un enfant parfaitement obéissant, papa et maman savaient qu'ils pourraient toujours compter sur vous, que vous les prendriez toujours au sérieux. Ils pouvaient se réconforter en pensant que, contrairement à ce qu'avaient fait leurs propres parents, vous, vous ne les quitteriez jamais. En outre, vous alliez être pour eux une source constante de valorisation et d'estime. Ainsi, vous êtes devenu la personne grâce à laquelle ils pouvaient satisfaire leurs besoins narcissiques autrefois sacrifiés.

L'abandon affectif

Tout enfant ayant grandi dans un système familial dysfonctionnel a connu la privation et l'abandon affectifs. La réaction naturelle à l'abandon affectif consiste en une honte toxique fort tenace, laquelle engendre tant une rage intense qu'une vive douleur, causée par une profonde conscience d'avoir été blessé. Vous avez probablement ressenti cette rage et cette douleur durant votre petite enfance, mais vous ne pouviez d'aucune façon les exprimer alors. Vous n'aviez pas d'allié qui aurait pu vous réconforter de sa présence et reconnaître la réalité de votre douleur, personne pour vous prendre dans ses bras pendant que vous auriez pleuré toutes les larmes de votre corps et tempêté contre l'injustice qui vous était faite. Afin que vous puissiez survivre, vos jeunes défenses du moi ont pris la relève et votre énergie émotionnelle est restée paralysée et non résolue. Depuis lors, vos besoins inassouvis sont demeurés criants. Il suffit d'entrer dans le premier bar venu pour entendre la voix plaintive d'un adulte enfant qui pleure: «J'ai soif, je me meurs du désir d'être aimé. Je veux être lié à quelqu'un et compter à ses yeux.»

LE TÉMOIGNAGE

La première étape des retrouvailles avec le petit enfant blessé niché en vous réclame que vous rendiez un *témoignage*. Quand une personne a subi un grave traumatisme, il importe qu'elle prenne le temps d'en parler. Le témoignage, ce n'est pas encore l'expression de la première souffrance; ce n'est pas encore le moment d'éprouver les anciennes émotions. Cependant, c'est une façon de commencer à exprimer la première souffrance.

Pour établir votre témoignage, je vous recommande de recueillir le plus d'informations possibles au sujet de votre système familial. Que se passait-il au moment de votre naissance? Dans quel genre de famille votre mère et votre père ont-ils grandi? L'un de vos parents était-il un adulte enfant? Pour chaque stade de développement — dans le cas présent, la petite enfance — il serait bon que vous notiez par écrit aussi fidèlement que possible toute les informations que vous trouverez. Il est probable que vous éprouverez du chagrin en les écrivant. Aussi efforcez-vous de vous concentrer uniquement sur la clarté de vos rapports: veillez à rester aussi clair que possible en consignant les faits relatifs à votre enfance.

Pour vous donner une idée de ce qu'est un témoignage, je vais vous exposer ce que nous avait appris celui de Claudine. Les parents de Claudine s'étaient mariés parce que celle-ci allait naître. Ils étaient jeunes, dix-sept et dix-huit ans. La mère avait été victime d'un inceste tant émotionnel que physique et n'avait jamais été traitée. Le père était un alcoolique en phase active. En écrivant, Claudine s'est subitement rappelé un moment où, alors qu'elle était couchée dans son lit de bébé, son père l'avait maudite d'être venue au monde. En outre, à ce tout début de son existence, elle sentait déjà que sa mère la blâmait d'avoir gâché sa vie. Les deux parents venaient de familles catholiques intransigeantes et rejetaient toute méthode de contrôle des naissances. La mère considérait les rapports sexuels fréquents comme un devoir conjugal. Si bien qu'à vingt-quatre ans, elle avait quatre enfants. Imaginez une jeune femme de vingt-quatre ans avec quatre enfants sur les bras, plus un mari alcoolique et irresponsable! Étant née à la suite d'une grossesse non désirée, Claudine était la cible de la rage et du dédain de sa mère. Elle s'est souvenue que sa mère lui disait volontiers qu'elle était extrêmement laide et qu'elle ne ferait jamais rien de bon. Selon la théorie des systèmes familiaux, Claudine assumait les rôles de l'Enfant Sacrifié, du Bouc Émissaire de maman et de la Victime. Ces rôles permettent aux membres d'une famille dysfonctionnelle de combler leurs besoins. Si la famille n'a pas besoin d'un autre enfant, ou si elle est déjà trop nombreuse, l'enfant non désiré apprendra à compter aux yeux des autres *en se sacrifiant,* puisque le message transmis par la famille se résume à ceci: «Efface-toi, enfant — nous ne voulions pas vraiment t'avoir» ou «nous avons déjà trop d'enfants!».

Claudine a ainsi appris à être une petite fille parfaite. Elle était excessivement obéissante, follement polie et serviable. Elle a noté que, petit bébé dans son berceau, elle restait seule dans sa chambre pendant de longues heures sans pleurer ni faire de bruit. Plus tard, elle jouait là des heures durant, toute seule, de manière à ne pas déranger sa mère ni qui que ce soit dans la famille. Il s'agit là du comportement typique de l'Enfant Sacrifié. Claudine a grandi et répété ces schémas de comportement dans sa vie professionnelle et dans sa vie sociale. Sans thérapie, elle les emportera vraisemblablement jusque dans sa tombe.

PARTAGER L'HISTOIRE DE SA PETITE ENFANCE AVEC UN AMI

Après avoir écrit tout ce que vous pouviez savoir au sujet de votre petite enfance, il est important que vous en parliez et que vous lisiez votre texte à quelqu'un. Si vous êtes en thérapie et que votre thérapeute a approuvé la démarche proposée dans le présent livre, partagez votre texte avec lui, ou avec votre parrain si vous participez à un Programme en douze étapes. Vous pouvez vous confier à toute personne en qui vous avez une profonde confiance — un membre du clergé ou un ami intime, peut-être. L'important, c'est *de trouver quelqu'un qui vous écoute et reconnaisse votre première souffrance* de nouveau-né. Cette personne doit refléter votre réalité de nourrisson et lui faire écho. Si elle commence à vous questionner, à discuter ou à vous donner des conseils, *vous n'êtes pas en voie d'obtenir ce dont vous avez besoin.*

Je ne vous conseille pas de partager votre passé avec l'un de vos parents ni avec d'autres membres de votre famille, à moins qu'ils ne soient eux-mêmes engagés dans un programme thérapeutique. Si de réels abus vous ont été infligés durant votre petite enfance, cela doit être reconnu. *Or, les membres non traités de votre famille vivent une transe illusoire identique à celle que vous avez vécue jusqu'à maintenant.* Il leur est par conséquent impossible de reconnaître et de légitimer votre souffrance.

Il se pourrait que votre prime enfance *n'ait pas été* une époque douloureuse pour vous. Au cours de mes ateliers, certaines personnes découvrent qu'elles *ont été* bien accueillies en ce monde. Elles étaient désirées, même si leurs parents étaient des adultes enfants. Ce n'est qu'au stade de développement suivant que ces personnes ont été bafouées, quand la carence narcissique de leurs parents a commencé à peser de tout son poids.

ÉPROUVER SES SENTIMENTS

Si vous êtes un Enfant Sacrifié, vous avez probablement déjà senti émerger certains sentiments liés à votre prime enfance. Pour mieux les cerner, prenez une photographie de vous, étant bébé, et regardez-la attentivement pendant un moment. Dans le cas où vous n'auriez pas ce genre de photo, vous devriez trouver un petit bébé dans votre entourage et passer quelque temps à l'observer. Quoi qu'il en soit, portez attention à l'énergie du nouveau-né. Voilà un enfant merveilleux, parfaitement innocent, qui veut seulement qu'on lui donne la chance d'accomplir sa destinée. Cet enfant n'a pas demandé à venir au monde. Tout ce qu'il désire en tant que nourrisson, c'est être nourri — d'aliments et d'amour — afin de grandir et de se développer. Imaginez maintenant qu'on met ce précieux nouveau-né au monde et qu'on ne le désire pas.

Il aurait été plus honnête de confier le petit bébé à un orphelinat. Il aurait été plus affectueux de le confier à un organisme d'adoption. Au moins, les parents adoptifs auraient *désiré* l'enfant.

ÉCRIRE DES LETTRES

Imaginez que vous, le vieux magicien doux et sage, désirez adopter un enfant. Imaginez que l'enfant que vous désirez adopter, c'est *vous, petit bébé*. Pour aller plus loin encore, imaginez que vous devez écrire une lettre à ce nouveau-né. Les bébés ne savent pas lire, bien sûr, mais croyez-moi, c'est important d'écrire la lettre. (N'écrivez pas cette lettre si vous ne voulez pas vraiment retrouver votre précieux nourrisson. Cependant, je tiens pour acquis que vous le voulez, sinon vous n'auriez pas acheté ce livre.) Cette lettre n'a pas besoin de comporter plus d'un ou deux paragraphes. Dites simplement à votre merveilleux nouveau-né que vous l'aimez et que vous êtes très content qu'il soit un garçon (ou une fille). Dites-lui que vous le désirez et que vous lui donnerez tout le temps dont il a besoin pour grandir et se développer. Assurez-le que vous connaissez ses attentes à votre égard, que vous y répondrez et que vous vous efforcerez de le considérer comme l'être précieux et merveilleusement unique qu'il est. Quand vous aurez terminé votre lettre, lisez-la très lentement à voix haute et restez attentif à ce que vous ressentez. Si vous vous sentez triste ou si vous éprouvez le besoin de pleurer, laissez-vous aller à votre chagrin; il n'y a aucun mal à cela.

Voici la lettre que j'ai écrite:

Cher Petit John,
Je suis si heureux que tu sois né. Je t'aime et je veux que tu sois toujours avec moi. Je suis très content que tu sois un garçon et je veux t'aider à grandir.
J'attends l'occasion de te montrer combien tu es important pour moi.

Avec amour,
Le Grand John

La lettre de votre nourrisson intérieur

Maintenant, bien que cela puisse vous sembler étrange, je veux que vous vous écriviez une lettre *de la part de* votre nouveau-né intérieur. *Écrivez-la avec votre main non dominante.* Si vous êtes droitier, vous devez donc utiliser votre main gauche. (Cette technique fait appel à l'hémisphère cérébral non dominant et court-circuite le côté du cerveau le plus logique et le plus critique. Il est ainsi plus facile d'entrer en contact avec les émotions de l'enfant intérieur.) Évidemment, je sais qu'un nouveau-né ne peut pas écrire! Mais je vous en prie, faites cet exercice. Souvenez-vous que si un bébé pouvait écrire, il n'écrirait probablement pas beaucoup, seulement un court paragraphe peut-être. Voici à quoi ressemblait ma propre lettre:

Cher John,

Je veux que Tu viennes me chercher. Je veux être important pour quelqu'un. Je ne veux pas être seul.

Avec amour,
Le Petit Jean

LES AFFIRMATIONS

Si les besoins de votre prime enfance n'ont pas été comblés, le nouveau-né blessé est toujours présent en vous, avec toute son énergie primitive. Il a encore besoin de la nourriture spirituelle que vous n'avez jamais reçue; il a encore besoin d'entendre les mots qui lui signifieront qu'il est le bienvenu en ce monde. Vous allez donc les lui offrir par les affirmations, qui constituent un bon moyen de vous donner à vous-même aujourd'hui ce que vous n'avez pas reçu autrefois. Dans son livre intitulé *Cycles of Power* (Les cycles du pouvoir), Pam

Levin propose des affirmations pour chaque stade de développement. Bien qu'un nouveau-né ne puisse comprendre la signification des mots, il peut en saisir le message non verbal. Si votre mère était déçue que vous soyez un garçon ou qu'elle ne vous désirait pas vraiment, elle n'a pas eu besoin de vous le dire: vous le saviez. Peut-être votre père ne vous a-t-il jamais dit qu'il était désappointé que vous soyez une fille, mais vous le saviez. Personne ne vous a probablement jamais dit que vous n'étiez pas désiré, *mais vous le saviez.*

Cependant, certains enfants *se font* vraiment *dire* qu'ils n'étaient pas désirés. Une de mes clientes s'était fait raconter qu'au moment de sa naissance sa mère avait failli mourir; une autre avait appris que son père avait instamment prié sa mère de se faire avorter. J'ai entendu plusieurs histoires cruelles et incroyables de ce genre.

Les mots sont extrêmement puissants. Des mots aimables peuvent nous rendre heureux pendant toute une journée. Des mots durs peuvent nous perturber pendant une semaine. *Les coups de bâton peuvent vous casser les reins, mais les mots peuvent vous meurtrir bien davantage.* En revanche le fait de dire des mots nouveaux et générateurs de force peut toucher votre première souffrance et vous permettre d'amorcer une grande guérison.

Les affirmations positives renforcent notre sentiment d'exister et peuvent guérir la blessure spirituelle. Pam Levin soutient que «les messages affirmatifs peuvent même produire des changements dans les rythmes cardiaque et respiratoire des patients dans le coma».

Des messages positifs répétés constituent une *nourriture émotionnelle.* Si vous en aviez entendu, cela aurait favorisé la croissance et le développement de votre enfant intérieur. Mais vous allez désormais en entendre et vous apercevoir que la répétition de tels messages est maintenant capable de produire en vous des transformations profondes, viscérales, et d'atteindre les couches les plus primitives de votre première souffrance. Tout en utilisant le modèle de base élaboré par Pam Levin, j'ai enrichi les affirmations concernant la petite enfance afin d'inclure d'autres facettes des besoins ressentis par le nouveau-né.

Voici les mots affectueux que vous pouvez dire à votre nouveau-né intérieur au cours de la méditation; il les recevra comme si c'était un vieux magicien doux et sage qui lui parlait. (Utilisez les affirmations que vous préférez.)

Tu es le bienvenu en ce monde, je t'attendais.
Je suis si heureux que tu sois là.

Je t'ai ménagé une place spéciale où tu pourras vivre.
Je t'aime exactement tel que tu es.
Je ne te quitterai pas, quoi qu'il arrive.
Tes besoins me conviennent tout à fait.
Je vais te consacrer tout le temps qu'il te faudra de manière à combler parfaitement tous tes besoins.
Je suis si heureux que tu sois un garçon (ou une fille).
Je veux prendre bien soin de toi et je suis préparé à le faire.
J'aime bien te nourrir, te donner ton bain, te changer et passer du temps avec toi.
Dans le monde entier, il n'a jamais existé quelqu'un comme toi.
Dieu a souri lorsque tu es né.

MÉDITATION POUR LE NOUVEAU-NÉ INTÉRIEUR

Vous aurez besoin d'une heure, sans interruption, pour faire cette méditation. Je vous conseille de garder des mouchoirs à portée de la main. Assoyez-vous dans un fauteuil confortable, sans croiser les bras ni les jambes. Ce serait une bonne idée, lorsque vous serez prêt à entamer cet exercice, de faire part de votre démarche à une personne en qui vous avez confiance (sauf si elle risque de vous ridiculiser), puis de la contacter de nouveau lorsque vous aurez terminé. Cependant, de grâce, rappelez-vous ce que j'ai précisé dans l'introduction de cette partie du livre. *Ne faites pas cet exercice:*

- Si on a diagnostiqué chez vous une maladie mentale ou si vous avez des antécédents familiaux de maladie mentale.
- Si vous avez été victime de violence physique ou sexuelle, y compris le viol, et que vous êtes resté sans traitement.
- Si vous avez été gravement maltraité sur le plan affectif.
- Si vous êtes en train de vous rétablir d'une accoutumance à des substances chimiques, mais que vous n'avez pas à votre actif une année de sobriété constante.
- Si vous n'y avez pas été autorisé par votre thérapeute.

Dans le cas où, pour des motifs d'ordre religieux, vous refuseriez de vous livrer à la méditation, vous devez savoir que cet exercice ne comporte rien qui aille à l'encontre de Dieu. En outre, vous devez être conscient que vous entrez dans un état de transe et en ressortez plusieurs fois par jour. Il n'y a rien, dans ce que je vous demanderai d'effectuer, que vous n'ayez déjà fait ou que vous ne sachiez déjà comment faire. Souvenez-vous que le problème de l'enfant intérieur blessé résulte en partie d'une régression *spontanée* dans le temps. En faisant une méditation qui vous amène à régresser, vous prenez réellement *les commandes* de ce processus. Rappelez-vous également que vous pouvez vous arrêter à tout moment si vous vous sentez accablé. C'est même tout à fait correct de vous arrêter au milieu de la méditation si vous en éprouvez le besoin.

La première partie de la méditation ci-après sera utilisée pour tous les stades de développement. Enregistrez cette méditation sur une cassette, en ménageant une pause d'environ quinze secondes de silence chaque fois que vous voyez des points de suspension.

Commencez par vous asseoir calmement, en prenant conscience de tout ce qui vous entoure... Situez-vous dans l'espace et dans le temps. Sentez le contact de votre dos et de vos fesses avec le fauteuil sur lequel vous êtes assis... Écoutez tous les bruits qu'il vous est possible de percevoir... Sentez l'air ambiant, les odeurs de la pièce... En ce moment précis, il n'y a aucun endroit où vous *devez aller* ni rien que vous *devez faire*... Soyez seulement présent ici et maintenant... Vous pouvez fermer les yeux si ce n'est déjà fait... Laissez-vous aller à prendre conscience de votre respiration... Sentez comment l'air entre et sort... Concentrez-vous sur les sensations que vous éprouvez dans les narines lorsque vous inspirez et expirez... Si des pensées s'interposent, laissez-les suivre leur cours. Contentez-vous de les regarder défiler comme s'il s'agissait de phrases qui, traversant l'écran de votre téléviseur durant une émission, annoncent des pluies torrentielles ou un orage imminent. L'important, c'est de les regarder tout en les laissant simplement passer leur chemin... En continuant de respirer, vous pouvez *retenir* votre conscience autant que vous le désirez... Ou vous pouvez la *laisser aller* à votre gré, selon votre manière habituelle de vous relaxer... Lorsque vous étiez un enfant, vous avez appris à *retenir* et à *laisser aller*... Et vous savez vraiment, avec une grande précision, jusqu'à quel point vous devez *retenir* et jusqu'à quel point vous devez *laisser*

aller... Vous avez trouvé l'équilibre parfait quand, petit bébé, vous avez appris à respirer... Vous avez appris à inspirer... et à retenir votre souffle juste assez longtemps pour oxygéner toutes vos cellules sanguines... Et vous avez appris à *laisser aller*... et à sentir l'air qui s'échappe... Lorsque vous étiez un nourrisson, vous avez appris à téter le sein de votre mère... Vous avez appris à téter votre biberon... Et à vous *laisser aller* lorsque vous goûtiez le lait chaud... Vous avez tôt fait d'apprendre à *retenir* votre biberon... Et à le laisser aller quand vous aviez fini de boire... Et vous avez appris à vous retenir aux barreaux de votre petit lit... Et à vous *laisser aller* quand vous étiez prêt à vous étendre... Vous *savez* donc vraiment avec précision jusqu'à quel point vous devez retenir et jusqu'à quel point vous devez laisser aller... Et vous pouvez avoir confiance en vous et en votre capacité de trouver exactement ce dont vous avez besoin...

Et maintenant, vous éprouvez une sorte de lourdeur dans les paupières... Vous pouvez les laisser se fermer *complètement*... Vous sentez cette lourdeur dans la mâchoire... Dans les bras et les mains... Vous sentez que vous ne pouvez plus bouger les mains... Et vous avez l'impression que vos jambes et vos pieds s'alourdissent... Comme si vous ne pouviez plus bouger les jambes... Vous pourriez tout aussi bien sentir exactement le contraire, comme si votre corps entier flottait... Comme si vos mains et vos bras étaient des plumes... Vous savez vraiment ce que *vous* ressentez, la *lourdeur* ou la *légèreté*... Et qu'il s'agisse de l'une ou de l'autre sensation, c'est exactement celle qui vous convient le mieux...

Et maintenant, vous commencez à revoir des souvenirs d'enfance... Vous vous rappelez vos premières journées à l'école... et votre meilleur ami à l'époque... Vous revoyez un instituteur bienveillant ou un bon voisin... Et vous pouvez vous rappeler la maison que vous habitiez *avant* que vous ne soyez en âge d'aller à l'école... De quelle couleur était cette maison?... S'agissait-il d'un appartement?... D'une maison mobile?... Viviez-vous à la ville?... À la campagne?... Maintenant vous voyez certaines pièces de cette maison... Où passiez-vous votre temps dans cette maison?... Disposiez-vous d'une

pièce spéciale?... Où était la table sur laquelle vous preniez vos repas?... Voyez qui est assis à cette table... Comment vous *sentiez*-vous d'être installé à cette table?... Comment vous *sentiez*-vous de vivre dans cette maison?...

Ce qui précède constitue l'introduction générale que l'on utilisera à chaque stade de développement. Quant aux instructions particulières *se rapportant à chacun des stades,* elles diffèrent d'un stade à l'autre.

Maintenant, imaginez ou rappelez-vous la maison dans laquelle vivait votre famille lorsque vous êtes né... Imaginez la chambre où vous dormiez après votre naissance... Voyez le magnifique nouveau-né que vous étiez... Écoutez les sons que produisent vos roucoulements, vos pleurs et vos rires... Imaginez que vous pourriez prendre dans vos bras cet irrésistible petit enfant que vous avez été... Vous êtes là, dans la peau d'un magicien doux et sage... Vous assistez à votre propre petite enfance... Qui d'autre est présent?... Votre maman?... Votre papa?... Comment vous *sentez*-vous d'être né dans cette maison et chez ces gens?... Maintenant, imaginez que vous êtes ce précieux et fragile nourrisson qui promène son regard sur tout cela... Regardez avec les yeux de ce nourrisson votre moi d'adulte... Voyez cet être magique, ce gentil sorcier, ou simplement vous-même... Vous *sentez* la présence de quelqu'un qui vous aime... Imaginez maintenant que votre moi d'adulte vous prend dans ses bras et vous serre contre lui. Écoutez-le vous dire tendrement les affirmations suivantes:

Tu es le bienvenu en ce monde, je t'attendais.
Je suis si heureux que tu sois là.
Je t'ai ménagé une place spéciale où tu pourras vivre.
Je t'aime exactement tel que tu es.
Je ne te quitterai pas, quoi qu'il arrive.
Tes besoins me conviennent tout à fait.
Je vais te consacrer tout le temps qu'il te faudra de manière à combler parfaitement tous tes besoins.
Je suis si heureux que tu sois un garçon (ou une fille).
Je veux prendre bien soin de toi et je suis préparé à le faire.
J'aime bien te nourrir, te donner ton bain, te changer et passer du temps avec toi.

Dans le monde entier, il n'a jamais existé quelqu'un comme toi.
Dieu a souri lorsque tu es né.

Laissez-vous éprouver tout ce que vous éprouvez en entendant ces affirmations...
Maintenant, laissez votre moi d'adulte vous déposer... Écoutez-le vous assurer qu'il ne vous quittera jamais... Et qu'à partir de ce moment même, il sera toujours disponible pour vous... Reintégrez maintenant votre moi d'adulte... Contemplez votre précieux petit moi de nourrisson... Prenez conscience du fait que vous venez tout juste de le retrouver... ***Éprouvez le sentiment de ce retour aux sources...*** **Ce petit nouveau-né est désiré, aimé, et désormais** ***il ne sera plus jamais seul...*** **Sortez de cette chambre, de cette maison, et regardez en arrière à mesure que vous vous éloignez... Attardez-vous en** ***remontant*** **le fil de votre mémoire... Passez devant votre première école... Traversez les années de votre adolescence... Rappelez-vous un événement du début de votre vie adulte... Revenez maintenant à l'endroit où vous êtes** ***actuellement...*** **Sentez vos orteils... Remuez-les... Sentez l'énergie qui circule de nouveau dans vos jambes... Sentez l'énergie dans votre poitrine alors que vous prenez une profonde inspiration... Expirez bruyamment... Sentez l'énergie dans vos épaules, votre cou et votre mâchoire... Étirez vos bras... Sentez votre visage et soyez pleinement présent... Revenez complètement à l'état de veille et à votre état de conscience normal... Et ouvrez les yeux.**

Restez assis et prenez quelques minutes pour réfléchir à l'expérience que vous venez de faire. Éprouvez vos sentiments, quels qu'ils soient. Prêtez attention aux affirmations qui vous ont le plus touché. Réfléchissez à ces paroles en vous laissant éprouver l'effet bienfaisant de cette nourriture spirituelle. Si vous avez eu une réaction de colère, permettez-vous d'éprouver cette colère. Par exemple, vous avez pu penser: «Tout cela est stupide, ce n'est qu'un jeu, personne n'a jamais vraiment voulu de moi!» Laissez monter cette colère. Permettez-vous de la crier à tue-tête! Frappez votre oreiller avec une raquette de tennis ou avec une batte de base-ball, si cela vous chante. À la fin de votre réflexion, notez par écrit vos pensées et vos impressions si vous en avez envie. Parlez avec votre conjoint, votre parrain ou un ami si vous le désirez. Prenez conscience du fait que votre moi d'adulte est capable de prendre soin de votre jeune moi: votre nouveau-né intérieur.

Certaines personnes découvrent qu'elles ont de la difficulté à se faire une représentation mentale à partir des indications données. Nous avons tous des facultés de perception, mais tout le monde n'est pas apte à visualiser facilement. Chacun de nous trace sa propre carte du monde en utilisant ses facultés dominantes. Si vous êtes une personne principalement visuelle, vous direz probablement quelque chose comme: «Ça m'a tout l'air d'être bien» ou «Je me vois en train de faire cela». Mais si vous êtes d'abord un auditif, vous pourriez affirmer: «Ça m'est agréable à entendre» ou «Quelque chose me dit de faire cela». Enfin, si votre perception est surtout kinesthésique, vous auriez tendance à déclarer: «Je sens que c'est juste» ou «Je suis poussé à le faire». Aussi n'y a-t-il pas lieu de vous inquiéter si vous avez du mal à visualiser — vous percevrez les choses à votre propre façon.

Il arrive parfois que des gens soient incapables de voir, d'entendre ou de sentir l'enfant blessé en eux. J'ai découvert que cette difficulté était imputable au fait que, durant l'exercice, ils *sont dans la peau de l'enfant,* se trouvant effectivement dans le même état que leur enfant intérieur blessé. Si cela vous arrivait, revenez tout simplement en arrière et reprenez la méditation depuis le début, en vous laissant aller à voir votre moi d'adulte, à entendre les affirmations affectueuses et bienfaisantes qu'il vous adresse.

Certaines personnes ont le sentiment que l'enfant sera un nouveau fardeau pour elles si elles acceptent de «le ramener à la maison». Si vous éprouvez cela, c'est que vous êtes probablement déjà surchargé de responsabilités. Rappelez-vous simplement que le maintien du contact avec votre enfant intérieur ne vous prendra que quelques minutes par jour. Il s'agit d'un enfant que vous n'avez pas à faire manger, à habiller ou à surveiller. Aimer et éduquer votre enfant intérieur, c'est une façon de vous donner du temps à vous-même — chose que vous ne faisiez probablement pas jusqu'à maintenant.

Quelquefois, les gens sont fâchés ou dégoûtés lorsqu'ils voient le nouveau-né qu'ils étaient autrefois. Cette réaction indique un sérieux niveau de honte toxique. On se mortifie soi-même tout comme on a été mortifié. Si les personnes qui veillaient à votre survie ont rejeté votre vulnérabilité de nouveau-né, il est possible que vous vous rejetiez de la même façon. Si vous avez éprouvé de la colère, du mépris ou du dégoût en faisant cet exercice, vous devrez prendre une décision concernant votre volonté d'accepter un côté faible, vulnérable de vous-même. Je peux vous assurer qu'il s'agit d'une réelle partie de votre être. Nous avons tous une telle facette en nous-mêmes.

Tant que vous ne pourrez accepter de bon cœur votre moi le plus faible et le plus impuissant, vous ne sauriez être ni sain ni vraiment fort. Votre énergie et votre force seront partiellement mobilisées afin de rejeter une autre partie de vous. Ce genre de guerre intérieure exige beaucoup de votre temps, de votre énergie et de votre force. Aussi paradoxal que cela puisse vous sembler, vous trouverez votre force seulement en acceptant votre faiblesse!

Maintenant que vous avez retrouvé votre moi de nouveau-né, prenez le temps, pendant plusieurs jours, de lui répéter les affirmations. Imaginez que vous le serrez dans vos bras, lui disant tout haut: «Tu es chez toi ici! Il n'y a jamais eu personne comme toi. Tu es inimitable, unique en ton genre.» Ajoutez les affirmations qui ont déclenché le plus d'émotion en vous — ce sont celles-là que vous avez le plus grand besoin d'entendre. Allez vous asseoir dans un parc et contemplez l'herbe, les fleurs, les oiseaux, les arbres et les animaux. Ils appartiennent tous à l'univers. Ils sont une partie indispensable de la Création. Et vous en faites partie, vous aussi. Vous êtes simplement aussi indispensable que les oiseaux et les abeilles et les arbres et les fleurs. Vous appartenez à cette Terre. *Soyez le bienvenu!*

Faire l'exercice avec un partenaire

Si vous préférez faire ces exercices en compagnie d'un partenaire, c'est excellent. Chacun de vous doit être présent à l'autre d'une façon particulière. L'enfant intérieur ayant besoin de savoir que vous ne le quitterez pas brusquement, vous et votre partenaire devez vous engager à être présents l'un à l'autre pendant que vous effectuerez cette démarche. Vous n'avez rien de spécial à faire, et vous ne devez certainement pas jouer le rôle de thérapeute l'un envers l'autre ni essayer de régler mutuellement vos problèmes. Vous devez simplement être l'un et l'autre présents à votre partenaire du mieux que vous le pouvez. L'un de vous dira les affirmations. Il me faut cependant préciser que vous devrez vous en tenir au texte littéral des affirmations, les dire telles qu'elles sont énoncées. (Récemment, au cours d'un atelier, une femme s'est laissé emporter par l'émotion tandis qu'elle communiquait des affirmations à un homme de son groupe. Elle lui a dit: «Tu es le bienvenu en ce monde. Tu es si désiré. Je veux faire l'amour avec toi.» Ce *n'est pas* là ce qu'un nouveau-né a besoin de se faire dire par la personne qui le materne!) Lorsque l'un de vous a terminé l'exercice, échangez les rôles.

En travaillant avec votre partenaire, vous pourriez — et ce serait très bénéfique — le caresser et le prendre dans vos bras en lui disant les affirmations. Il faudrait cependant que vous en discutiez à l'avance, car n'oubliez pas que la plupart des adultes enfants ont souffert de graves violations de leurs frontières physiques. Montrez à votre partenaire la façon dont vous aimeriez qu'il vous caresse et vous étreigne. Évidemment, si vous ne voulez pas qu'il vous touche, dites-le-lui.

Au moment de commencer l'exercice, lentement et attentivement, lisez à votre partenaire l'introduction générale de la méditation. Vous pouvez utiliser une musique de berceuse comme fond sonore; je vous recommande celle de Steven Halpern, *Lullaby Suite*. Après avoir lu: «Écoutez-le vous dire tendrement les affirmations suivantes», *dites tout haut les affirmations à votre partenaire*. Continuez ensuite votre lecture jusqu'à la fin de l'exercice. Ce qui distingue le travail en solitaire du travail en équipe, c'est le fait que, dans le second cas, vous dites tout haut les affirmations à votre partenaire pendant que vous le caressez et le serrez dans vos bras comme il le désire. Quand vous aurez terminé, inversez les rôles.

Faire l'exercice avec un groupe

Dans mes ateliers sur l'enfant intérieur, la majeure partie de la démarche de retrouvailles s'effectue en groupe. À mon avis, le travail de groupe constitue la plus puissante forme de thérapie. À la fin de l'atelier, je fais remarquer aux participants que chacun a été d'un grand recours pour les autres: je veux que les gens prennent conscience de ce qu'ils peuvent accomplir par eux-mêmes.

Cependant, au cours du processus de retrouvailles, je reçois toujours l'assistance de plusieurs thérapeutes expérimentés. Ils sont présents dans l'éventualité où une personne plongerait dans un état d'accablement émotionnel, chose susceptible de se produire lorsqu'on régresse jusqu'à retrouver des émotions embrouillées ou contaminées par la honte toxique. Ces émotions s'avèrent plus perturbatrices que les émotions naturelles. En fait, on ne peut être accablé ou écrasé par ses émotions naturelles.

Les suggestions qui suivent sont valables pour:

- les thérapeutes ou les conseillers expérimentés qui souhaitent diriger des groupes à travers le processus de retrouvailles;
- tout groupe voué à un processus de rétablissement et engagé dans une démarche d'entraide;
- les personnes qui poursuivent sérieusement une démarche de croissance personnelle et qui ont la volonté de se conformer aux directives que je donne.

Pour former un groupe, vous devez rassembler un minimum de cinq participants et un maximum de neuf. Le groupe doit inclure des personnes des *deux* sexes — au moins deux hommes et deux femmes. La raison en est que, ayant été élevé par une mère et un père, vous avez besoin d'entendre une voix féminine autant qu'une voix masculine.

Si les membres du groupe ne se connaissent pas déjà les uns les autres, je vous suggère ceci:

A. Passez quelque temps tous ensemble, c'est-à-dire tout le groupe, avant d'entreprendre les exercices. Réunissez-vous au moins trois fois, à raison d'une heure et demie chaque fois. Au cours de la première réunion, présentez-vous les uns aux autres et, en respectant vos limites, échangez sur le thème des contaminations occasionnées par l'enfant intérieur blessé. Après quoi vous pourrez sortir et aller prendre un café ensemble.
   À la deuxième rencontre, chaque personne disposera d'une dizaine de minutes pour parler de sa famille d'origine et de son enfance. (L'un d'entre vous sera chargé de faire respecter le temps imparti à chacun.) À la troisième réunion, vous laisserez davantage de place à la spontanéité. Néanmoins, vous devrez veiller à ce que chaque participant ait la possibilité de s'exprimer pendant dix minutes. La rencontre pourra durer plus d'une heure et demie, si on le souhaite, mais j'ai découvert que pour en profiter au maximum, une relative structure est nécessaire et qu'en la matière, la règle des dix minutes allouées à chaque participant est très importante. Car certains enfants blessés ne peuvent s'arrêter de parler; d'autres sont hystériques et utilisent le «bruit émotionnel» (des problèmes constants) pour attirer l'attention.
B. Après que les participants auront passé du temps ensemble, chacun devra *s'engager verbalement à être présent pendant*

toute la démarche (les exercices couvrant les cinq stades de développement infantile, de la petite enfance jusqu'à l'adolescence). Encore une fois, ce que l'enfant intérieur blessé a l'immense besoin de savoir, c'est que quelqu'un sera là pour lui. On planifiera donc l'horaire des rencontres du groupe en s'assurant que chaque participant peut s'engager à être présent.

C. En dernier lieu, chacun devra établir clairement ses limites physiques. Cela veut dire que tous les participants énonceront très précisément leurs différentes frontières physiques et sexuelles. Si une personne du groupe blaguait à propos de la sexualité et que cela dérangeait quelqu'un, vous devriez en discuter. Si vous avez une sexualité compulsive, engagez-vous secrètement à ne passer aux actes avec aucun membre de votre groupe. (Si vous n'êtes pas sexuellement compulsif mais que vous éprouvez une attirance sexuelle pour quelqu'un dans le groupe, prenez le même engagement.)

Il est primordial que chaque personne comprenne bien qu'elle est là pour soutenir les autres et les aider à *éprouver leurs sentiments*. Le travail de chaque membre du groupe consistera à faire écho aux autres et à les refléter; cela signifie que l'on pourrait dire: «Je vois trembler tes lèvres et j'entends ta tristesse lorsque tu pleures», ou «J'ai éprouvé de la colère (de la peur ou de la tristesse) pendant que tu parlais de ton enfance». En tant que membre du groupe, vous ne devrez *jamais* chercher à jouer un rôle de thérapeute auprès de la personne qui fait l'exercice, ni lui donner des conseils ou tenter de «régler ses problèmes». Imaginez que, à l'instar d'un appareil vidéo, votre rôle est de retransmettre ce que vous venez tout juste d'observer. Le fait d'analyser, de discuter et de donner des conseils vous enferme dans votre tête et vous garde à l'abri de vos émotions, tout comme il empêche votre vis-à-vis d'éprouver les siennes.

Maints adultes enfants ont appris à compter aux yeux des autres en devenant des protecteurs. Par voie de conséquence, à force d'aider et de sauver tout le monde, ils ont développé une *dépendance* vis-à-vis de ce rôle. Souvent, ils distraient la personne de ses émotions par des phrases telles que: «Regarde le beau côté des choses» ou «Voyons maintenant les solutions que tu as trouvées», ou encore par des questions du type *pourquoi* («Pourquoi penses-tu que ton père buvait?»). Les *meilleures* phrases que l'on puisse utiliser sont plutôt: «Comment te sens-tu maintenant?», ou «Qu'est-ce que cela représentait pour toi?», ou encore «Si ta tristesse pouvait parler, que dirait-elle?». De tels énoncés encouragent l'expression des émotions.

Rappelez-vous qu'il s'agit de travailler *la première souffrance,* et que vous serez souvent tenté d'arracher les gens à leurs émotions parce que vos propres émotions ne sont pas résolues. Par exemple, si vous commencez à sangloter, cela est susceptible de toucher ma tristesse refoulée. *Si je peux faire en sorte que vous vous arrêtiez, je n'aurai pas à éprouver mon propre chagrin.* Mais le soutien apparent que je vous aurai donné en faisant obstacle à vos émotions *ne vous sera d'aucune aide.* En réalité, ce sera plutôt pour vous une source de confusion et de désarroi, et c'est probablement ce dont vous avez souffert lorsque vous étiez enfant. Vos consolateurs, ceux qui prétendument vous aidaient, ne parvenaient en définitive qu'à *vous empêcher de faire ce qui vous aurait le plus aidé: éprouver vos émotions.*

Les gens constamment soucieux d'aider les autres s'aident *toujours* eux-mêmes. Ayant appris à se sentir importants en aidant les autres, c'est ensuite par ce moyen qu'ils surmontent leur profond sentiment d'impuissance.

Il existe cependant une vraie forme d'aide. Elle sous-tend que l'on permette aux autres d'être *qui ils sont,* non seulement en les laissant éprouver leurs propres sentiments mais aussi en admettant l'existence de ces sentiments au moment où ils les éprouvent. Une telle reconnaissance peut s'exprimer ainsi: «Je te vois et je t'entends, et je t'apprécie tel que tu es. J'accepte et je respecte ta réalité.»

Quand on a été élevé dans une famille dysfonctionnelle régie par la honte, il est difficile d'être présent aux autres de la manière que j'ai décrite. Aucun d'entre nous ne pourra le faire à la perfection. Aucun groupe ne peut le faire parfaitement. Lorsque vous aurez conscience de votre propre état de manque, reconnaissez simplement le fait que ce que vous êtes en train de dire à la personne vous concerne, *vous,* et pas elle.

Cependant, si votre partenaire ou un membre du groupe devenait vraiment accablé, vous devrez mettre fin à l'exercice. Vous ferez en sorte que cette personne vous regarde dans les yeux et réponde à de courtes questions factuelles telles que: «De quelle couleur est ma chemise? Où habites-tu? Quelle est la marque de ta voiture? De quelle couleur est-elle? Combien y a-t-il de personnes dans cette pièce en ce moment? Comment s'appellent-elles?» Ces questions obligeront la personne à se concentrer sur le moment présent dans ce qu'il a de plus sensoriel. Lorsque les gens sont accablés par leurs émotions, ils sont captifs d'un état intérieur. Ils sont plongés dans le réservoir de leurs anciennes émotions figées et prisonniers de l'énergie du passé. Vous devrez par conséquent aider ceux que vous verrez très accablés à revenir dans le moment présent. Les questions factuelles les remettront en contact avec l'«ici et maintenant».

Quand le groupe sera prêt à faire l'exercice, vous choisirez d'abord la personne qui parmi vous a la voix la plus apaisante et vous lui demanderez d'enregistrer la méditation (voir page 135) jusqu'à: «Maintenant, imaginez que vous êtes ce précieux et fragile nourrisson qui promène son regard sur tout cela.» *Vous ne devez pas enregistrer les affirmations,* mais en donner une copie à chaque participant. Par contre, vous devez demander aux membres du groupe d'accoler leur pouce gauche à un des doigts de la même main, de maintenir ce contact pendant environ trente secondes, puis de revenir en position normale. Vous continuerez d'enregistrer la méditation à partir de: «Sortez de cette chambre, de cette maison...» (page 138) jusqu'à la fin.

Quand cela sera fait, le groupe écoutera tout l'enregistrement. À la fin, chacun aura éprouvé de nouveau les sentiments rattachés au fait d'être né dans sa famille. Et chacun aura procédé à un *ancrage* de ce sentiment par le biais du contact de son pouce avec un autre doigt. Une ancre, c'est un déclencheur sensoriel que l'on associe à une expérience passée. (Les vieilles mélodies sont de bons exemples d'ancres. On écoute une vieille chanson et on l'associe avec la personne dont on était amoureux durant l'été de ses quinze ans. Les expressions faciales sont des ancres. Si votre père fronçait les sourcils d'une certaine manière avant de vous critiquer, tout homme qui froncera les sourcils d'une manière semblable en s'adressant à vous activera cette ancienne ancre.) Nos ancres les plus automatiques résultent d'un traumatisme. Le chapitre 9 comporte un exercice complet de «restructuration» au moyen de l'ancre.

Ensuite, vous demanderez aux participants de former un cercle et vous placerez une chaise au milieu. À tour de rôle, chaque membre du groupe ira faire l'exercice au centre du cercle; au moment de s'y installer, le participant *commencera d'abord par établir ses frontières physiques.* Par exemple, il demandera aux autres de s'asseoir plus ou moins près de lui; il dira s'il désire être touché, caressé ou étreint — et de quelle manière. Lorsqu'il sera prêt à faire l'exercice, il joindra son pouce gauche à un autre doigt de la même main afin d'activer l'ancre sensorielle créée durant la méditation, ce qui lui permettra *d'établir le contact* avec les premiers souvenirs de sa petite enfance. J'aimerais ici souligner le fait que vous serez *toujours* beaucoup plus «branché» sur vos souvenirs que vous ne le penserez. *Les personnes codépendantes croiront facilement qu'elles ne réussissent pas bien l'exercice.* Chacun devra s'abstenir de se comparer aux autres membres du groupe, puisque l'humiliation toxique à l'origine de la codépendance résulte du fait que l'on a été *comparé* à l'image que nos parents avaient de l'enfant idéal.

Chacun veillera à ne pas se laisser distraire par des pensées telles que: «Ce que je fais n'est sûrement pas correct» ou «La personne avant moi sanglotait alors que, moi, je ne verse même pas une larme». La seule chose que l'on devrait se dire c'est: «Je fais cela *exactement* de la manière dont *moi*, j'ai besoin de le faire.»

Une fois qu'un participant sera installé au centre, qu'il aura établi ses frontières physiques et activé son ancre, le processus commencera.

L'un après l'autre, chaque membre du groupe lui adressera, lentement et affectueusement, l'une des affirmations qu'il aura choisies parmi celles figurant aux pages 137 et 138. Il devrait y avoir un intervalle de vingt secondes entre chaque énoncé. On fera ainsi *trois fois* le tour complet du groupe (par conséquent, certaines affirmations se répéteront probablement). Une boîte de mouchoirs en papier devra toujours se trouver près de la personne assise au centre. Quand chaque membre du groupe aura énoncé ses trois affirmations, on laissera la personne au centre faire une pause de deux ou trois minutes. Au terme de cette pause, quelqu'un lui donnera une petite tape sur l'épaule pour lui signifier qu'elle peut se joindre de nouveau au groupe. *On ne discutera pas de l'exercice avant que chaque participant ait fait l'exercice à son tour.* Lorsque tous les membres du groupe auront terminé, chacun partagera l'expérience qu'il a vécue en faisant l'exercice au centre du groupe. Il faut bien se rappeler ceci: l'expérience de chacun sera unique.

Au moment de partager son expérience, chaque participant devra se concentrer sur les points suivants:

- Quelles affirmations avez-vous choisi de dire à la personne au centre du groupe? Pouvez-vous y voir un fil conducteur? Vous êtes-vous surpris en train de répéter plusieurs fois les mêmes affirmations? Les affirmations que vous choisissez sont souvent celles que *vous* avez le plus besoin d'entendre.
- Parmi les affirmations que l'on vous a énoncées, y en a-t-il une qui ait déclenché en vous une soudaine libération d'énergie, de colère, de tristesse ou de peur? Par exemple, de nombreuses

femmes sanglotent lorsqu'elles entendent: «Je suis si heureux que tu sois une fille»; certaines personnes pleurent en entendant: «Je vais te consacrer tout le temps qu'il te faudra...» Observez particulièrement votre degré de *tension*. La tension, ou l'intensité affective, vous indique où votre énergie émotionnelle est bloquée. Une affirmation à haute tension pourrait bien représenter le genre de nourriture spirituelle dont vous avez le plus grand besoin dans votre vie.

- Prêtez attention aux voix féminines et masculines. Une voix masculine a-t-elle déclenché de la peur, de la colère ou de la tristesse en vous? Une voix féminine a-t-elle déclenché une émotion particulière en vous? Il s'agit d'une information qui comptera beaucoup au moment où, dans la troisième partie de ce livre, vous établirez un programme de soutien pour votre enfant intérieur. En matière de nourriture spirituelle, il est très important que vous connaissiez les besoins particuliers de votre enfant intérieur si vous désirez veiller à sa croissance.

Lorsque chaque membre du groupe aura eu l'occasion de partager son expérience, la rencontre prendra fin.

Voici comment j'aime imaginer les retrouvailles avec mon moi de nouveau-né.

Maintenant que vous avez retrouvé votre moi de nourrisson, nous pouvons passer aux retrouvailles avec votre bambin intérieur.

CHAPITRE 5

Apprivoisez le bambin en vous

Celui qui marche sur le bout des pieds ne peut se tenir debout,
Celui qui avance à grandes enjambées ne peut pas marcher.

PROVERBE CHINOIS

Le bambin
(Lien d'opposition)

Je suis moi

Âge:	de 9 à 18 mois (stade de l'exploration) de 18 mois à 3 ans (stade de la séparation)
Polarité du développement:	l'autonomie *versus* la honte et le doute
Force du moi:	la volonté
Pouvoir:	le pouvoir de raisonner et d'agir
Enjeux relationnels:	la naissance psychologique et la contre-dépendance

INVENTAIRE DES SIGNES SUSPECTS

Répondez par oui ou par non aux questions suivantes. Après avoir lu une question, attendez et restez à l'écoute de ce que vous ressentez. Si vous sentez une forte énergie pour le oui, répondez oui; suivez la même règle pour le non. Si vous répondez par l'affirmative à l'une de ces questions, vous pouvez vous douter que votre merveilleux enfant intérieur du passé a été blessé. La gravité de la blessure varie d'une personne à l'autre. La vôtre se situe quelque part sur une échelle graduée de 1 à 100. Plus les questions auxquelles vous sentez le besoin de répondre affirmativement sont nombreuses, plus votre «moi» de bambin a été blessé.

		OUI	NON
1.	Avez-vous du mal à savoir ce que vous voulez?	____	____
2.	Lorsque vous allez dans un endroit que vous ne connaissez pas, avez-vous peur d'explorer les lieux?	____	____
3.	Craignez-vous de tenter de nouvelles expériences? Et lorsque vous le faites, attendez-vous toujours que quelqu'un d'autre s'y soit risqué avant vous?	____	____
4.	Avez-vous profondément peur de l'abandon?	____	____
5.	Lorsque vous vivez des moments difficiles, désirez-vous ardemment que quelqu'un vous dise quoi faire?	____	____
6.	Si quelqu'un vous fait une suggestion, vous sentez-vous obligé de la suivre à la lettre?	____	____
7.	Éprouvez-vous des difficultés à être vraiment *présent* à ce que vous vivez? Supposons, par exemple, que vous soyez en vacances et que vous contempliez un magnifique paysage; pendant ce temps, craindriez-vous que l'autobus nolisé qui vous a amené jusque-là ne parte sans vous?	____	____
8.	Êtes-vous un «grand inquiet»?	____	____
9.	Avez-vous du mal à être spontané? Seriez-vous gêné de chanter devant quelques personnes simplement parce que vous êtes heureux, par exemple?	____	____
10.	Vous retrouvez-vous souvent en conflit avec des personnes qui sont en position d'autorité?	____	____

	OUI	NON
11. Utilisez-vous souvent des mots qui font allusion au fait d'uriner ou de déféquer (comme trou du c..., chier ou pisser)? Votre répertoire humoristique est-il essentiellement constitué de blagues à caractère scatologique?	____	____
12. Êtes-vous obsédé par les fesses des femmes ou des hommes? Avez-vous une nette préférence pour les relations anales-génitales, réelles ou fantasmées, plus que pour tout autre genre de relations sexuelles?	____	____
13. Vous accuse-t-on souvent d'être mesquin en matière d'argent ou d'amour ou quand il s'agit d'exprimer vos émotions ou votre affection?	____	____
14. Avez-vous tendance à être obsédé par l'ordre et la propreté?	____	____
15. Redoutez-vous la colère des autres? Avez-vous peur de la vôtre?	____	____
16. Feriez-vous presque n'importe quoi pour éviter un conflit?	____	____
17. Vous sentez-vous coupable lorsque vous dites «non» à quelqu'un?	____	____
18. Évitez-vous de dire «non» directement, puis refusez-vous de faire ce que vous deviez en utilisant divers moyens détournés et passifs visant à manipuler?	____	____
19. Devenez-vous parfois «fou furieux» et perdez-vous inopinément toute maîtrise de vous-même?	____	____
20. Êtez-vous souvent excessivement critique face aux gens?	____	____
21. Vous montrez-vous gentil envers les gens pendant que vous êtes en leur présence pour ensuite cancaner à leur sujet et les critiquer quand ils ne sont plus là?	____	____
22. Lorsque vous avez du succès, éprouvez-vous de la difficulté à vous en réjouir ou même à croire à votre réussite?	____	____

Ces questions couvrent les premières années de vie du bambin. Les questions 1 à 9 concernent la période allant de neuf à dix-huit mois. Il s'agit du premier stade d'évolution du bambin, lorsqu'il apprend à ramper, à toucher, à goûter et, plus généralement, lorsqu'il se montre curieux et impatient d'explorer le monde qui l'entoure.

Les questions 10 à 22 couvrent la période allant de dix-huit mois à trois ans. Cette période est appelée le «stade de la *séparation*». Il s'agit d'un stade de *contre-dépendance*, caractérisé par un *lien d'opposition*. Dans ce rapport d'opposition, l'enfant dit des choses comme: «Non», «Je ne veux pas» et «Je peux le faire tout seul» en réponse aux requêtes et aux propositions des parents. Il désobéit, mais toujours au su et au vu de ses parents. L'enfant est encore lié à eux, mais il doit leur faire opposition afin de s'en séparer et d'être lui-même.

Ce processus de séparation est considéré comme une seconde naissance ou une naissance psychologique. Il marque le vrai début de notre conscience du «Je suis».

Nous entreprenons alors ce voyage consistant à explorer notre environnement et à découvrir qui nous sommes en mettant nos capacités à l'épreuve. Pour l'enfant de neuf mois, le monde est une corne d'abondance sensorielle remplie de choses intéressantes à explorer. Si un profond sentiment de confiance s'est installé en lui durant ses neuf premiers mois d'existence, il commence à explorer son environnement de manière naturelle. Il désire plus particulièrement voir, toucher et goûter.

Erik Erikson se réfère à cela en parlant du stade de l'«incorporation». L'enfant veut «tout faire entrer en lui», tout incorporer dans sa vie. Si elle est stimulée, cette curiosité fondamentale le poussera plus tard à envisager le risque et l'aventure de manière créatrice.

Il s'agit d'un moment périlleux pour les enfants, car ils ne connaissent pas la différence entre un intéressant petit objet sombre et une prise de courant. Au cours de ce stade de l'exploration, ils exigent une attention constante et une immense patience. Les parents ont besoin d'une bonne dose d'équilibre émotionnel afin de bien diriger la barque.

L'exploration et la séparation s'intensifient à mesure que les muscles de l'enfant se développent. Il apprend à ramper, puis à marcher. Cela fait partie des desseins de la nature. Pour Erikson, le développement musculaire se traduit d'abord par la capacité de «retenir» et de «laisser aller». Chacun de nous doit apprendre à équilibrer sa capacité de retenir et de laisser aller. Pour apprendre à marcher, à manger, à contrôler son élimination, à s'amuser avec des jouets, à sauter et à nager, cet équilibre est indispensable, et l'enfant l'acquiert à mesure qu'il développe sa capacité musculaire et sa *volonté*.

L'enfant a de la volonté quand il peut «retenir» adéquatement (quand vous aviez «envie» alors que vous étiez à l'église) et «laisser aller» tout aussi adéquatement (lorsque maman vous assoyait sur le «petit pot»).

Le fait de retenir et de laisser aller sous-tend également un équilibre émotionnel. L'étincelle de vie naturelle de l'enfant le porte à être lui-même, à vouloir faire les choses à sa manière. Au début, il ne possède pas cet équilibre émotionnel; son élan vers l'autonomie génère chez lui des réactions démesurées; il n'a pas encore testé ce qu'il peut et ne peut pas faire. À ce stade, il a tendance à se montrer absolutiste et il est susceptible de se comporter comme un petit «dictateur», piquant des colères noires à partir du moment où il n'obtient pas ce qu'il veut. Il a besoin de parents fermes mais patients qui établiront des limites appropriées à son âge et lui ménageront une pièce ou deux «à l'épreuve des enfants». À cet âge, l'enfant a besoin de ses deux parents; quelquefois, maman ne sait plus comment s'y prendre avec lui et elle doit se reposer un peu; papa doit soutenir maman et établir des limites saines. Papa symbolise l'individualité; maman symbolise l'incorporation.

Papa et maman doivent tous deux donner l'exemple de cette saine expression de la colère et de cette bonne capacité à résoudre leurs conflits qui s'avèrent primordiales dans l'instauration et le développement d'une saine relation d'intimité. Les enfants ont besoin de voir leurs parents résoudre leurs propres conflits. En d'autres termes, ils ont besoin de voir une honnête relation dans laquelle les deux parents expriment leurs vrais sentiments et règlent leurs désaccords.

De surcroît, les enfants ont besoin d'exprimer leur désir de séparation et d'explorer leurs différences. D'abord, ils veulent tout ce qui est agréable et procure du plaisir. Aussi, quand papa et maman s'interposent pour mettre des limites, un conflit surgit. Les enfants doivent donc savoir qu'*ils peuvent être en colère contre maman et papa et que maman et papa seront encore là*. On doit leur montrer comment résoudre leurs conflits et les amener à comprendre qu'ils ne peuvent en faire qu'à leur tête. Ils ont besoin d'apprendre que les «non» ont des conséquences et qu'on ne peut pas jouer sur deux tableaux à la fois. (Vous ne pouvez dire «*Non*, je n'irai pas» puis, vous apercevant que la famille s'en va se baigner, dire *«Oui».*) Ces leçons s'apprennent durant les premières années de l'enfance, alors que le bambin acquiert progressivement la faculté d'éprouver la honte et le doute.

La honte normale est simplement une émotion ayant trait aux *limites*. Elle nous permet d'être humains, d'être imparfaits. Nous n'avons pas besoin de beaucoup de honte — juste de ce qu'il faut pour savoir que nous ne sommes pas Dieu. «La honte est la gardienne de l'esprit», disait Nietzsche. Quant au doute, il nous empêche de sauter par la fenêtre du deuxième étage et nous amène à édifier les barrières qui assureront notre sécurité.

L'acquisition d'une saine volonté, voilà le but ultime de ce stade au cours duquel nous développons *le pouvoir de faire*. Et nous ne pouvons rien accomplir de bien sans la discipline, cet équilibre entre la capacité de se retenir et de se laisser aller. Il a déjà été dit que, de toutes les apparences que revêt la liberté, la discipline est la plus mystérieuse. Nous avons besoin de discipline pour être libres.

Sans une saine volonté, nous n'avons pas de discipline. Nous ne savons pas nous retenir et nous laisser aller adéquatement. Soit nous nous laissons aller à contretemps et à l'extrême (se comporter de manière licencieuse), soit nous nous retenons tout aussi mal à propos et démesurément (thésauriser, contrôler à l'excès, devenir obsessionnel et compulsif). Par contre, si nous avons appris à nous retenir convenablement, nous avons de bonnes prédispositions pour la fidélité et l'amour et si nous avons appris à nous laisser aller de manière adéquate, nous sommes bien disposés à supporter les transitions de la vie et savons à quel moment tourner la page.

Un des résultats majeurs d'une saine autonomie, parallèlement à l'équilibre de la volonté, réside dans l'intégration fructueuse de la notion de «permanence de l'objet». Cela signifie simplement que tout enfant de trois ans a besoin de comprendre que *personne n'est parfait,* pas plus lui-même que ses parents. Une saine honte l'aide à bien intégrer cette notion. «Maman et papa sont humains. Ils ne feront pas toujours ce que je veux et ne me donneront pas toujours ce que je désire. S'ils sont sains, ils me donneront ce dont j'ai *besoin*. Quand ils m'imposent des limites, je me mets souvent en colère. Mais c'est de cette manière que j'apprends *l'équilibre.*» La permanence de l'objet nous permet de considérer le monde tel qu'il est vraiment: *imparfait*. Lorsque l'enfant se rend compte que les *mêmes* parents tantôt lui donneront du plaisir, tantôt le lui enlèveront, les parents demeurent *permanents,* constants, même s'ils peuvent être à la fois bons et méchants aux yeux de l'enfant. Celui-ci a également besoin d'apprendre qu'il est polarisé; certains jours, il se sent heureux alors que d'autres jours, il se sent triste, mais, heureux ou triste, il est toujours la même personne. Les adultes qui portent en eux un enfant blessé n'ayant pas appris cette leçon ont tendance à être intransigeants et absolutistes. Ils fonctionnent selon le mode de pensée extrémiste du tout-ou-rien.

À mesure que les enfants évoluent vers la séparation, ils commencent à délimiter leurs frontières. Cela est encore un élément majeur dans le développement puisque le fait de savoir ce qui est à moi et ce qui est à toi s'avère essentiel dans l'établissement de bonnes relations interpersonnelles. Lorsque vous étiez un bambin, vous avez très souvent dit: «C'est à moi.» Vous vous deviez d'agir ainsi afin de savoir ce qui vous appartenait et ce qui appartenait à quelqu'un d'autre.

LE TROUBLE DE LA CROISSANCE

À ce stade, il est particulèrement important que les parents aient de solides frontières et une volonté ferme. Comme je l'ai expliqué précédemment, la volonté est cette force du moi sur laquelle vous pouvez vous appuyer pour établir de saines limites. En outre, la volonté vous permet de maîtriser vos émotions et de les exprimer en temps opportun (lorsque quelqu'un dépose sa mallette sur votre chapeau) ou de les réprimer au besoin (lorsqu'un policier vous arrête pour excès de vitesse). Elle vous permet également de dire *«non »* à vous-même ou aux autres. Mais le plus important, c'est que la volonté repose sur un bon équilibre.

Les parents qui sont eux-mêmes des adultes enfants ne jouissent pas d'un bon équilibre. Soit ils ne savent pas quand ils devraient dire «non» soit ils disent toujours «non». Quelquefois même, ils disent «oui» pour ensuite dire «non» en utilisant des moyens illogiques et manipulateurs.

Lorsque j'étais un bambin, j'ai résolu ce problème en apprenant à retenir de manière excessive. J'ai étouffé mon élan vers l'autonomie en devenant un petit garçon parfaitement obéissant; j'étais le «petit adjoint» de maman et le «bon garçon» de grand-maman. Je suis devenu trop adapté et mon enfant doué est allé se cacher.

Quand j'essayais d'exprimer d'autres facettes de moi-même — en me mettant en colère, en me salissant, en riant fort, et ainsi de suite —, je me faisais couvrir de honte. Mon entraînement avec le «petit pot» a dû être un véritable cauchemar! Pendant des années, j'ai eu peur d'aller aux toilettes, redoutant qu'on ait connaissance de ce que je faisais là. Enfant, je pouvais faire le tour des membres de la famille pour demander à chacun de ne pas entrer dans la salle de bains, puis verrouiller la porte de cette pièce à double tour. On peut difficilement qualifier ce comportement de normal ou d'instinctif. En outre, une fois enfermé dans la salle de bains, je tirais toujours la chasse d'eau afin qu'on ne m'entende pas uriner. J'aurais volontiers engagé une fanfare pour me laisser aller à faire mon besoin numéro deux!

Je croyais que mon corps était mauvais, ou rien de moins que sale. La tradition religieuse qui a présidé à mon éducation considérait la vie humaine comme une vallée de larmes. La vie, c'était cette chose qu'on devait souffrir patiemment avant d'en arriver à la perdre. La mort était une récompense! Lès habits noirs des prêtres et des nonnes, tout comme la boîte noire où l'on allait confesser sa honte et sa culpabilité, étaient le symbole de Dieu, dans mon milieu.

Mes parents aussi ont été spirituellement malmenés par ces conceptions. Mon père n'avait aucune frontière; il avait foncièrement honte de lui-même, il était humilié jusqu'au cœur. Une personne intoxiquée par la honte croit toujours qu'il n'y a rien de bon en elle. Être foncièrement honteux, c'est n'avoir aucune limite, et cela vous prédispose à développer des problèmes de dépendance. Aussi, mon père souffrait-il de plusieurs accoutumances et était-il incapable de dire «non». Plus tard, lorsque je suis devenu assez grand pour me rebeller, j'ai suivi son exemple.

Ma mère était prise dans *le moule du devoir*. Elle était une bonne femme, une bonne épouse et une bonne mère trop adaptée. Le problème, avec le sens du devoir, c'est qu'il vous porte à juger, vous conduit à l'intransigeance et au perfectionnisme. Je remercie Dieu de m'avoir donné cette mère, car je n'aurais pas survécu sans un sens du devoir tel que le sien. La capacité de se retenir est préférable à la capacité de se laisser aller lorsqu'il s'agit d'éduquer des enfants. Néanmoins, la morale perfectionniste du devoir enracine un profond sentiment de honte chez les enfants.

Être pris dans le moule du devoir, c'est avoir le sentiment qu'on n'a pas droit à la joie. La mère enfermée dans le devoir déteste la joie car elle se sent *coupable* de faire ce qui la rend heureuse. Le devoir crée les grands faiseurs, les «faires» humains. Comme Marion Woodman l'a souligné: «Pour la perfectionniste qui s'est entraînée à *faire*, l'idée de simplement *être* résonne comme un euphémisme pour "cesser d'exister".»

Le trouble de la croissance de cette période consiste en un manque d'équilibre. Jusqu'à ce que j'aie retrouvé mon enfant intérieur blessé, je me retenais à l'excès ou je me laissais trop aller. Tantôt j'étais un saint (célibataire) qui étudiait pour devenir prêtre, tantôt j'étais un alcoolique effréné qui se lançait à la recherche d'orgies sexuelles. J'étais soit bon, soit méchant, mais jamais les deux à la fois; et je voyais les autres comme étant soit bons, soit méchants, mais jamais les deux à la fois. Ce que j'ai finalement appris durant ma guérison, c'est qu'il y a en moi à peu près autant de meilleur que de pire. Demeurer toujours un «bon garçon» est inhumain, car on essaie continuellement de plaire. Je me rappelle très bien une des règles de ma famille concernant l'expression de soi: «Si tu n'as rien de gentil à dire, ne dis rien du tout.» Cette règle a été popularisée par Pan-Pan dans *Bambi,* un film de Walt Disney. Mais Pan-Pan était un lapin!

Le trouble de la croissance relatif à ce stade dont souffre l'enfant blessé peut se résumer comme suit:

La blessure spirituelle: la dénégation du «Je suis». Ce n'est pas convenable d'être soi-même. La blessure spirituelle commence le plus souvent à cet âge.

La honte toxique. La honte toxique vous fait sentir qu'il n'y a rien de bon en vous. Tout cloche en vous: ce que vous éprouvez, ce que vous faites et ce que vous pensez. Vous êtes déficient en tant qu'être humain.

Le renforcement du comportement agressif. Le manque de discipline donne lieu à des comportements agressifs. L'agresseur type veut ce qu'il veut sans se soucier des conséquences de ses actes. En aucun cas il n'assume son comportement irresponsable.

L'excès de contrôle compulsif. En s'adaptant à l'excès, votre enfant intérieur est devenu un protecteur désirant plaire à tout un chacun. Vous avez appris à vous plier à la lettre de la loi. Vous êtes critique et vous vous posez en juge face à vous-même et face aux autres.

Les différents types d'accoutumance. Votre enfant intérieur est incapable de dire «non». Vous avez des problèmes de dépendance. Vous buvez, mangez ou dépensez trop, ou vous êtes un «drogué du sexe».

L'isolement. Votre enfant intérieur est isolé et seul. C'est seulement ainsi qu'il peut se donner l'impression d'avoir des frontières. Personne ne peut vous faire de la peine si vous n'avez aucune interaction avec qui que ce soit.

Le manque d'équilibre: les problèmes de frontières. Parce que votre enfant intérieur n'a jamais appris à équilibrer sa capacité de retenir et de laisser aller, vous êtes (1) mesquin en ce qui concerne l'argent, les émotions, les éloges ou l'amour, ou vous êtes indiscipliné, fou et totalement déchaîné. Vous trahissez tout, y compris vous-même. Votre manque d'équilibre vous conduit (2) soit à contrôler vos enfants à l'excès (discipline rigide), soit à refuser de leur donner quelque réelle limite que ce soit (excès d'indulgence ou de licence); vous pouvez également passer d'une attitude à l'autre. Vous jouez votre rôle de parent sans faire preuve de cohérence ni d'équilibre. Étant dépourvu des aptitudes inhérentes à une saine contre-dépendance, vous avez (3) de graves problèmes relationnels. Au sein de vos relations, vous êtes soit ligoté, enchevêtré à l'autre ou pris au piège (incapable de partir), soit isolé et seul à ses côtés.

Bien que le stade du bambin ne corresponde pas au moment où votre enfant intérieur a endossé les rôles appris dans son système familial, une tendance à choisir certains rôles s'est dessinée durant cette période. Alors que mon enfant intérieur associait la séparation et la colère à l'abandon, j'ai développé une propension à plaire aux gens et à les protéger.

LE TÉMOIGNAGE

En rassemblant les faits qui concernent l'histoire de votre moi de bambin, servez-vous des questions suivantes comme d'une ligne directrice.

1. Qui faisait partie de votre entourage quand vous aviez deux ou trois ans? Où était votre papa? Jouait-il souvent avec vous? Passait-il du temps en votre compagnie? Papa et maman étaient-ils encore mariés? Où était votre maman? Était-elle patiente? Passait-elle du temps avec vous? L'un de vos parents (ou les deux) souffrait-il d'une accoutumance quelconque?
2. Comment votre maman et votre papa vous inculquaient-ils de la discipline? Si la méthode était physique, *que vous faisait-on exactement? donnez des détails*. Si la méthode était émotionnelle, comment étiez-vous terrorisé? Vous disait-on que vous recevriez une raclée ou que vous seriez puni quand votre père rentrerait à la maison? Vous avait-on habitué à aller chercher vos propres baguette, ceinture, etc.?
3. Aviez-vous des frères ou des sœurs plus âgés que vous? Comment vous traitaient-ils?

4. Qui était là *pour* vous? Qui vous prenait dans ses bras lorsque vous étiez effrayé ou que vous pleuriez? Qui établissait des limites fermes mais conservait une attitude bienveillante et douce lorsque vous étiez en colère? Qui jouait, riait et prenait du bon temps avec vous?

Écrivez autant de choses que vous le pouvez au sujet de l'histoire de votre moi de bambin. Prêtez attention à tout ce que vous savez maintenant sur les *secrets* de famille dont, enfant, vous ne connaissiez pas l'existence. Par exemple, papa était-il un «obsédé sexuel» qui collectionnait les liaisons amoureuses? Un de vos parents est-il demeuré non traité après avoir été victime de violence physique, sexuelle ou affective? Je connais un homme qui a découvert, à l'âge de quarante ans, que sa mère avait subi un inceste physique et affectif. Il avait lui-même fait de l'*acting out* sexuel pendant des années; il avait tendance à choisir des femmes qui étaient des victimes d'inceste non traitées. Il était très attaché à sa mère, et je crois qu'il portait en lui son inceste non résolu, le transposant au moyen de l'*acting out*.

Les *secrets* de famille concernent toujours la honte toxique familiale, et vous avez besoin d'en savoir le plus long possible à ce sujet. Dans votre compte rendu, concentrez-vous sur toutes les façons dont vous avez été humilié, sur tous les moyens qu'on a utilisés pour réprimer vos sentiments, vos besoins et vos désirs. Concentrez-vous également sur le *manque* de discipline à la maison. Observez comment, en n'étant pas discipliné, vous étiez *faussement autorisé à agir à votre guise*. Notez le fait que personne ne se préoccupait assez de votre sort pour vous imposer des limites; personne ne se préoccupait assez de vous pour vous apprendre à donner et à recevoir. Personne ne vous a montré non plus à assumer la responsabilité de votre comportement.

Relatez tous les *incidents traumatisants* dont vous vous souvenez en fournissant autant de détails que possible. Si vous racontez, par exemple, cette fois où l'on vous a puni pour une faute commise en réalité par votre frère, écrivez quelque chose ressemblant à ceci: «Mon frère et moi, nous nous amusions avec deux poupées Raggedy Ann. L'une d'elles était en loques et la bourre s'en échappait. Elles étaient peintes en rouge et en bleu, mais les détails s'étaient estompés. Mon frère a saisi brusquement ma poupée et lui a arraché un bras. Il a tout de suite couru vers maman et lui a dit que *moi*, j'avais déchiré *sa* poupée. Il était son préféré! Elle m'a aussitôt frappée à deux reprises, un coup dans le dos et l'autre sur les fesses. J'avais mal et j'ai couru vers ma chambre en pleurant. Mon frère a éclaté de rire.»

Peut-être ne vous rappelez-vous pas tous les détails en rapport avec certains faits, mais consignez tout ce dont vous pouvez vous souvenir. Il existe en thérapie un mot d'ordre: «Les détails ne trompent pas.» Le détail est proche de l'expérience vécue et, par conséquent, il rejoint plus intimement vos vraies émotions. Par exemple, cela vous frapperait très peu si je vous disais que, lors d'un récent atelier, une femme m'a raconté que, de l'âge de un an et demi jusqu'à quatre ans, son père lui avait fait subir des rapports incestueux. Cette *idée* est susceptible de vous horrifier, mais elle ne saurait déclencher une réponse émotionnelle. Mais si je vous disais que chaque nuit son père la faisait coucher entre ses jambes et la forçait à sucer son pénis, chose qu'il lui avait apprise en se mettant une tétine au bout du sexe, vous pourriez *éprouver* le sentiment de trahison et la souffrance horrible que cette femme a éprouvés.

PARTAGER L'HISTOIRE DES PREMIÈRES ANNÉES DE SON ENFANCE AVEC UN AMI

Comme précédemment, il est d'une importance capitale que vous partagiez l'histoire des premières années de votre enfance avec une personne apte à vous donner son soutien et à vous nourrir spirituellement. Gardez bien présent à l'esprit le fait que le comportement d'un enfant à l'orée de sa troisième année de vie — période souvent qualifiée de «terrible» — est aussi *naturel* que le jour qui succède à la nuit. À l'âge de neuf mois, tout enfant commencera à ramper et à explorer. À dix-huit mois, tout enfant se mettra à dire *non* et à piquer une colère dès qu'il sera contrarié.

Le comportement d'un enfant de deux ans n'a rien à voir avec le fait d'être «méchant» ou «bon», et encore moins avec quelque mythe que ce soit à propos de la *faute originelle*. On m'a enseigné, comme on l'a enseigné à beaucoup d'autres enfants, que j'étais venu au monde souillé par les péchés d'Adam et Ève, mes premiers parents: que j'avais des inclinations funestes et égoïstes: qu'on m'imposait une discipline et des punitions pour mon propre bien (bien qu'on ne m'ait pas souvent corrigé physiquement).

Si vous observez un bambin en plein jeu, vous devrez déployer un grand effort d'imagination pour en conclure que cet enfant est méchant et a des inclinations malveillantes. Celui qui veut le frapper, le punir et le diminuer, c'est l'enfant intérieur blessé du parent, et il agit ainsi par peur de l'abandon ou par besoin de se venger (le parent fait à son enfant ce qu'il aurait souhaité être en mesure de faire à ses propres parents).

Les enfants sont démunis et immatures, difficiles à manœuvrer à cet âge, mais *ils ne sont pas* des êtres perfides! Piaget a démontré ce que la sagesse populaire savait déjà: l'âge de raison débute à sept ans environ. L'apparition d'un authentique sens moral est pratiquement impossible avant cet âge.

Racontez à la personne qui vous soutient comment votre moi de bambin a été bafoué. Laissez-la vous offrir sa présence et écouter votre histoire. Vous avez besoin d'un allié qui *légitimera* et *reconnaîtra* le chagrin et la souffrance que votre précieux petit bambin a dû éprouver.

Si vous êtes un agresseur ou un délinquant, vous devrez faire reconnaître les mauvais traitements que vous-même avez subis. Vous n'aviez personne pour vous imposer des limites et vous inculquer la discipline de la responsabilité personnelle. Il est vrai que l'agressivité n'est *jamais* excusable. Mais, le plus souvent, les agresseurs ont d'abord été des victimes. Dans la troisième partie, je vous suggérerai des moyens d'inculquer une discipline à votre enfant intérieur blessé. Vous devrez travailler dur pour développer votre conscience.

Le fait de raconter à une personne attentive les outrages que vous avez subis constitue un moyen de réduire votre honte toxique. La honte toxique, rappelez-vous, crée l'isolement et favorise le silence. Plus un enfant est mortifié, plus fort est son sentiment de n'avoir aucun droit de *dépendre* de qui que ce soit. Étant donné que votre enfant blessé n'a jamais obtenu la satisfaction de ses *besoins* et a été le plus cruellement humilié au moment où il était le plus démuni, il pourrait croire que cela ennuierait les gens s'il leur demandait de l'écouter. La vérité, c'est que vous avez *pleinement le droit* de laisser les autres vous aimer et vous nourrir spirituellement.

Souvenez-vous que vous faites cette démarche pour le précieux enfant blessé en vous. *Soyez à l'écoute de votre moi de bambin et laissez-le toucher vos cordes sensibles!*

ÉPROUVER SES SENTIMENTS

Si vous possédez une photographie du bambin que vous étiez autrefois, sortez-la. Voyez comme vous étiez petit et innocent. Ensuite, trouvez un enfant qui en est à cette même étape et passez quelque temps avec lui. Prêtez une attention particulière à la normalité de ce stade de développement. C'était normal pour vous d'être turbulent et débordant d'énergie. Comme tous les bambins, vous étiez capable de pénétrer au cœur des choses, vous étiez curieux et intéressé par elles. Vous disiez *non* afin de commencer à vivre votre propre vie. Vous étiez immature et peu solide, d'où vos accès de colère. Vous étiez un magnifique et innocent petit être. Concentrez-vous sur ce que vous avez traversé durant ces premières années de vie. Laissez émerger tous vos sentiments, quelle que soit leur nature.

ÉCRIRE UNE LETTRE

Tout comme vous l'avez fait pour votre moi de nouveau-né, écrivez une lettre à votre moi de bambin. Cette lettre lui sera adressée par votre moi de grande personne — dans mon cas, un vieux magicien doux et sage. L'une des lettres que j'ai écrites à mon bambin se lit comme suit:

> Cher Petit John,
> Je sais que tu te sens très seul. Je sais que tu n'as jamais pu être toi-même. Tu as peur de te fâcher parce que tu crois qu'il y a un terrible feu appelé «enfer» où tu brûleras si tu te mets en colère. Tu ne peux pas être triste ni avoir peur parce tu penses que c'est bon pour les poules mouillées. Personne ne sait vraiment quel merveilleux petit garçon tu es ni ce que tu éprouves au fond de toi. Je fais partie de ta vie future et je sais mieux que personne ce que tu as traversé! Je t'aime et je veux que tu restes avec moi pour toujours. Je te laisserai être exactement qui tu es. Je t'apprendrai à trouver un équilibre et je te permettrai d'être furieux, triste, effrayé ou joyeux. S'il te plaît, accepte de me garder auprès de toi pour toujours.
>
> Je t'aime,
> Le Grand John

Lorsque j'ai écrit cette lettre, j'ai senti la solitude et la tristesse de mon enfant intérieur.

Une lettre de votre bambin intérieur

Maintenant, écrivez une lettre sous la dictée de votre bambin intérieur blessé. Rappelez-vous que vous devez l'écrire avec votre main *non dominante:* la main gauche si vous êtes droitier et la main droite si vous êtes gaucher. Voici ce qu'un homme a écrit durant l'un de mes ateliers:

Cher Grand Richard
Je t'en prie viens me chercher,
Je suis enfermé dans un placard depuis quarante ans, je suis Terrifié, J'ai besoin de Toi.

Petit Richard

Après avoir écrit votre lettre, assoyez-vous dans un endroit calme et laissez monter tous vos sentiments. Si vous travaillez avec une autre personne ou si un ami intime, un parrain ou un thérapeute est au courant de votre démarche, engagez-vous à lui lire vos lettres. Le fait de les lire à haute voix devant une personne vous servant de miroir peut être très fructueux.

LES AFFIRMATIONS

Encore une fois, je vais vous demander de retourner fouiller votre passé pour découvrir votre bambin intérieur et lui communiquer les affirmations qu'il avait besoin d'entendre. Les affirmations suivantes sont différentes de celles destinées à votre nourrisson intérieur.

Votre moi de bambin a besoin d'entendre ceci:

Petit______, c'est bien d'être curieux, de désirer, de regarder, de toucher et de goûter les choses. Je vais veiller sur toi pour que tu puisses explorer en toute sécurité.
Je t'aime tel que tu es, petit______.

Je suis là pour combler tes besoins. Tu n'as pas à satisfaire les miens.
Petit______, tu as besoin que je m'occupe de toi et c'est très bien.
J'accepte que tu dises «non», petit______. Je suis heureux que tu veuilles être toi-même.
Nous avons tous deux le droit d'être furieux. Nous allons régler nos problèmes.
C'est normal que tu sois effrayé quand tu agis comme tu l'entends.
C'est normal que tu sois triste quand les choses ne se passent pas comme tu le voudrais.
Je ne te quitterai pas quoi qu'il arrive!
Tu peux être toi-même et toujours compter sur moi: je serai là.
J'aime te voir apprendre à marcher et à parler. J'aime te voir te séparer d'autrui et commencer à grandir.
Je t'aime et je t'apprécie, petit______.

Lisez lentement ces affirmations et laissez-vous pénétrer par leur signification. Maintenant, vous êtes prêt à retrouver votre moi de bambin.

MÉDITATION POUR LE BAMBIN

À ce stade-ci, vous devriez avoir déjà enregistré l'introduction générale de toutes les méditations. Si vous ne l'avez pas encore fait, retournez aux pages 136 et 137 et enregistrez le début de la méditation, en terminant avec: «Comment vous *sentiez*-vous de vivre dans cette maison?» (Si vous avez commencé à lire ce livre à partir d'ici, s'il vous plaît, prenez connaissance des instructions figurant aux pages 134 et 135.)
Maintenant, ajoutez le texte suivant à l'introduction générale.

Imaginez que vous sortez de cette maison et que vous voyez un petit bambin qui s'amuse dans un carré de sable... Regardez-le attentivement et ressentez vraiment la présence de cet enfant... De quelle couleur ses yeux sont-ils?... De quelle couleur ses cheveux sont-ils?... Comment est-il habillé?... Parlez à cet enfant... Dites-lui tout ce que vous avez envie de lui dire... Maintenant, laissez-vous flotter jusqu'au carré de sable et devenez ce petit enfant... Comment vous sentez-vous d'être

ce petit enfant?... Regardez votre moi de grande personne... Écoutez cette grande personne en imaginant qu'elle est un magicien doux et sage qui prononce lentement les affirmations suivantes. Assoyez-vous sur les genoux du magicien si cela vous procure un sentiment de sécurité.

Si vous travaillez avec un partenaire, c'est à ce moment-ci que vous devez lui dire les affirmations des pages 163 et 164. (Il est en train de regarder son propre moi d'adulte, mais il entend votre voix.) Si vous travaillez seul, vous devrez enregistrer vous-même les affirmations, en faisant une pause de vingt secondes après chacune. Après avoir écouté les affirmations, prenez deux minutes pour laisser votre moi d'enfant éprouver ses émotions. Ensuite, continuez avec ce qui suit:

Si vous ressentez le besoin d'étreindre votre moi de grande personne, je vous en prie, faites-le. Pendant cette étreinte, sentez que vous revenez dans la peau de votre moi d'adulte. Prenez votre moi de bambin dans vos bras. Engagez-vous à aimer cette partie insouciante, exploratrice et curieuse de vous-même. Dites à l'enfant: «Je ne te quitterai jamais... Je serai toujours là pour toi.»... Prenez conscience du fait que vous venez de retrouver votre moi de bambin...
Laissez-vous envahir par le sentiment de ce *retour aux sources*... Votre petit bambin est désiré, aimé et il ne sera plus jamais laissé à lui-même... Sortez de cette maison... *Remontez* le fil de votre mémoire... Passez devant la cour de votre première école. Contemplez le terrain de jeux et la balançoire... Passez devant le bon vieux repaire de votre prime adolescence... Revoyez un souvenir vieux de deux ans... Sentez que vous revenez dans l'espace où vous êtes *maintenant*... Sentez vos orteils... Remuez-les... Sentez l'énergie qui circule de nouveau dans vos jambes... Sentez l'énergie dans votre poitrine alors que vous inspirez profondément... Expirez bruyamment... Sentez l'énergie dans vos bras et vos doigts... Remuez les doigts... Sentez l'énergie dans vos épaules, votre cou, votre mâchoire... Étirez les bras... Sentez votre visage et soyez entièrement présent... revenu à votre état normal d'éveil conscient... et ouvrez les yeux.

Restez assis pendant un moment pour réfléchir à l'expérience que vous venez de vivre. Laissez-vous éprouver les émotions qui émergent, quelles qu'elles soient. Si vous ne ressentez rien, c'est très bien aussi. Pensez aux mots qui ont eu le plus d'effet sur vous. À quels passages vos émotions ont-elles fait surface? Comment vous sentez-vous maintenant? De quoi êtes-vous conscient?

Notez par écrit les plus vifs sentiments que vous avez éprouvés durant la méditation ou que vous éprouvez en ce moment. Si vous avez envie de les partager avec la personne qui vous soutient tout au long de cette démarche, je vous en prie, faites-le.

Faire l'exercice avec un partenaire

Si vous vous apprêtez à effectuer cet exercice avec un partenaire, prenez le temps, ensemble, de reconnaître mutuellement les outrages que chacun de vous a subis. Soyez présent à votre partenaire, lui servant de miroir et lui faisant écho, de manière à confirmer ce qu'il dit.

Chacun à son tour guidera l'autre durant la méditation. Comme vous avez pu le constater en lisant le texte, la seule différence, lorsqu'on travaille à deux, c'est que le guide dit les affirmations à haute voix. De plus, votre partenaire peut vous prendre dans ses bras et vous caresser d'une manière telle que tous deux en éprouviez un sentiment de sécurité. Pour en savoir plus long, lisez les directives concernant le travail avec un partenaire, pages 140 et 141.

Faire l'exercice avec un groupe

Lisez les instructions concernant le travail en groupe aux pages 141 et suivantes. Une fois que l'introduction générale de la méditation aura été enregistrée, demandez à la même personne de prêter de nouveau sa voix pour ajouter le texte suivant à l'enregistrement:

Imaginez maintenant que vous sortez dehors et voyez un bambin qui s'amuse dans un carré de sable... Regardez attentivement cet enfant et ressentez vraiment sa présence... De quelle couleur ses yeux sont-ils?... Comment est-il habillé?... Parlez à cet enfant... Dites-lui tout ce que vous avez envie de lui dire... Maintenant laissez-vous flotter jusqu'au carré de sable et devenez ce petit enfant... Comment vous sentez-vous d'être ce petit enfant?... Regardez votre moi de grande personne...

Écoutez cette grande personne prononcer lentement les affirmations destinées au bambin. Assoyez-vous sur ses genoux si cela vous procure un sentiment de sécurité.

N'enregistrez pas les affirmations. Donnez à chaque personne une copie de la liste d'affirmations et suivez les instructions de la page 145 pour procéder à un ancrage. Lisez la méditation au complet, telle qu'elle est formulée *dans le présent chapitre.* Vous repasserez ensuite l'enregistrement et travaillerez de nouveau en cercle avec les affirmations, en suivant les instructions des pages 146 et 147.

Soyez conscient du fait que le grand adulte en vous *est capable de s'occuper du petit bambin blessé en vous.* Voici comment j'aime imaginer les retrouvailles avec mon moi de bambin.

Le temps est venu de continuer votre route et d'amener votre moi d'âge préscolaire à la célébration du retour au foyer que vous préparez.

CHAPITRE 6

Retrouvez l'enfant d'âge préscolaire en vous

Mais parfois je suis comme un arbre qui surplombe une tombe, un arbre épanoui et touffu ayant vécu ce rêve particulier que le jeune homme mort, étreint dans ses racines, a égaré à travers sa mélancolie et ses poèmes.

RAINER MARIA RILKE

Sois fidèle à ce que tu es.

WILLIAM SHAKESPEARE

L'enfant d'âge préscolaire
(Le début de l'identité)

Je suis quelqu'un (de sexe masculin ou féminin)

Âge:	de 3 à 6 ans
Polarité du développement:	l'initiative *versus* la culpabilité
Force du moi:	l'intentionnalité
Pouvoir:	le pouvoir d'imaginer et de ressentir
Enjeu relationnel:	l'indépendance

INVENTAIRE DES SIGNES SUSPECTS

Répondez par oui ou par non aux questions suivantes. Après avoir lu une question, attendez et restez à l'écoute de ce que vous ressentez. Si vous sentez une forte énergie pour le oui, répondez oui; suivez le même principe pour le non. Si vous répondez par l'affirmative à l'une de ces questions, vous pouvez vous douter fortement que votre merveilleux enfant intérieur du passé a été blessé. La gravité de la blessure varie d'une personne à l'autre. La vôtre se situe quelque part sur une échelle allant de 1 à 100. Plus les questions auxquelles vous sentez le besoin de répondre affirmativement sont nombreuses, plus votre «moi» d'âge préscolaire a été blessé.

	OUI	NON
1. Souffrez-vous de sérieux problèmes d'identité? Pour mieux répondre, réfléchissez aux questions suivantes. Qui êtes-vous? Est-ce qu'une réponse vous vient facilement? Indépendamment de votre orientation sexuelle, vous sentez-vous vraiment un homme? Vous sentez-vous *vraiment* une femme? Affichez-vous exagérément votre identité sexuelle (en vous appliquant à être macho ou sexy)?	___	___
2. Vous sentez-vous coupable d'avoir des relations sexuelles même lorsque cela se produit dans un contexte tout à fait légitime?	___	___
3. Avez-vous du mal à identifier ce que vous éprouvez à tout moment?	___	___
4. Avez-vous des problèmes de communication avec les gens qui sont près de vous (conjoint, enfants, amis, patron)?	___	___
5. Cherchez-vous la plupart du temps à dominer vos émotions?	___	___
6. Essayez-vous de contrôler les émotions des membres de votre entourage?	___	___
7. Pleurez-vous lorsque vous êtes en colère?	___	___
8. Êtes-vous furieux quand vous ressentez de la peur ou de la peine?	___	___

	OUI	NON
9. Éprouvez-vous de la difficulté à exprimer vos sentiments?	___	___
10. Vous tenez-vous pour responsable du comportement ou des sentiments des autres? (Par exemple, avez-vous l'impression que vous pouvez *rendre* quelqu'un triste ou furieux?)	___	___
En outre, vous sentez-vous coupable des mésaventures arrivées aux membres de votre famille?	___	___
11. Croyez-vous que si *vous* adoptez simplement tel ou tel comportement, vous serez capable de changer une autre personne?	___	___
12. Croyez-vous que le fait de souhaiter ou d'éprouver quelque chose puisse amener cette chose à se concrétiser?	___	___
13. Acceptez-vous souvent des messages qui vous plongent dans la confusion ou des renseignements contradictoires sans demander des éclaircissements?	___	___
14. Agissez-vous en vous fondant sur des suppositions ou des hypothèses non confirmées que vous tenez pour de vraies informations?	___	___
15. Vous sentez-vous responsable du divorce ou des problèmes conjugaux de vos parents?	___	___
16. Vous évertuez-vous à obtenir de bons résultats afin qu'ainsi vos parents puissent être satisfaits d'eux-mêmes?	___	___

LA PÉRIODE PRÉSCOLAIRE NORMALE

Vers l'âge de trois ans, vous avez commencé à demander *pourquoi* et à poser beaucoup d'autres questions; vous n'agissiez pas ainsi parce que vous étiez nigaud ou malicieux: votre comportement reflétait plutôt une faculté supérieure inhérente au développement biologique. Vous posiez des questions parce qu'un élan vital — la conscience d'exister — vous poussait à évoluer.

Depuis votre naissance jusqu'au stade qui nous occupe, votre développement pourrait se résumer ainsi: vous aviez été bien accueilli dans ce monde et vous aviez acquis la certitude que vos besoins y seraient comblés; vous possédiez également assez de volonté et de discipline pour croire en vous-même. À ce stade-ci, vous deviez développer la faculté de concevoir qui vous étiez et comment vous vouliez vivre votre vie. Savoir qui l'on est, c'est avoir une identité, et cela inclut la sexualité, les fantasmes et les croyances qu'on entretient à son propre sujet. Si les enfants d'âge préscolaire demandent si souvent *pourquoi,* c'est parce qu'ils ont énormément de choses à comprendre. Quelques-uns d'entre nous n'ont pas *encore* compris cela.

Attendu que la tâche consistant à savoir qui l'on est et ce que l'on veut faire de sa vie est très difficile, les enfants jouissent d'une protection spéciale, l'égocentrisme, qui les aide à l'accomplir. Les enfants sont égocentriques — et non pas égoïstes — par nature. Leur égocentrisme est un fait biologique et non un choix. Avant l'âge de six ans, ils sont pratiquement incapables de comprendre le monde selon le point de vue d'autrui. Un enfant d'âge préscolaire peut éprouver de la sympathie pour quelqu'un, mais il n'a pas la capacité de se mettre dans ses souliers. Cette capacité, il ne la possédera pas pleinement avant l'âge de seize ans environ.

En outre, les enfants d'âge préscolaire baignent dans la magie. Ils s'affairent donc à tester la réalité afin de la distinguer de l'imaginaire. C'est un moyen pour eux de découvrir leur force intérieure, de savoir de quoi ils sont capables.

Les enfants de cet âge font preuve d'une grande indépendance. Ils sont occupés à poser des questions, à ébaucher des convictions, à envisager l'avenir et à essayer de comprendre comment fonctionne le monde et comment se déclenchent les événements. À mesure qu'ils affinent leur compréhension des relations de cause à effet, ils apprennent à influencer le cours des choses. Il s'agit ici d'une tâche saine et naturelle à laquelle ils se consacrent à plein temps.

Quant au travail des parents, il consiste à faire l'éducation de leurs enfants et à leur proposer des modèles. Le père donne l'exemple de ce que c'est qu'être un homme et la mère donne l'exemple de ce que c'est qu'être une femme. Tous deux doivent également donner l'exemple d'une relation d'intimité normale, laquelle comprend une saine sexualité. De plus, en tant que modèles pour l'enfant, papa et maman doivent démontrer de bonnes aptitudes pour la communication, savoir notamment clarifier un message, écouter, demander ce qu'ils veulent et résoudre les conflits.

Le garçon a besoin de se lier à son père, et cela n'est possible que si le père consacre du temps à son fils. Ce lien exige un contact physique aussi bien qu'un échange émotionnel. Le père a une importance vitale pour la fille, mais le besoin qu'elle en a n'est pas aussi crucial que pour le garçon. La fille est déjà liée à sa mère et elle doit s'en séparer. Le garçon est lié à sa mère, mais pas de la même façon que la fille, à cause du tabou de l'inceste. Le garçon doit se garder d'intérioriser les projections de sa mère en ce qui a trait à la sexualité.

Au fur et à mesure que le petit garçon s'attache à son père, son désir de lui ressembler grandit. Il commence à imiter le comportement de son père. Il dit à tout le monde qu'une fois devenu grand, il sera comme son papa; il devient symboliquement son père en jouant à «faire comme si». Certains garçons dénicheront des héros à admirer et à imiter. Les miens étaient des joueurs de base-ball. Je collectionnais les cartes de base-ball et j'aimais revêtir l'uniforme de mon équipe préférée; une balle autographiée figurait parmi mes biens les plus précieux. De la même façon, les petites filles commencent à imiter le comportement de leur mère. Elles jouent à «faire comme si» avec des poupées bébés, les promenant dans une poussette et leur donnant le biberon. Les petites filles peuvent également devenir délicieusement coquettes lorsqu'elles jouent à se déguiser et veulent se maquiller.

Une prédisposition biologique à l'homosexualité peut aussi commencer à se manifester durant cette période. À ce sujet, je tiens à souligner ceci: il m'apparaît de plus en plus évident que l'homosexualité procède d'une tendance innée et non d'une pathologie ou d'un trouble de la croissance. (J'ai derrière moi plusieurs années de pratique en tant que thérapeute et, parmi les homosexuels, hommes et femmes, venus me consulter, je n'en ai jamais rencontré un seul qui n'était absolument certain de son orientation sexuelle dès son plus jeune âge.) J'estime que ce livre s'adresse à l'enfant intérieur blessé de tout le monde. La plupart des homosexuels portent en eux une honte excessive, cette mortification étant particulièrement forte et répandue chez les garçons n'ayant ni les caractéristiques ni les comportements traditionnellement attribués aux hommes. Si vous êtes gai ou lesbienne, votre tout jeune enfant intérieur blessé a besoin d'entendre que c'est parfaitement correct d'être qui vous êtes.

LA FORCE DU MOI À L'ÂGE PRÉSCOLAIRE

Selon Erikson, la force du moi chez l'enfant d'âge préscolaire réside dans *l'intentionnalité*. Erikson croit que l'intentionnalité s'élabore à partir de la conscience de son identité. Si l'enfant a joui d'un développement normal jusqu'à l'âge préscolaire, il est alors en mesure de dire: «Je peux faire confiance au monde extérieur, je peux avoir confiance en moi-même, je suis spécial et unique. Je suis un garçon/Je suis une fille. Je peux commencer à entrevoir l'avenir même si rien ne m'oblige à savoir exactement ce que je veux faire.»

La force intérieure naît du sentiment d'avoir une identité — le pouvoir de prendre des initiatives et de faire des choix. À ce stade, l'enfant normal pense: «Je peux être qui je suis et j'ai toute la vie devant moi. Je peux imiter maman ou imiter papa. Je peux rêver de devenir un homme comme papa ou une femme comme maman. Je peux rêver que je suis un adulte et que je crée ma propre vie.»

LE TROUBLE DE LA CROISSANCE

À ce stade, le trouble de la croissance met au jour les effets d'une dysfonction familiale bien enracinée. Les enfants se fient à l'exemple que leurs parents leur donnent en matière de comportement adulte. Par conséquent, si maman et papa sont des adultes enfants codépendants et foncièrement honteux, leurs enfants seront incapables d'établir de saines relations intimes.

Puisque les adultes enfants ont depuis longtemps relégué aux oubliettes leur moi authentique et perdu leur sentiment du «Je suis», ils sont incapables de donner quelque chose d'*eux-mêmes* à leur partenaire, ils n'ont pas de «moi» à offrir. Quand ils se marient, ils choisissent une personne qui incarne une projection de leurs parents: quelqu'un qui possède à la fois les caractéristiques positives et négatives de leurs parents et qui complète les rôles qu'ils avaient endossés dans leur système familial. Un Héros Protecteur épousera plutôt une Victime, tous deux pouvant ainsi jouer leur rôle. Dans les mariages fondés sur cette possibilité, chacun investit l'autre d'une estime considérable, ce qui apparaît de façon plus évidente lorsque les partenaires en arrivent à la séparation. L'un des conjoints — sinon les deux — peut alors devenir suicidaire, affirmant qu'il ne peut vivre sans l'autre. Souvent, l'adulte enfant qui craint d'être «englouti» épousera un adulte enfant qui craint d'être abandonné. Tandis que celui hanté par la peur d'être abandonné cherchera à se rapprocher, celui hanté par la peur d'être englouti cherchera à se dérober. Après une période de séparation, le partenaire qui redoute d'être englouti se sentira assez seul pour laisser l'autre s'approcher pendant un certain temps. Le partenaire qui redoute d'être abandonné, se rappelant la séparation passée, deviendra vite possessif et engloutira l'autre, le faisant fuir de nouveau. Cette dynamique du balancier se perpétuera tout au long du mariage, les deux partenaires se provoquant mutuellement à réagir ainsi.

Vous vous rappelez nos deux adultes enfants de trois ans, l'un pesant 90 kg et l'autre 63 kg? Vous et moi étions l'enfant de cinq ans pesant 30 kg. Bien sûr, nous ne devons pas oublier que *nos parents ont vécu exactement la même chose.* Quand l'enfant blessé en maman ou en papa se rend compte que le conjoint *ne sera pas* le parent si ardemment désiré, maman et papa se tournent vers leurs enfants, espérant qu'ils combleront les besoins que leurs propres parents n'ont pas assouvis.

Considérons le cas de la famille Untel. Bruno Untel est un commis-voyageur. C'est également un «drogué du sexe». Il n'est pas souvent à la maison, mais quand il y est, il se comporte comme s'il avait une relation très intime avec Gloria, sa femme. Gloria a été ainsi nommée par son père, un pasteur («drogué du sexe», lui aussi), en hommage à la «gloire» du Seigneur. Gloria souffre de sérieux problèmes de codépendance et elle entretient une liaison avec un homme qui lui donne des cours sur la Bible. Bruno et Gloria ont trois enfants, deux garçons respectivement âgés de seize et treize ans et une fille de onze ans. L'aîné est un athlète de grand talent. C'est la vedette de son école et le «meilleur copain» de son père. De l'âge de douze ans jusqu'à quatorze ans, il a souvent agressé sexuellement sa sœur. Celle-ci souffre d'un grave problème d'obésité et est constamment sermonnée par sa mère à ce sujet. J'ai connu les Untel lorsqu'ils m'ont amené leur fille en thérapie, à cause de son problème de poids. La mère tient au plus jeune de ses deux fils comme à la prunelle de ses yeux. Il a un tempérament d'artiste, n'est pas du tout sportif, et il est très religieux — ce qui plaît énormément à sa mère. Son père l'a pris en grippe et le taquine en le traitant de poule mouillée et d'idiot. Il est son souffre-douleur. Voici un schéma de la famille Untel.

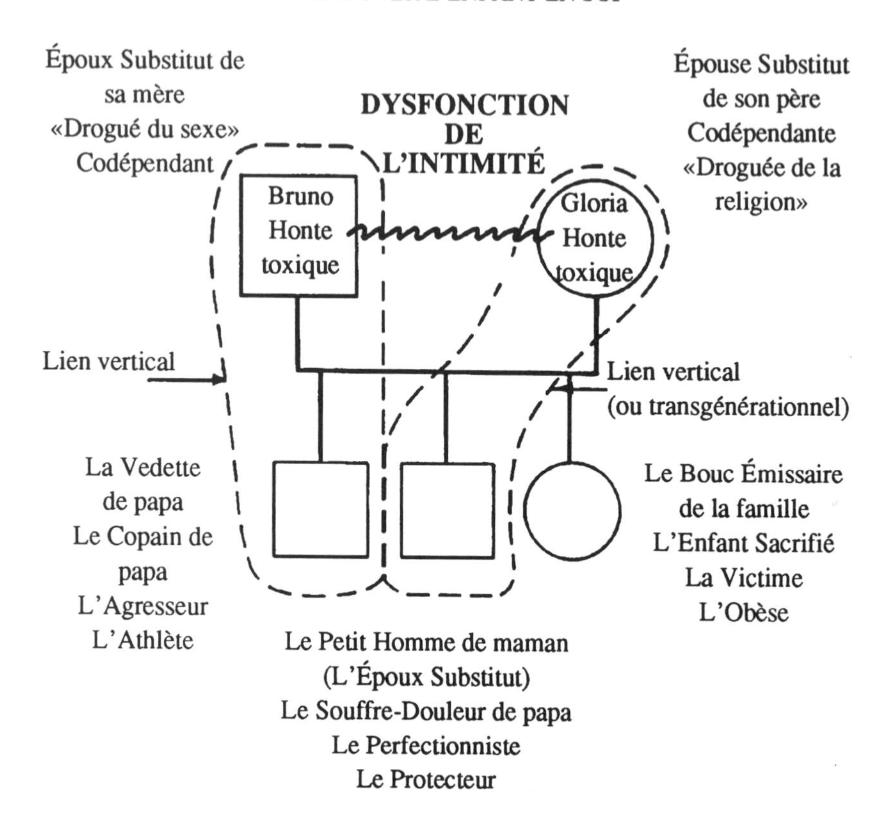

Personne dans cette famille n'a de réelle identité. Papa et maman ont tous deux été victimes d'inceste *non physique* et ils n'ont jamais été soignés. Chacun était l'Époux Substitut de son parent du sexe opposé. Bruno a été abandonné par son père alcoolique à l'âge de trois ans. Sa mère l'a élevé en en faisant l'objet de sa joie et de sa fierté. Ils faisaient tout ensemble. Maman avait même l'habitude de s'habiller devant Bruno et d'utiliser la toilette pendant qu'il prenait son bain. «J'étais devenu toute sa vie», m'a dit Bruno, les larmes aux yeux. Sa mère étant maintenant décédée, Bruno déplore le fait que «des vraies bonnes femmes, il ne s'en fait plus».

Gloria était un cadeau de Dieu pour son père. On la faisait asseoir au premier rang, le dimanche, pendant que son père prêchait. Sa mère, une personne hypocondriaque, était malade la plupart du temps. Gloria faisait la cuisine, le ménage, et son père la considérait comme une vraie bénédiction. Elle a également dormi avec lui jusqu'à l'âge de onze ans. Bien qu'elle n'ait pas eu de relations sexuelles avec son père, Gloria était de toute évidence son Épouse Substitut.

Bruno et Gloria ont tous deux été *utilisés* pour combler la solitude de leurs parents. Pensez à ce qu'on *éprouve* quand on est utilisé! Utiliser, c'est abuser, et cela provoque une colère et une souffrance durables. Bruno et Gloria idéalisaient leurs parents; ils les mettaient sur un piédestal, les considéraient comme des saints. Bruno et Gloria baignaient dans l'illusion et la dénégation. Ils n'avaient aucun sentiment de leur propre «Je suis». Comment l'auraient-ils pu? Personne n'était là pour *eux* et ils n'avaient aucun moyen d'être qui ils étaient. Ils devaient pallier l'indigence et la solitude de leurs parents. Ils étaient victimes de ce qui constitue un abus sexuel non physique.

Bruno et Gloria ont perpétué leurs blessures spirituelles dans leur mariage et maintenu la même dynamique dysfonctionnelle dans leur famille. Bruno reproduisait l'abus sexuel dont il avait lui-même été victime en abusant les femmes l'une après l'autre (il les aimait et les abandonnait). Chaque fois qu'il rejetait une femme, il remportait une victoire symbolique en échappant à la domination de sa mère. Bien sûr, il faisait cela inconsciemment; il était loin de soupçonner la colère qu'il éprouvait à l'égard de sa mère, puisqu'il avait été éduqué à l'idéaliser. Gloria, quant à elle, était ravagée par la honte que lui inspirait sa liaison amoureuse. Je l'ai aidée à voir que son père l'avait utilisée et que, en fin de compte, il avait également utilisé d'autres femmes, des croyantes venant régulièrement au temple. Gloria s'était servie de la religiosité pour dissimuler sa colère et sa tristesse profondes. Elle avait en outre établi avec son jeune fils une relation incestueuse, bien que non physique; il était son «petit homme sensible». Elle discutait de la Bible avec lui; le dimanche, ils faisaient de longues promenades ensemble, méditant sur la gloire de la parole divine. Ce fils comblait le vide dont souffrait l'enfant intérieur blessé de Gloria, alors que l'aîné soignait la honte et la souffrance de son père. Leur fille mangeait pour remplir le vide laissé par la colère, la souffrance et la solitude de chaque membre de la famille. Elle était le sujet d'inquiétude de Bruno et Gloria — l'«enfant problème de la famille», la «patiente désignée» qui, à l'origine, m'avait été amenée dans l'espoir qu'on «arrange ça».

Les Untel paraissaient bien, le dimanche, au temple. Absolument personne n'aurait pu sonder leur profonde souffrance. Aucun membre de la famille n'avait un tant soit peu d'identité, puisque pas un seul n'avait pu assouvir ses besoins de développement au stade préscolaire.

La famille Untel montre de façon exemplaire jusqu'à quel point la dysfonction de l'intimité dans un mariage peut être néfaste sur le plan spirituel. Quand les enfants comblent un vide dans l'existence de leurs parents, ce lien *vertical* malsain, ou *alliance transgénérationnelle,* a des effets particulièrement dévastateurs sur l'identité sexuelle des enfants. Le lien vertical est très différent du lien entre le père et le fils ou entre la mère et la fille dont j'ai parlé précédemment. Le lien vertical crée une confusion des rôles: le fils ou la fille occupent indûment dans le système familial la place de leur parent du sexe opposé.

Bruno et Gloria Untel n'ont pas réussi à créer ce milieu propice dans lequel un enfant peut penser, éprouver et imaginer. Comme les enfants étaient engagés à prendre soin du couple que formaient leurs parents, c'étaient eux, en fait, qui préservaient l'unité familiale. Lorsqu'ils étaient à l'âge préscolaire, leurs besoins de développement — être indépendant, curieux, tester son individualité, poser des questions, concevoir les choses — n'ont pu être satisfaits. Comme tous les membres d'une famille dysfonctionnelle, les Untel étaient codépendants. Chacun, ne pouvant se gouverner lui-même, était gouverné de l'extérieur. Personne n'avait le temps de prêter attention à ses propres signaux internes.

D'une manière semblable et à différents degrés, dans toutes les familles dysfonctionnelles, le sentiment du «Je suis» des enfants est bafoué. La dysfonction peut s'exprimer par la violence ou prendre la forme d'une dépendance aux substances chimiques ou au travail. Mais dans tous les cas, l'un des parents est aux prises avec sa propre dysfonction et l'autre est maladivement codépendant de lui. Les enfants se retrouvent abandonnés sur le plan affectif et sont de surcroît piégés par le besoin secret ou manifeste de maintenir l'équilibre précaire et malsain de la famille. Dans les familles dysfonctionnelles, *personne ne peut réussir à être qui il est.* Tous les membres sont au service des *besoins du système.*

La principale conséquence de cet état de chose, c'est que les membres de la famille s'enlisent dans des rôles rigides. Ces rôles s'apparentent à ceux déterminés par le scénario d'une pièce de théâtre; ils dictent le comportement de chaque personne, ce qu'elle *peut* et *ne peut pas éprouver.* Voici les rôles dénaturés les plus répandus au stade préscolaire: l'Hyperresponsable, le Perfectionniste, le Rebelle, le Sous-doué, l'Adorable (le gentil garçon, le «chou»), le Protecteur et le Délinquant.

Le manque d'identité individuelle explique pourquoi les familles dysfonctionnelles sont dominées par une culpabilité toxique. La saine culpabilité est la gardienne de la conscience; elle génère une honte normale et salutaire; c'est la dimension morale d'une saine honte. La honte du bambin est prémorale et surtout préverbale. Il nous est impossible de faire preuve de sens moral tant que nous n'avons pas intériorisé des valeurs, lesquelles sont le produit de la pensée et de l'affectivité. Si nous avons des valeurs, cela présuppose que nous avons développé une conscience. Vers la fin de la période préscolaire, les enfants n'ont que les rudiments d'un vrai sens moral, une conscience naissante.

Dans une famille dysfonctionnelle, les enfants sont incapables de développer une conscience normale ou une saine culpabilité. Leur manque d'individualité les empêche de sentir qu'ils ont droit à leur propre vie, aussi développent-ils plutôt une *culpabilité toxique*, laquelle sonne le glas de leur moi psychologique. La culpabilité toxique constitue un moyen d'avoir du pouvoir dans une situation d'impuissance. Elle vous fait sentir responsable des sentiments et des comportements des autres; elle peut même vous faire croire que quelqu'un d'autre est tombé malade à cause de votre comportement, comme lorsqu'un père déclare: «Regardez, les enfants, vous avez rendu votre mère malade!» Cela vous inculque un sens des responsabilités démesuré. La culpabilité toxique est une des pires façons dont votre enfant intérieur d'âge préscolaire a été blessé.

LE TÉMOIGNAGE

La rédaction de votre histoire personnelle vous deviendra plus facile à mesure que vous traverserez les stades de développement, mais vous vous apercevrez probablement que, comme la plupart des gens, vous n'avez pas conservé beaucoup de souvenirs relatifs à votre vie avant l'âge de sept ou huit ans. Avant cet âge, votre mode de pensée était encore empreint de magie, d'illogisme et d'égocentrisme. Ce mode de pensée s'apparente à un état de conscience modifié ou altéré. Néanmoins, essayez de vous rappeler tout ce que vous pouvez. Habituellement, les événements traumatisants résistent au temps car, ayant constitué une grande menace pour la vie, ils ont laissé les empreintes les plus profondes. Je vous recommande par conséquent d'écrire tout ce que vous vous rappelez concernant les dégradations traumatisantes que vous avez subies durant cette période et de veiller à donner des détails précis.

Écrivez également toutes les informations possibles en rapport avec votre système familial. Que faisait votre père? Que faisait votre mère?

Comment leur mariage allait-il? Qu'en savez-vous ou qu'en avez-vous deviné? Accordez une grande attention à vos pressentiments au sujet de la famille. Faites comme si vos pressentiments étaient fondés et voyez s'ils vous aident à mieux comprendre votre famille. Si tel est le cas, gardez-les à l'esprit pendant un certain temps. Sinon, oubliez-les.

Un de mes clients avait le pressentiment que sa grand-mère avait vécu une relation incestueuse avec son père. Seule fille au milieu de sept frères, elle avait grandi dans une ferme. Mon client n'avait jamais entendu sa grand-mère parler de son père. Elle était agoraphobe et plutôt névrosée. Elle semblait haïr les hommes et elle avait inspiré cette même haine à ses trois filles, dont l'une était la mère de mon client. Celui-ci présentait les symptômes émotionnels d'une victime d'inceste. Il faisait de l'*acting out* sexuel, «tuant» les femmes au moyen de la séduction. Il leur envoyait des poèmes et leur offrait des cadeaux très coûteux. Dès qu'une femme succombait tout à fait, mon client la quittait, habituellement dans un accès de rage.

Même si mon client ne détenait aucune preuve que sa grand-mère avait subi un inceste, il a écrit son histoire familiale en faisant comme si cela avait été le cas, et plusieurs éléments se sont enchaînés, revêtant une nouvelle signification.

Pendant que vous écrirez l'histoire de votre enfant intérieur blessé au stade préscolaire, demandez-vous ceci: Qui était là pour vous? Quelle est la personne à laquelle vous vous êtes le plus indentifié et qui vous a servi de modèle pour votre rôle? Quelle est la première personne qui vous a appris à être un homme? Une femme? Qui a fait votre éducation en matière de sexualité, d'amour et de relation d'intimité?

LES SÉVICES INFLIGÉS PAR LES FRÈRES ET SŒURS

Je n'ai pas parlé des sévices de toute nature infligés par des frères et sœurs plus âgés, mais cela peut avoir eu un effet important — bien que souvent méconnu — sur votre développement. Peut-être qu'un frère ou une sœur vous harcelait. Ou que l'enfant d'un voisin vous brutalisait et vous persécutait. Même la taquinerie peut s'avérer extrêmement offensante et, lorsqu'elle est constante, elle se transforme vite en un véritable cauchemar.

Écrivez tout ce que vous vous rappelez concernant l'histoire de votre enfant intérieur d'âge préscolaire.

PARTAGER L'HISTOIRE DE SON ENFANT INTÉRIEUR D'ÂGE PRÉSCOLAIRE AVEC UN AMI

Si vous partagez l'histoire de votre enfant intérieur d'âge préscolaire avec un ami, utilisez les mêmes méthodes qu'aux chapitres 4 et 5. Concentrez-vous particulièrement sur tout incident dégradant dont vous vous souvenez. Considérez les situations suivantes comme susceptibles d'engendrer une souffrance morale:

- S'adonner à des jeux sexuels avec des amis du même âge;
- Subir un inceste physique ou émotionnel;
- Se faire rabrouer parce qu'on tente d'obtenir des informations;
- Avoir de piètres modèles de rôle en matière de relation d'intimité;
- Se faire culpabiliser;
- Manquer d'information sur les sentiments.

ÉPROUVER SES SENTIMENTS

Ici encore, essayez de retrouver une photographie de vous-même à ce stade de développement. Regardez la photo et laissez émerger vos sentiments, quelle que soit leur nature. Si vous n'avez pas de photo, passez un moment en compagnie de gamins d'âge préscolaire. Voyez comme ils sont merveilleux. Imaginez que l'un d'eux se tient pour responsable de la qualité de la relation conjugale entretenue par deux adultes ou qu'il est victime d'un inceste physique. Imaginez qu'on étouffe sa vitalité et sa curiosité. Vous avez peut-être conservé une vieille poupée, un jouet ou un ourson en peluche qui date de cette période. Voyez si cet objet est encore riche d'énergie à vos yeux. Laissez son énergie vous guider vers tout sentiment en train de remonter à la surface.

ÉCRIRE DES LETTRES

Pour ce stade-ci du développement, je vous demanderai d'écrire trois lettres. La première sera adressée par votre moi d'adulte à votre jeune enfant intérieur blessé. Encore une fois, vous lui ferez part de *votre désir d'être avec lui*, de votre bonne volonté pour le guider et lui donner l'attention dont il a besoin; vous lui affirmerez qu'il peut vous poser toutes les questions qu'il désire. Par-dessus tout, vous lui direz combien vous l'aimez et l'estimez.

Les deuxième et troisième lettres seront rédigées par votre jeune enfant intérieur blessé. Rappelez-vous qu'il vous faudra les écrire avec votre main non dominante. La première lettre sera adressée à *vos parents*; elle sera composée de deux paragraphes, l'un destiné à votre mère et l'autre à votre père. Laissez votre enfant intérieur blessé leur parler des désirs et des besoins auxquels ils n'ont pas répondu. Il ne s'agit pas d'une lettre de blâme, mais bien de l'expression d'un manque. Au cours d'un récent atelier, un homme a écrit ceci:

> Chère maman et cher papa,
> Papa, j'avais besoin que tu me protèges. J'avais toujours peur. J'avais besoin que tu joues avec moi. J'aurais aimé que nous allions à la pêche ensemble. J'aurais voulu que tu m'apprennes à faire des choses. J'aurais aimé que tu ne passes pas ton temps à boire.
> Maman, j'avais besoin que tu me fasses des compliments. Que tu me dises que tu m'aimais. J'aurais souhaité que tu ne m'obliges pas à prendre soin de toi. J'avais besoin qu'on s'occupe de moi.
> Je vous aime,
> Dany

Il est très important que vous lisiez votre lettre à haute voix à la personne qui vous soutient dans votre démarche.

La deuxième lettre de votre jeune enfant intérieur blessé sera une réponse à celle que votre moi de grande personne lui aura écrite. Cette lettre vous surprendra peut-être car elle touchera le désir ardent qu'a votre enfant intérieur de trouver un allié. N'oubliez pas d'utiliser votre main non dominante. Si vous le désirez, vous pouvez lire ces lettres à votre personne ressource, à votre partenaire ou à votre groupe.

Si vous travaillez avec un partenaire, chacun de vous doit lire sa lettre à l'autre. Après avoir écouté votre partenaire, faites-lui part de ce que vous éprouvez. Si vous êtes en colère, dites-le-lui; si vous vous êtes senti apeuré, dites-le-lui. L'émotion que vous pointerez ainsi vous concernera peut-être plus que lui, mais elle n'en sera pas moins une réaction honnête. Commentez également les sentiments que vous avez observés chez lui. Vous pourriez, par exemple, lui dire: «J'ai réellement vu ta tristesse. Il y avait des larmes dans tes yeux et tes lèvres étaient serrées.» Évitez de dire des choses comme: «Dis donc, tu étais plein de ressentiment!» Plutôt que d'interpréter ses émotions ou de leur coller simplement une étiquette, exposez à votre partenaire les éléments qui, dans ce que vous avez *vu* et *entendu,* vous ont amené à conclure qu'il éprouvait telle ou telle autre émotion. Vous pourriez aussi ajouter que cela a dû être terrible pour lui de se voir ainsi négligé et maltraité. Cette attitude l'aidera à légitimer et à reconnaître la réalité de sa souffrance. Lorsque l'un aura terminé, l'autre fera l'exercice à son tour.

Si vous effectuez ces exercices en groupe, lisez vos lettres à tour de rôle et laissez chacun des participants commenter ce qu'il a vu et entendu.

LES RÔLES DANS UN SYSTÈME FAMILIAL DYSFONCTIONNEL

Identifiez et notez par écrit les rôles que votre enfant intérieur blessé a adopté, au stade préscolaire, afin de se sentir important aux yeux de sa famille. Les miens étaient ceux de la Vedette, du Perfectionniste, du Protecteur et du Gentil Garçon. Vos rôles déterminent votre participation au théâtre familial.

Demandez-vous quels sentiments vous avez dû refouler afin de jouer vos rôles. Un scénario exige que l'on joue certains rôles de certaines manières; il permet quelques sentiments et en proscrit d'autres. Mes rôles exigeaient de moi que je sois courageux, souriant, et que j'aie l'air heureux; ils m'interdisaient d'être triste, d'avoir peur ou d'être en colère. J'avais de l'importance tant et aussi longtemps que j'étais une Vedette et que je réussissais; je ne pouvais pas être médiocre ni avoir besoin d'aide: je devais me montrer fort. Si je n'accomplissais pas des performances, je me sentais dépossédé de mon pouvoir d'agir. Bien sûr, je suis devenu un «drogué du faire».

Il est important que vous sentiez les conséquences néfastes de vos rôles sur votre vie passée et présente. Ils vous ont coûté la perte de votre moi d'enfant authentique. Tant que vous continuerez à jouer vos rôles, vous raviverez votre blessure spirituelle; vous pourriez continuer ainsi jusqu'à la mort sans jamais savoir qui vous êtes.

Afin de retrouver votre enfant blessé d'âge préscolaire, vous devez abandonner les rôles rigides de votre système familial. De toute façon, ils ne vous ont jamais *vraiment* donné le sentiment d'être important, et ils n'ont certainement pas aidé qui que ce soit dans la famille. Réfléchissez bien: quelqu'un dans votre famille s'est-il mieux tiré d'affaire parce que vous vous êtes accroché à vos rôles? Fermez les yeux et imaginez comment cela se passerait si vous ne pouviez plus jamais jouer votre principal rôle! Comment vous *sentez*-vous à l'idée de le laisser tomber?

Essayez de trouver trois nouveaux comportements que vous pourriez adopter pour mettre fin au rôle de Protecteur. Par exemple, vous pourriez dire *non* lorsqu'on sollicite votre aide; vous pourriez demander un coup de main à quelqu'un, seulement pour le plaisir; ou vous pourriez choisir l'un de vos problèmes actuels et réclamer l'assistance d'un expert en la matière pour le résoudre. Cela vous aiderait à changer le rôle adapté auquel s'en tient votre enfant blessé et à établir un contact avec votre moi authentique. Il se pourrait que votre vrai moi aime bien aider les autres. Dans ce cas, une fois que vous aurez abandonné votre rôle rigide, vous pourrez commencer à aider les autres parce que cela vous plaît, plutôt que parce que vous vous sentez *obligé* ou que vous espérez gagner par ce biais amour et valorisation.

Passez en revue vos autres rôles en accomplissant de nouveau la démarche précédente. Mettez-vous en contact avec les sentiments que vous avez dû laisser de côté afin de jouer vos rôles. En agissant ainsi, vous retrouverez les sentiments authentiques de votre enfant intérieur qui a été blessé durant le stade préscolaire.

EXERCICE

Notez par écrit de quelles manières le piège du système familial a eu des conséquences néfastes sur votre vie. Entrez en contact avec les sentiments de perte provoqués par votre rôle principal; partagez-les avec votre personne ressource, votre partenaire ou votre groupe. Vous vous apercevrez que les rôles sont très utiles pour accéder à la première souffrance. Une fois que vous aurez défini la nature de votre rôle, vous parviendrez à saisir les sentiments que vous avez dû refouler pour le jouer. Or, les sentiments refoulés *sont* votre première souffrance. Le renversement des rôles, inhérent au lien transgénérationnel qui s'est autrefois établi entre vous et votre père ou votre mère, vous a obligé à renoncer à votre enfance.

LES AFFIRMATIONS

Voici les affirmations destinées à l'enfant intérieur blessé au stade préscolaire.

Petit______, j'aime te voir grandir.
Je serai là pour toi, afin que tu puisses tester tes frontières et découvrir tes limites.
C'est bien que tu puisses penser par toi-même. Tu es capable de penser tes sentiments et d'éprouver tes pensées.
J'aime ton énergie vitale; j'aime ta curiosité à l'égard de la sexualité.
C'est bien de chercher la différence entre les garçons et les filles.
Je vais établir des limites pour toi, car je veux t'aider à découvrir qui tu es.
Je t'aime tel que tu es, petit______.
C'est bien que tu sois différent, que tu aies tes propres opinions.
C'est bien d'imaginer des choses sans avoir peur qu'elles n'arrivent pour de vrai. Je vais t'aider à distinguer le réel de l'imaginaire.
Je suis heureux(se) que tu sois un garçon/une fille.
Ça me plaît que tu sois homosexuel, même si tes parents ne l'étaient pas.
C'est bien de pleurer, même si tu es en train de devenir grand.
C'est bon pour toi de découvrir les conséquences de ton comportement.
Tu peux demander ce que tu veux.
Tu peux poser des questions si tu te sens confus ou troublé.
Tu n'es pas responsable du couple que forment tes parents.
Tu n'es pas responsable de ton papa.
Tu n'es pas responsable de ta maman.
Tu n'es pas responsable des problèmes de la famille.
Tu n'es pas responsable du divorce de tes parents.
C'est bien d'explorer qui tu es.

MÉDITATION POUR L'ENFANT D'ÂGE PRÉSCOLAIRE

Pour la présente méditation, utilisez l'introduction générale figurant aux pages 136 et 137. Après «Comment vous *sentiez*-vous de vivre de cette maison?», ajoutez le texte suivant en ménageant une pause de vingt secondes là où il y a des points de suspension.

Voyez maintenant votre enfant intérieur âgé d'environ cinq ans... Imaginez qu'il est sorti de la maison et qu'il s'est installé dans la cour. Allez à sa rencontre et saluez-le... Comment est-il habillé?... A-t-il une poupée, un ourson en peluche ou une pelle, ou s'amuse-t-il avec un autre jouet?... Demandez-lui quel est son jouet préféré... Demandez-lui s'il a un animal domestique... Dites-lui que vous faites partie de sa vie future et que vous serez à ses côtés tant qu'il aura besoin de vous... Entrez maintenant dans la peau de votre enfant intérieur d'âge préscolaire... Regardez votre moi d'adulte (le magicien doux et sage)... Voyez votre visage aimable et bienveillant... Écoutez votre moi d'adulte qui invite votre petit moi d'enfant à s'asseoir sur ses genoux, et acceptez si vous en avez envie... Vous pourriez refuser et ce serait très bien aussi... Écoutez maintenant votre moi d'adulte prononcer lentement et tendrement les affirmations...

Enregistrez les affirmations de la page 185. Ménagez une pause d'une minute après la dernière affirmation.

Laissez l'enfant éprouver ce qu'il a à éprouver... Lentement, réintégrez la peau de votre moi d'adulte... Dites à votre enfant intérieur d'âge préscolaire que désormais vous serez là et que vous lui parlerez beaucoup. Dites-lui que vous êtes la seule personne qu'il ne perdra jamais, que jamais vous ne le quitterez... Dites-lui au revoir, pour le moment, et commencez à *remonter* le fil de votre mémoire. Passez devant votre cinéma et votre marchand de crème glacée préférés... Passez devant votre école primaire... Traversez la cour de votre école secondaire... Sentez que vous revenez dans le présent... Sentez bouger vos pieds... Remuez les orteils... Sentez l'énergie qui circule à travers votre corps... Sentez vos mains... Remuez les

doigts... Sentez l'énergie qui afflue dans la partie supérieure de votre corps... Prenez une très profonde inspiration... Expirez bruyamment... Sentez l'énergie dans votre visage... Prenez conscience de votre corps en position assise... Sentez les vêtements sur votre corps... Maintenant, ouvrez lentement les yeux... Restez assis pendant quelques minutes et laissez monter vos sentiments, quels qu'ils soient.

Si vous en avez envie, partagez cette méditation avec la personne qui vous procure du soutien.

Faire l'exercice avec un partenaire

Si vous faites cet exercice avec un partenaire, travaillez avec lui de la même façon que précédemment (voyez les instructions aux pages 140 et 141). Chacun lit la méditation à l'autre et lui dit les affirmations à haute voix. Étreignez-vous et caressez-vous l'un l'autre, à condition que cela demeure réconfortant et sécurisant pour chacun.

Faire l'exercice avec un groupe

Si vous effectuez cet exercice en groupe, tous les membres devront énoncer une affirmation à tour de rôle, comme dans les exercices collectifs précédents (voyez les instructions figurant aux pages 141 et suivantes). La personne qui a été choisie pour enregistrer la méditation devra ajouter à l'introduction le texte de cette section jusqu'à «Regardez votre moi d'adulte (le magicien doux et sage)... Voyez votre visage aimable et bienveillant...»

Vous réécouterez cette partie pour procéder à un ancrage, puis reprendrez la méditation à partir de «Dites-lui au revoir, pour le moment, et commencez à *remonter* le fil de votre mémoire» jusqu'à la fin.

Souvenez-vous qu'il est important que chaque membre du groupe ait travaillé à son tour avant que, tous ensemble, vous parliez de ce que vous avez éprouvé.

Vous avez maintenant retrouvé votre enfant intérieur d'âge préscolaire. Prenez conscience du fait que votre moi d'adulte est capable de prendre soin de cet enfant.

Si vous éprouvez un sentiment de panique après avoir effectué l'un de ces exercices, assurez de nouveau votre enfant intérieur blessé que vous êtes là pour lui. En effet, quand pour la première fois nous éprouvons d'anciens sentiments refoulés, nous nous sentons inquiets. Ces sentiments sont peu familiers et quelquefois accablants ou envahissants. Il est donc nécessaire en ces moments-là que nous disions à notre enfant intérieur que nous ne le quitterons pas et que nous allons trouver toutes sortes de nouvelles façons de l'aimer et de l'aider à combler tous ses besoins. Voici comment je me représente mon garçonnet intérieur retrouvé.

À mesure que nous apprenons à mieux nous connaître l'un l'autre, je découvre qu'il est plus qu'un simple gamin démuni: il possède des facultés très spéciales qui rendent sa compagnie très amusante.

CHAPITRE 7

Apprivoisez l'enfant d'âge scolaire en vous

La carte du monde de chacun est aussi unique que l'empreinte de son pouce. Il n'y a pas deux personnes pareilles. *Deux personnes ne comprennent pas la même phrase de la même façon.[...] Aussi quand vous transigez avec les gens, vous essayez de ne pas les mouler selon votre idée de ce qu'ils devraient être.*

MILTON ERICKSON

J'ai chassé mon frère [...]
Je l'ai donné à des inconnus qui passaient par là [...]
Ils lui ont appris à porter les cheveux longs,
à se promener sans bruit, presque nu, à boire de l'eau dans ses mains,
à attacher les chevaux, à suivre un sentier ténu à travers les joncs [...]
J'ai amené mon frère de l'autre côté de la rivière,
Puis je suis revenu à la nage et j'ai laissé mon frère seul sur la rive.
Dans la Soixante-Sixième Rue, j'ai constaté qu'il était parti.
Je me suis assis et j'ai pleuré.

ROBERT BLY
A Dream of My Brother

L'enfant d'âge scolaire
(La période de latence)

Je suis capable

Âge:	de 6 ans jusqu'à la puberté
Polarité du développement:	le travail *versus* l'infériorité
Force du moi:	la compétence
Pouvoir:	le pouvoir de connaître et d'apprendre
Enjeux relationnels:	l'interdépendance et la coopération

INVENTAIRE DES SIGNES SUSPECTS

Répondez par oui ou par non aux questions suivantes. Après avoir lu une question, attendez et restez à l'écoute de ce que vous ressentez. Si vous sentez une forte énergie pour le oui, répondez oui; suivez le même principe pour le non. Si vous répondez par l'affirmative à l'une de ces questions, vous pouvez vous douter fortement que votre merveilleux enfant intérieur du passé a été blessé lorsqu'il était en âge d'aller à l'école. La gravité de la blessure varie d'une personne à l'autre. La vôtre se situe quelque part sur une échelle graduée de 1 à 100. Plus les questions auxquelles vous sentez le besoin de répondre affirmativement sont nombreuses, plus la blessure de votre enfant intérieur d'âge scolaire est importante.

	OUI	NON
1. Vous comparez-vous souvent aux autres pour finir par vous trouver inférieur à eux?	____	____
2. Souhaiteriez-vous avoir plus d'amis des deux sexes?	____	____
3. Vous sentez-vous souvent mal à l'aise en société?	____	____
4. Vous sentez-vous mal à l'aise lorsque vous faites partie d'un groupe?	____	____
Vous sentez-vous plus à votre aise lorsque vous êtes seul?	____	____

	OUI	NON
5. Vous faites-vous souvent dire que vous êtes compétitif à l'extrême? Avez-vous le sentiment que vous devez *absolument* gagner?	____	____
6. Entrez-vous souvent en conflit avec vos collègues de travail?	____	____
Avec les membres de votre famille?	____	____
7. Dans une négociation quelconque, êtes-vous porté soit à céder d'emblée sur tout, soit à insister pour imposer vos propres conditions?	____	____
8. Vous faites-vous une gloire d'être sévère, prosaïque et de suivre la lettre de la loi?	____	____
9. Remettez-vous souvent les choses au lendemain?	____	____
10. Avez-vous du mal à terminer quoi que ce soit?	____	____
11. Croyez-vous que vous devriez pouvoir tout faire sans directives?	____	____
12. Avez-vous très peur de vous tromper?	____	____
Éprouvez-vous une grande humiliation lorsque vous êtes obligé de reconnaître vos erreurs?	____	____
13. Êtes-vous souvent en colère et critique envers les gens?	____	____
14. Vos apprentissages de base sont-ils insuffisants (capacité de lire, capacité de s'exprimer, oralement ou par écrit, en respectant le code grammatical, capacité d'effectuer les opérations mathématiques courantes)?	____	____
15. Passez-vous beaucoup de temps à ruminer obsessionnellement ou à analyser ce que quelqu'un vous a dit?	____	____
16. Vous sentez-vous laid et inférieur?	____	____
Si tel est le cas, vous rabattez-vous sur les vêtements, les objets, l'argent ou le maquillage pour dissimuler ce sentiment?	____	____
17. Mentez-vous souvent à vous-même ou aux autres?	____	____

	OUI	NON
18. Croyez-vous que, quoi que vous fassiez, ce n'est jamais assez bon?	____	____

LA PÉRIODE D'ÂGE SCOLAIRE NORMALE

En entrant à l'école, vous avez quitté votre système familial pour aborder un nouveau stade de socialisation et d'apprentissage. Après avoir tant évalué que consolidé vos capacités en testant la réalité et en constituant votre identité, vous étiez prêt à faire votre entrée dans le monde. L'école allait devenir votre milieu de vie le plus important pendant au moins les douze années suivantes. Le stade de l'âge scolaire a été appelé la «période de latence», expression qui renvoie à l'absence d'énergie sexuelle marquée (l'énergie sexuelle commencera à se manifester à la puberté.)

Durant la période scolaire, le rythme biologique de l'enfant est soumis à l'acquisition d'une nouvelle gamme d'aptitudes nécessaires à la survie. En s'appuyant sur ses premières forces du moi — la confiance et l'espoir, l'autonomie et la volonté, l'initiative et l'intentionnalité — l'enfant doit apprendre tout ce qu'il peut pour se préparer à sa vie d'adulte. Les apprentissages majeurs qu'il doit effectuer ont trait à la socialisation: la coopération, l'interdépendance et le sens d'une saine émulation.

Se préparer au travail de toute une vie exige des compétences scolaires: savoir lire, écrire et compter. Cependant, ces habiletés ne devraient pas être plus importantes que la connaissance, l'estime et la valorisation de soi. En réalité, une bonne conscience de sa valeur personnelle est indispensable à un bon apprentissage.

Le fait de développer nos aptitudes à l'école nous a aidés à entrevoir librement et spontanément notre avenir. L'école nous a permis de *renforcer* notre conscience de soi. Si notre adaptation à ce milieu s'est faite harmonieusement et si nous avons bien appris les différentes matières enseignées, nous en avons recueilli un nouveau sentiment de force intérieure; nous nous sentions *travailleurs* et *compétents*: voilà les forces du moi que nous devions développer à l'école. Car quand on est compétent, on se sent capable de s'appliquer et de se tailler une place dans le monde. L'accomplissement des tâches inhérentes à la période scolaire insuffle donc un pouvoir et un espoir neufs: «Étant donné que je suis capable, je peux être qui je choisis d'être.»

L'âge scolaire devrait être le temps du jeu aussi bien que celui du travail. Le jeu chez les enfants s'avère décisif dans leur développement, car ils apprennent en imitant et en accommodant. L'*accommodement* implique une représentation symbolique; jouer «à la maison», par exemple, ou jouer «à être maman et papa» sont des activités nécessaires au développement mental des enfants. Pour eux, le jeu est une affaire sérieuse.

LA PENSÉE OPÉRATOIRE CONCRÈTE

Vers l'âge de sept ou huit ans, les enfants sont aptes à penser de manière logique, mais ils ont encore une pensée concrète, en quelque sorte. Jusqu'à la puberté, ils sont incapables de penser dans l'abstraction et de concevoir un raisonnement purement formel, étranger au réel. C'est seulement à la puberté qu'ils commencent à idéaliser et à idolâtrer. L'idéalisation exige que l'on raisonne de manière formelle, en faisant abstraction de la réalité.

Les enfants d'âge scolaire sont concrets et logiques. Vous rappelez-vous l'époque où vous avez appris l'hymne national? Vous disiez des mots que vous ne compreniez pas, tout comme lorsque vous avez appris vos premières prières. À ce stade, les enfants sont également égocentriques dans leur façon de penser. Leur égocentrisme s'exprime notamment lorsqu'ils essaient de prendre leurs parents en défaut et qu'ils se croient plus intelligents qu'eux. Cette «vanité cognitive» est au cœur de plusieurs phénomènes intéressants. Les enfants de cet âge croient fréquemment qu'ils ont été adoptés (le fantasme de l'enfant trouvé). S'ils sont plus intelligents que leurs parents, se disent-ils, c'est assurément parce qu'ils ont été engendrés par d'autres gens qu'eux. Les blagues des jeunes écoliers visent souvent la stupidité des adultes. L'histoire de Peter Pan est attrayante pour des enfants de cet âge et cela est en partie attribuable au fait que les personnages de cette fiction n'auront jamais à grandir et à devenir des adultes imbéciles.

Les enfants croient que *les adultes sont pleins de bonté,* et cette croyance révèle un aspect important de leur égocentrisme. Ils se fondent au départ sur ce postulat et s'y accrocheront coûte que coûte par la suite. Je me rappelle ce groupe d'administrateurs d'une école primaire qui m'avaient demandé de les aider. Ils s'étonnaient de voir que toute une classe de sixième année réclamait le retour d'un instituteur qu'ils avaient dû congédier. Le plus étrange dans cette affaire, c'est que les enfants éprouvaient une aversion sans bornes pour l'instituteur en cause. J'ai vu là un exemple du postulat égocentrique propre aux enfants: un professeur est un adulte, donc il ne peut pas être méchant. Cela explique pourquoi l'enfant intérieur blessé d'âge scolaire défendra ses parents, ses professeurs et les personnes qui abusent de lui. Néanmoins, certains enfants sont tellement traumatisés qu'ils en arrivent à comprendre qu'il y a *réellement* quelque chose qui ne va pas chez leurs agresseurs adultes. Mais ils représentent l'exception qui confirme la règle.

À cet âge, votre enfant intérieur était un petit être délicieux, enjoué et charmant qui adorait se retrouver en compagnie de ses amis; il était curieux et impatient d'apprendre.

LE TROUBLE DE LA CROISSANCE

Si ce que je viens d'affirmer est vrai, alors pourquoi un si grand nombre d'enfants détestent-ils l'école, la trouvant monotone, ennuyeuse et contraignante? C'est souvent, entre autres raisons, parce que l'école leur porte atteinte sur le plan spirituel. Dans la plupart des écoles publiques, les enfants sont regroupés uniformément selon leur âge. On tient pour acquis que tous les enfants de dix ans en sont au même stade de maturité. Or, c'est de toute évidence totalement faux. Votre enfant intérieur d'âge scolaire peut avoir été bafoué simplement parce qu'il s'est retrouvé dans la mauvaise classe au mauvais moment. Nos écoles et nos prisons s'avèrent les seuls endroits au monde où *le temps est plus important que la tâche qu'on doit y accomplir.* Si vous et moi partons pour les Bermudes au même moment et que j'y arrive une heure avant vous, vous ne *raterez* pas votre voyage aux Bermudes. Dans nos écoles, si vous n'apprenez pas la géométrie aussi rapidement que les autres enfants de votre âge, vous échouerez en géométrie. D'après moi, la géométrie n'est d'aucune façon nécessaire à la survie — au cours de mon existence, je n'ai pratiquement jamais *«géométrisé»!* Mais l'ennui, c'est que l'enfant intérieur est pénalisé pour son immaturité.

Le système d'évaluation lui-même est très mortifiant et angoissant. Il exerce sur les enfants une pression constante pour qu'ils apprennent leurs leçons par cœur et réussissent. Nettement perfectionniste, il évalue des êtres humains d'une façon blessante pour l'âme. Comme dans tous les systèmes perfectionnistes, *vous ne pouvez jamais être à la hauteur.* Cette incapacité génère la honte toxique, laquelle vous donne le sentiment d'être déficient. Pourtant, si vous êtes vous-même et qu'il n'y a personne d'autre comme vous, à qui vous compare-t-on? En réalité, tous les systèmes perfectionnistes nous comparent au produit des projections mentales de quelqu'un d'autre.

Lorsque les enfants échouent à l'école, ils en conçoivent une grande souffrance; ils se sentent inférieurs et cela les atteint dans leur *être* de façon permanente, comme une blessure toujours ouverte: «Je suis tout croche», «Je suis un mauvais». Si les enfants travaillent bien à l'école, cela aussi crée des problèmes. Tout dans la vie prend la forme d'un «A» potentiel, tout est centré sur la performance.

Notre système scolaire, comme notre système familial, est dysfonctionnel. Il ne nous offre pas un milieu apte à soutenir *ce que nous sommes*. Il ne nous traite pas comme les êtres uniques que nous sommes vraiment. En effet, il n'existe pas deux personnes pareilles; comme Milton Erickson l'a dit: «Il n'y a pas deux personnes qui comprennent la même phrase de la même façon.» À ce stade, votre enfant intérieur était écrasé sous le fardeau de la nécessité à se conformer au système scolaire perfectionniste. Face à cela, soit vous avez perdu l'espoir en vos chances de succès — et vous a été amené à «décrocher» —, soit vous avez été emporté par la transe de la conformité — et on a tué votre âme en cours de route. À ce sujet, Robert Bly, un poète américain très émouvant, parle de la perte de son frère. Dans le poème que j'ai cité au début de ce chapitre, le frère de Bly est son merveilleux enfant spontané — cette partie de lui-même qui veut «porter les cheveux longs et boire de l'eau dans ses mains». C'est la partie de lui-même qu'il a perdue en allant à l'école.

L'école récompense le conformisme et l'apprentissage par cœur plutôt que la créativité et l'unicité.

Plusieurs d'entre nous qui se sont adaptés en devenant des élèves constamment à la poursuite des «A» n'ont jamais développé un vrai sentiment de compétence. J'ai passé une grande partie de ma vie à tenter de guérir ma blessure chronique en faisant des choses et en les menant à bien. Mais quel que soit le nombre de «A» sonnants que je décrochais, cela ne soulageait pas pour autant ma blessure spirituelle: au fond de moi, mon enfant intérieur blessé se sentait toujours aussi seul et insuffisant.

Beaucoup d'entre nous n'ont jamais cultivé leurs aptitudes sociales parce que la poursuite de tous les «A» possibles prenait trop de leur temps. Beaucoup d'entre nous ont eu très peu de plaisir à l'école parce qu'elle était une cocotte-minute d'exigences stressantes. Et tous nous nous sommes retrouvés pris dans un double piège, sachant que souvent la réussite scolaire nous priverait de l'approbation de nos pairs.

Aujourd'hui, les aspects les plus créatifs de ma vie relèvent du jeu et de la curiosité. J'ai du plaisir à écrire ce livre. Ces dernières années, j'ai eu du plaisir à apprendre, à donner des conférences et à concevoir des séries d'émissions pour la télévision. La plus grande partie de ce que je fais actuellement est le résultat d'un *apprentissage fortuit,* motivé simplement par mon besoin ou mon désir de connaître quelque chose. Cette façon d'apprendre est déterminée par l'enthousiasme et fondée sur l'émerveillement. L'apprentissage fortuit, c'est ce à quoi votre enfant doué se consacre naturellement. Vous avez commencé à apprendre de cette manière lorsque, étant un bambin, vous exploriez le monde avec une grande curiosité. Par la suite, vous avez probablement été arrêté au passage, comme la plupart d'entre nous l'ont été. On vous a alors obligé à vous conformer et à apprendre des choses qui vous ennuyaient.

Malheureusement, les grands progrès amenés par la réforme dans le domaine de l'éducation, qui s'est amorcée il y a environ vingt ans et à laquelle j'ai assisté lorsque j'enseignais à l'école secondaire, n'aident pas notre enfant intérieur d'âge scolaire *maintenant.*

Bien qu'il y ait pas mal d'enseignants courageux, créatifs et généreux, il y a aussi beaucoup d'enseignants hargneux et abusifs. Je le sais: j'ai enseigné avec quelques-uns de ceux-là. Ils projetaient leur propre enfant intérieur blessé et furieux sur leurs élèves. L'enfant en vous a peut-être été pris comme victime de cette façon. Auquel cas vous pouviez probablement faire légitimer votre souffrance par d'autres enfants, mais ils n'avaient pas le pouvoir de changer grand-chose.

Parfois, les camarades de classe sont eux-mêmes les agresseurs. Les écoliers sont capables de se montrer cruels. Lisez donc *Sa Majesté des Mouches,* un roman de William Golding!

Récemment, j'ai renoué avec un camarade de classe que je n'avais pas vu depuis quarante ans. Lui et moi avons passé deux merveilleuses journées à discuter de notre cheminement dans la vie et à nous remémorer notre passé commun. Peu à peu, des bribes de son enfance tourmentée me sont revenues. C'était un petit génie à l'école. Il portait des lunettes et n'était pas sportif. Les grands gars de notre école primaire on fait de sa jeune existence une interminable torture. Chacune de ses journées ressemblait à une descente dans l'enfer de la honte. Il allait souvent se cacher dans la sacristie, à l'église, priant Jésus de l'aider à comprendre pourquoi ces garçons le frappaient, le ridiculisaient et lui faisaient tant de peine. Pourquoi? Tout ce qu'il voulait, c'était faire partie du groupe! J'ai pleuré en écoutant son récit. J'avais honte parce que, évidemment, je n'avais été son ami que *dans les moments où il n'y avait personne dans les environs*. L'humiliation infligée par mon groupe de camarades était si forte que je ne voulais risquer d'être associé à lui, de peur que les autres ne s'en prennent à moi. Mon amitié lui était précieuse. Cela était tragique en soi. Je suis heureux de dire qu'il a survécu plutôt brillamment à tout ça, bien que son enfant intérieur en ait gardé de profondes, très profondes cicatrices.

Cette discussion a ravivé mes souvenirs relatifs à bien d'autres victimes ainsi harcelées par des pairs cruels et mortifiants. Les filles qui étaient trop grosses; les enfants qui avaient un drôle de nez; ceux qui souffraient de malformations physiques; les gars qui ne faisaient pas de sport. Les classeurs de mon cabinet de consultation sont remplis d'histoires d'hommes et de femmes qui ont traîné *une honte liée à leur apparence ou à leur culture toute leur vie durant*. Leur merveilleuse «conscience d'être» a été bafouée parce qu'ils étaient issus d'une famille immigrée ou parce qu'ils étaient juifs. Ils se faisaient harceler parce qu'ils bégayaient, parce qu'ils étaient gauches ou pauvrement vêtus. Les enfants eux-mêmes utilisaient la jauge culturelle perfectionniste pour évaluer leur apparence physique.

Aucun écolier n'est vraiment laid, bien que certains aient une apparence ingrate et rébarbative. Les enfants de cet âge sont simplement «rugueux» et inachevés, mais ils n'en méritent pas moins que nous les respections et que nous les *aidions* à développer leurs ressources intérieures.

LE TÉMOIGNAGE

À présent, vous êtes probablement devenu assez habile dans la rédaction de votre histoire personnelle. À ce propos, s'il vous arrive, pendant que vous travaillez un stade donné, de vous rappeler soudainement quelque chose concernant un stade antérieur, c'est magnifique. Notez ce souvenir et partagez-le avec quelqu'un pour le faire reconnaître dans toute sa réalité le plus tôt possible. Au cours de la démarche que vous êtes en train d'accomplir, il arrive souvent que des souvenirs remontent à la surface de temps en temps. En réalité, plus vous serez en relation avec votre enfant intérieur blessé, plus vous entrerez dans cet état de conscience modifié que vous ressentiez durant votre enfance. De ce fait à mesure que vous retrouverez cet état de conscience, vous commencerez à avoir davantage de souvenirs.

À partir de l'âge scolaire, les souvenirs sont habituellement beaucoup plus vifs. Aussi, profitez-en pour écrire maintenant de manière détaillée l'histoire de votre enfant intérieur d'âge scolaire. N'oubliez pas que cette période couvre votre vie depuis l'âge de six ans environ jusqu'au début de la puberté, qui survient généralement aux environs de l'entrée à l'école secondaire. Au moment de la puberté, tout un ensemble de nouvelles facultés mentales plus raffinées commencent à émerger. (Nous en parlerons dans le chapitre suivant.) Vous pourriez prendre vos années d'école l'une après l'autre comme points de repère. Utilisez les rubriques suivantes si elles vous semblent appropriées.

Les figures d'adultes significatives

Les figures d'adultes significatives incluent vos parents, vos instituteurs, le prêtre, le pasteur ou le rabbin qui a veillé à votre instruction religieuse, et des enfants plus âgés que vous. Notez le nom de chacun et parlez de la manière dont il vous a soit nourri soit blessé spirituellement. Les personnes qui vous ont nourri spirituellement étaient vraiment là pour vous et elles vous ont valorisé pour ce que vous étiez. Elles ont stimulé votre conscience du «Je suis». Les personnes qui vous ont blessé spirituellement sont celles qui vous ont mortifié de manière toxique.

Les événements marquants

Notez par écrit les trois événements les plus importants pour chacune des années ayant couvert cette période de votre vie. Par exemple, j'ai écrit ceci:

À six ans:

1. Je suis entré en première année.
2. J'ai fait pipi dans ma culotte et j'ai été humilié devant toute la classe.
3. Papa était à la maison plus souvent qu'auparavant.

À sept ans:

1. Je suis passé en deuxième année.
2. J'ai reçu un magnétophone pour Noël.
3. Papa a perdu notre voiture. Il a eu un accident avec l'auto de grand-papa.

Continuez cette liste jusqu'à l'âge de treize ans environ. Vous avez pu constater qu'à six et sept ans, il ne m'est rien arrivé de particulièrement traumatisant. Incluez tout souvenir agréable ou désagréable qui pourrait surgir.

Les événements traumatisants

Les événements traumatisants, ce sont vos expériences de vie qui ont occasionné vos plus grandes blessures spirituelles. Par exemple, lorsque j'avais neuf ans, mon père s'est séparé physiquement de ma mère pour la première fois, situation qui allait se répéter souvent par la suite. Ces séparations sont devenues de plus en plus longues au fil des ans.

Peut-être avez-vous depuis longtemps gardé en mémoire quelque événement passé qui semble plutôt anodin. Vous ne savez pas très bien pourquoi vous avez encore ce souvenir en tête, mais il a toujours été présent. Cela peut signifier qu'à un certain niveau vous avez perçu que l'événement en question constituait un abus. Par exemple, je me suis toujours rappelé un incident survenu lorsque j'avais cinq ans. Un adolescent du voisinage avait obligé ma sœur, âgée de six ans à l'époque, à toucher son pénis. Tout au fond de moi, je savais (sans réellement le savoir) que j'étais témoin de quelque chose de très mal. Ça ne ressemblait pas au jeu sexuel que j'ai partagé avec les deux filles d'à côté, deux ans plus tard. Nous avions tous trois le même âge et notre jeu était surtout symbolique. C'était une vraie agression sexuelle que ma sœur avait subie. Je comprends maintenant pourquoi je suis hanté par ce souvenir depuis des années.

PARTAGER L'HISTOIRE DE SON ENFANT D'ÂGE SCOLAIRE AVEC UNE PERSONNE RESSOURCE

Lisez votre histoire à un ami, à votre conjoint, à votre personne ressource ou à votre thérapeute. Accordez-vous du temps pour entrer en contact avec les mésaventures dégradantes qui vous sont arrivées durant cette période. Concentrez-vous particulièrement sur le système scolaire lui-même dans ce qu'il a d'abusif sur le plan spirituel. Précisez de quelle manière il vous était impossible d'être vous-même à l'école. *Notez tous les abus dont vous avez été victime de la part de vos professeurs ou de vos camarades de classe.*

ÉPROUVER SES SENTIMENTS

Rassemblez plusieurs photographies de vous remontant au tout début de la période scolaire. Idéalement, il faudrait que vous en trouviez une pour chaque année de cette période; vous possédez peut-être des photos de classe datant de ces années d'école. Associez les photos avec les divers événements que vous avez consignés par écrit, relativement à cette période. Par exemple, j'ai observé sur différentes photos que l'expression de mon visage avait changé. Souvent, des personnes s'aperçoivent qu'à partir d'une certaine époque la tristesse et le chagrin se sont inscrits sur leur visage. Les photographies sont susceptibles de vous aider à entrer en contact avec votre souffrance émotionnelle refoulée. Ou de vous faire remarquer, comme elles l'ont fait remarquer à tant d'autres avant vous, que votre visage est impassible et vide. Cela s'explique par le fait qu'à partir de l'âge de sept ou huit ans, vous avez commencé à développer vos mécanismes de défense les plus complexes; vous avez appris à trouver refuge dans votre tête et à rembarrer vos émotions tant passées que présentes.

ÉCRIRE UN MYTHE OU UN CONTE DE FÉES

Pour travailler à ce niveau d'âge, j'aime bien présenter un nouvel exercice d'écriture très efficace: la rédaction d'un mythe ou d'un conte de fées inspiré de l'enfance personnelle. (Si la rédaction de lettres vous réussit particulièrement bien, je vous encourage à conserver cette formule, qui demeure tout aussi valable. Comme dans les chapitres précédents, écrivez trois lettres: une de vous à votre enfant intérieur d'âge scolaire, une de votre enfant intérieur qui s'adresse à vous, et une à vos parents et à vos professeurs, dans laquelle vous leur faites part des besoins qu'ils n'ont pas comblés chez vous durant la période en question.)

Le mythe ou le conte de fées que vous allez écrire devrait tourner autour d'un ou de plusieurs événements survenus pendant le stade scolaire, ou traiter d'un incident plus ancien qui vous a fortement affecté. L'avantage, avec les mythes ou les contes de fées, c'est qu'ils déjouent votre côté rationnel, le cerveau pensant. Votre histoire peut mettre en scène des animaux (une maman ourse et un papa ours), des dieux ou des rois et des reines.

Il serait bon que votre histoire comporte deux parties. La première partie commencerait par «Il était une fois»; vous y relateriez les événements choisis en décrivant comment vous avez été blessé spirituellement. La deuxième partie commencerait par «Une fois devenu grand»; vous y mettriez l'accent sur les effets néfastes que cette blessure spirituelle a entraînés plus tard dans votre vie.

Ne vous tracassez pas si vous ne trouvez aucun incident traumatisant qui ressorte de façon spectaculaire dans votre vie. Il se peut que, enfant, vous ayez souffert d'anxiété ou de déprime chroniques ou que vous ayez été négligé dès la naissance.

Comme vous pouviez vous en douter, la parabole de l'elfe tendre, qui clôt la première partie, est une adaptation d'un mythe que j'ai écrit à partir de ma propre vie. Voici un autre exemple, écrit cette fois-ci par un homme qui a participé à l'un de mes ateliers.

Le père de cet homme était riche et il avait épousé la mère parce que, au cours d'une virée passée à se soûler et à faire la noce, il lui avait fait un enfant. Le grand-père maternel menaçait, en effet, de traduire le père en justice s'il n'épousait pas la mère. Six mois après le mariage, le père avait dû divorcer de la mère. Il l'avait grassement dédommagée, en retour de quoi elle s'était engagée à quitter la ville.

La mère n'avait que dix-sept ans et elle commençait à être aux prises avec des problèmes de toxicomanie; c'était également une «droguée du sexe». Elle avait confié le soin de s'occuper de son garçon à une femme d'un certain âge vivant à la campagne, qu'elle payait pour ce service. La mère pouvait passer des mois sans aller voir son fils. Finalement, elle s'était mariée, avait déménagé et avait complètement abandonné son fils.

Mon client a connu des sévices physiques, émotionnels et sexuels auprès de la vieille femme censée prendre soin de lui. Après avoir accumulé les échecs scolaires, il s'est enfui de la maison à l'âge de seize ans. À partir de ce moment, sa vie a ressemblé à un mauvais roman-photo: une succession d'emplois médiocres et de relations amoureuses destructives avec les femmes.

Voici l'histoire qu'il a écrite.

Il était une fois un roi très puissant appelé Philippe. Il se maria avec une humble paysanne nommée Rosalinde. Il l'épousa parce qu'une nuit, s'étant enivré, il avait fait l'amour avec elle et il l'avait engrossée.

Parce que ce mariage était une honte pour lui, il obligea tout d'abord Rosalinde à rester cachée. Puis il finit par l'exiler tout à fait sur une île étrange.

L'enfant né de ce mariage honteux fut appelé Philippe, lui aussi. Sa mère, désirant conserver l'amour du roi Philippe, croyait que celui-ci la reprendrait à ses côtés lorsqu'il verrait le jeune prince et saurait qu'elle lui avait donné le nom royal. Aussi rendit-elle visite au roi pour lui montrer son fils.

Le roi Philippe était furieux. Il savait que le jeune prince était de sang royal, mais il haïssait Rosalinde, car sa seule présence ravivait la honte en lui. Le roi décréta que Rosalinde et le petit Philippe devaient être envoyés dans une lointaine contrée, de l'autre côté de l'océan, à des milliers et des milliers de kilomètres. Rosalinde reçut une généreuse somme d'argent et fit le serment de ne jamais révéler au petit Philippe le secret de sa naissance.

Rosalinde haïssait le petit Philippe. À cause de lui, elle ne pouvait pas faire ce qu'elle voulait. Elle avait envie de boire et de faire la fête avec les hommes. Elle tenait le petit Philippe pour responsable de son exil et le déclarait ouvertement. Finalement, elle en arriva à payer une vieille campagnarde pour qu'elle s'en occupe. La vieille femme le battait et lui donnait à peine de quoi manger.

Bien qu'il fût un vrai prince de sang royal, le petit Philippe crut qu'il était le bâtard de cette vieille pauvresse. Les enfants du pays riaient de lui parce qu'il venait à l'école habillé en guenilles. Il échouait à l'école parce qu'il était pris de panique chaque fois qu'il devait répondre aux questions d'un professeur. Ses nombreuses corvées domestiques ne lui laissaient jamais une minute pour étudier.

Une fois devenu grand, il se sauva de la maison. Il n'avait pas d'argent et se mit à chercher du travail mais, comme il avait abandonné l'école très tôt, seul un commerçant accepta de l'engager pour laver les planchers de son magasin. Philippe tomba amoureux d'une femme puis se mit à passer d'une femme à l'autre. Chaque fois qu'il entreprenait une nouvelle relation amoureuse, il se faisait rejeter. Toutes les femmes qu'il choisissait le critiquaient et l'humiliaient.

Après avoir écrit votre histoire, il est très important que vous la lisiez à votre personne ressource. Cette histoire peut vous aider à entrer en relation avec votre sentiment d'avoir été abandonné. Elle peut également vous aider à établir des liens entre les besoins de dépendance négligés durant votre développement et les effets de cette négligence sur votre vie, jusqu'à ce jour.

Nous nous guérissons de notre honte toxique lorsque nous saisissons que nos problèmes d'«adultes enfants» concernent *ce qui nous est arrivé* et non pas *ce que nous sommes vraiment.* Le fait de voir comment nous remettons en scène nos besoins d'enfants inassouvis nous aide à atténuer notre honte toxique. Si vous travaillez avec un partenaire, lisez votre histoire à tour de rôle. Dès que l'un de vous aura lu son récit, l'autre lui fera part de sa réaction affective. Il le serrera dans ses bras et le réconfortera, si le moment s'y prête.

Si vous travaillez en groupe, permettez à chaque membre de lire son récit devant tout le monde. Quand une personne aura fini sa lecture, demandez-lui de fermer les yeux pendant que les autres membres du groupe lui exprimeront sincèrement leurs réactions émotionnelles.

LES RÔLES DANS UN SYSTÈME FAMILIAL DYSFONCTIONNEL

Réfléchissez à tous les nouveaux rôles que vous avez pu endosser pendant vos années scolaires et refaites la même démarche qu'au chapitre 6, expliquée aux pages 183 et 184. Je vous suggère de prêter une attention particulière aux rôles définis par de quelconques liens transgénérationnels, car ils vous ont privé de modèles sains en matière de rôles sexuels. Les rôles qui se présentent le plus souvent durant cette période sont: le Petit Homme de maman, l'Époux Substitut de maman, la Complice de maman (la Meilleure Amie), la Mère de maman, la Petite Princesse de papa (la Poupée Chérie), l'Épouse Substitut de papa, le Meilleur Copain de papa, le Père de papa. Il faut bien se rendre compte que les rôles d'Époux Substitut et de Parent d'un parent ne se limitent pas aux liens entre sexes opposés. Une fille peut devenir l'Époux Substitut de maman; un garçon peut devenir l'Épouse Substitut de papa. Dans tous les cas, *c'est l'enfant qui prend soin du parent*; on assiste à un renversement de l'ordre naturel des choses.

Attachez-vous aux *conséquences néfastes que ces rôles ont eues sur votre vie.* Je pense à Maxime, par exemple, qui avait six ans lorsque son père alcoolique a abandonné femme et enfants. Sa mère, âgée de vingt-six ans à l'époque, était démunie, se retrouvant seule avec deux autres enfants. Maxime, qui était le deuxième de la famille et le plus vieux des garçons, a occupé tous les emplois imaginables qu'il a pu trouver dès l'âge de sept ans. Il a été d'une aide inestimable pour sa mère. Il pouvait s'asseoir avec elle des heures durant, la consolant tandis qu'elle pleurait sur sa vie. Il la considérait comme une sainte et trouvait qu'il n'en faisait jamais assez pour elle. Maxime n'avait pas remarqué (aucun enfant ne l'aurait pu) que dès l'instant où c'était *lui* qui pleurait, sa mère l'humiliait ou faisait obstacle à ses émotions en le distrayant. Elle lui disait qu'il avait un merveilleux grand-père et elle soulignait à quel point il était chanceux de vivre dans une maison pleine de bonnes choses à manger. Les enfants, lui disait-elle, mouraient de faim en Amérique latine!

À vingt et un ans, Maxime est entré dans un ordre de bouddhistes zen et s'est fait moine célibataire. Sa mère était fière de lui et elle lui rendait souvent visite. Au bout de quelques années, Maxime a quitté le monastère et s'est mis à avoir des relations amoureuses à la chaîne avec des femmes. Il trouvait toujours une femme démunie auprès de qui il pouvait jouer le rôle de sauveur. À quarante-cinq ans, il a épousé une jeune femme de vingt-six ans, abandonnée et seule avec ses trois enfants. Ce mariage, un vrai désastre, n'a été qu'un tourbillon de conflits et de fuites. Maxime détestait les enfants de sa femme. Très tôt, il a pris une maîtresse, ce qui allait le conduire à un *acting out* sexuel effréné pendant dix ans. Sa femme a fini par demander le divorce.

L'histoire de Maxime est l'histoire typique des fils ayant joué le rôle de l'Époux Substitut. Ils se tournent fréquemment vers la religion ou la spiritualité et se vouent au célibat. De cette manière, ils restent fidèles à Maman. Il arrive aussi qu'ils soient incapables de s'engager envers *une seule* femme. Comme ils sont déjà engagés avec leur mère, le fait de s'attacher à une autre femme équivaudrait pour eux à commettre un adultère affectif. On surnomme ces hommes les «Cœurs volants», car ils s'envolent loin de tout engagement. On parle aussi d'hommes souffrant du complexe de Peter Pan, car ils ne grandissent jamais (ils ne quittent jamais vraiment leur mère).

Maxime est venu me voir, hargneux et seul, à l'âge de cinquante et un ans. Son rôle d'Époux Substitut lui avait coûté très cher. Il se sentait important uniquement quand il s'occupait d'une femme démunie comme sa mère l'avait été. Au fond de lui, il ne s'était jamais senti en relation avec qui que ce soit. De fait, il n'avait jamais été aimé pour lui-même. Son moi authentique (son enfant intérieur blessé à l'âge préscolaire) n'avait jamais été reconnu.

Au chapitre 12, je présenterai des exercices correctifs qui vous aideront à vous défaire de ces rôles enchevêtrés.

LES AFFIRMATIONS

Voici les affirmations destinées à votre enfant intérieur d'âge scolaire:

Petit______, tu peux être qui tu es à l'école. Tu peux te tenir debout et je t'appuierai.
C'est bien que tu apprennes à faire les choses à ta manière.
C'est bien que tu aies toutes sortes d'idées, que tu y réfléchisses et que tu les expérimentes avant de les faire tiennes.
Tu peux te fier à ton propre jugement; tu dois seulement assumer les conséquences de tes choix.
Tu peux faire les choses à ta façon et tu as parfaitement le droit de ne pas être d'accord.
Je t'aime tel que tu es, petit______.
Tu peux te fier à tes sentiments. Si tu as peur, dis-le-moi.
C'est normal que tu aies peur parfois. Nous pouvons en parler.
Tu peux choisir tes propres amis.
Tu peux t'habiller comme les autres enfants ou bien à ta manière à toi.
Tu mérites d'avoir ce que tu veux.
Je suis entièrement disposé à rester avec toi, quoi qu'il arrive.
Je t'aime, petit______.

MÉDITATION POUR L'ENFANT D'ÂGE SCOLAIRE

Ajoutez le texte suivant à l'introduction générale. Ménagez une pause de vingt secondes aux points de suspension.

À quoi ressemblait la maison familiale quand vous avez commencé à aller à l'école?... Vous souvenez-vous de votre tout premier jour d'école?... Vous rappelez-vous le premier jour

de classe, lorsque vous étiez en première année, en deuxième ou dans n'importe quelle autre classe?... Aviez-vous une boîte à lunch?... Un sac d'école?... Comment vous étiez-vous rendu à l'école?... Aviez-vous peur d'y aller?... Y avait-il des voyous qui vous effrayaient?... Qui était votre instituteur préféré?... Était-ce un homme ou une femme qui vous faisait la classe?... Imaginez la cour d'école... Voyez votre moi d'écolier dans la cour... Que fait-il?... Comment est-il habillé?... Allez à sa rencontre et imaginez que vous pouvez vous mettre dans sa peau... Vous êtes maintenant un jeune écolier qui regarde votre moi de grande personne... Vous vous voyez sous les traits d'un magicien doux et sage... Écoutez la voix de votre grand moi... Écoutez la voix de votre moi d'adulte vous dire des choses chaleureuses et affectueuses...

Si vous faites l'exercice seul: *Enregistrez* les affirmations destinées à l'enfant intérieur blessé à l'âge scolaire.

Si vous faites l'exercice avec un partenaire: *Dites* les affirmations à votre partenaire.

Si vous faites l'exercice avec un groupe: Arrêtez-vous ici et procédez à un ancrage.

Que vous fassiez l'exercice seul ou avec un partenaire: Après avoir dit les affirmations, terminez la méditation avec les deux textes ci-dessous.

Permettez-vous d'éprouver quelque sentiment que ce soit. Dites au revoir à votre bon magicien et serrez-le dans vos bras si vous en avez envie... Réintégrez lentement votre moi d'adulte... Dites à votre enfant intérieur d'âge scolaire que désormais vous serez là pour lui... Dites-lui qu'il peut compter sur vous...

Pour les groupes: Si vous faites l'exercice en groupe, ajoutez le texte suivant après avoir procédé à votre ancrage. Cette conclusion est destinée à tous — que l'on travaille seul, avec un partenaire ou avec un groupe. Ménagez une pause de dix secondes aux points de suspension.

Commencez à remonter le temps... Voyez votre école secondaire... De quelle couleur est-elle?... Voyez vos meilleurs camarades à l'école secondaire... Écoutez la chanson que vous préfé-

riez à l'adolescence... Remontez le temps jusqu'au début de votre vie d'adulte... Voyez la maison où vous habitez aujourd'hui... Voyez votre chambre... Soyez présent au lieu où vous êtes actuellement... Remuez les orteils... Sentez l'énergie qui circule de nouveau dans vos jambes... Prenez une profonde inspiration... Expirez bruyamment... Remuez les doigts... Sentez que vous êtes pleinement présent, que vous avez complètement réintégré votre esprit et votre corps... Ouvrez les yeux...

Si vous avez fait l'exercice seul, réfléchissez à cette expérience. Écrivez comment vous vous sentez. Si vous avez fait l'exercice avec un partenaire, partagez ensemble l'expérience que vous venez de vivre. Si vous avez fait l'exercice en groupe, à tour de rôle, dites comment cela s'est passé pour vous.

Vous avez retrouvé votre enfant d'âge scolaire! Vous pouvez enfin prendre soin de lui! Voici l'image que je me fais de mon petit écolier retrouvé.

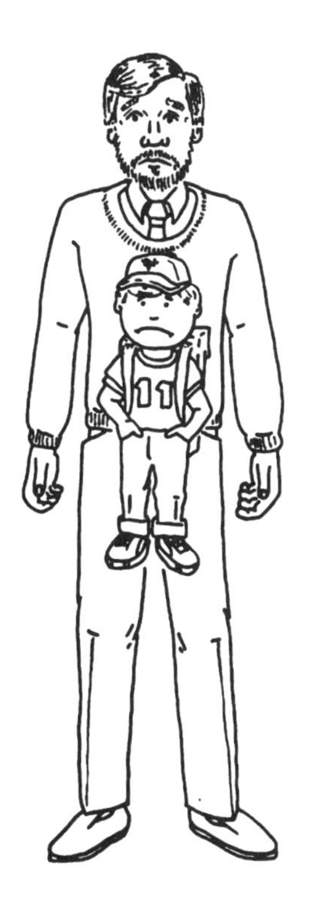

CHAPITRE 8

La réunification de soi: une nouvelle adolescence

C'est moi que je fais: je suis venu pour ça.

GERARD MANLEY HOPKINS

Je m'éveille et je me retrouve dans les bois, loin du château.
Le train se précipite à travers la Louisiane déserte, dans la nuit [...]
Quand je regarde en arrière, il y a un angle mort dans la voiture.
C'est un peu de mon père que je ne vois toujours pas.
Je ne peux me souvenir des années de mon enfance.
Il y a des parties de moi que je suis maintenant incapable de retrouver.[...]
Ce qui reste de moi à présent suffit-il pour être honnête?[...]
Combien suis-je attiré vers mes parents! Je marche de long
en large, regardant en direction du vieux débarcadère.
Les crapauds nocturnes coassent pour la planète qui tourne.

ROBERT BLY
Night Frogs

L'adolescence
(La régénération)

Je suis mon moi unique

Âge:	de 13 à 26 ans
Polarité du développement:	l'identité versus la confusion des rôles
Force du moi:	la fidélité
Pouvoir:	le pouvoir de se régénérer
Enjeu relationnel:	l'indépendance à l'égard de la famille

INVENTAIRE DES SIGNES SUSPECTS

Répondez par oui ou par non aux questions suivantes. Après avoir lu une question, attendez et restez à l'écoute de ce que vous ressentez. Si vous sentez une forte énergie pour le oui, répondez oui; suivez le même principe pour le non. Si vous répondez par l'affirmative à l'une de ces questions, vous pouvez vous douter fortement que votre merveilleux adolescent intérieur du passé a été blessé. La gravité de la blessure varie d'une personne à l'autre. La vôtre se situe quelque part sur une échelle allant de 1 à 100. Plus les questions auxquelles vous *ressentez* le besoin de répondre affirmativement sont nombreuses, plus votre «moi» d'adolescent a été blessé.

	OUI	NON
1. Éprouvez-vous encore des difficultés face à l'autorité parentale?	____	____
2. Avez-vous encore besoin d'expérimenter différents emplois, n'ayant jamais le sentiment de trouver votre place?	____	____
3. Vous sentez-vous embrouillé en ce qui a trait à votre identité — ignorez-vous qui vous êtes vraiment?	____	____
4. Vous en remettez-vous à un groupe ou à une cause?	____	____
5. Vous percevez-vous comme quelqu'un de déloyal?	____	____

		OUI	NON
6.	Vous sentez-vous supérieur aux autres parce que votre façon de vivre est originale et non conformiste?	____	____
7.	Croyez-vous que vous ne pourrez jamais obtenir un poste clé par vous-même?	____	____
8.	Êtez-vous dépourvu de vrais amis du même sexe que vous?	____	____
9.	Êtes-vous dépourvu d'amis du sexe opposé?	____	____
10.	Êtes-vous un rêveur, préférant lire des romans d'amour et de science-fiction plutôt que de passer à l'action dans votre vie?	____	____
11.	Quelqu'un vous a-t-il déjà dit que vous manquiez de maturité?	____	____
12.	Êtes-vous une personne stricte et conformiste?	____	____
13.	Évitez-vous de mettre en question les croyances religieuses que vous avez depuis votre jeunesse?	____	____
14.	Modelez-vous votre conduite sur celle d'un genre de gourou ou de héros?	____	____
15.	Parlez-vous abondamment des choses formidables que vous allez faire, sans jamais les entreprendre vraiment?	____	____
16.	Croyez-vous sincèrement que personne d'autre que vous n'a jamais affronté ce que vous avez affronté ou que personne ne peut vraiment comprendre votre souffrance unique?	____	____

Le moment de la puberté marque la fin de notre enfance et le commencement de notre première période de renouvellement. Comme je l'ai mentionné précédemment, dans son livre intitulé *Cycles of Power* (Les cycles du pouvoir), Pam Levin émet l'hypothèse que notre évolution est cyclique. La vie, selon elle, est un processus impliquant la récurrence de certains thèmes et schémas de comportement. Chaque étape de «recyclage» se construit sur l'étape précédente; elle nous incite à affiner nos facultés d'adaptation et s'avère un moment de crise. Chaque crise nous fait connaître une plus grande vulnérabilité et nous amène à accroître nos potentialités. Pour peu que nous relevions le défi décisif relatif à chaque crise, nous profiterons d'une régénération au cours de laquelle notre passé sera *réformé*.

L'ADOLESCENCE NORMALE

Le succès que l'on obtient en accomplissant les tâches décisives de l'adolescence dépend des forces du moi développées durant l'enfance. Mais la tâche majeure de l'adolescence, l'établissement d'une *identité consciente,* est, comme Erik Erikson l'a souligné, «plus que la somme des... morceaux d'identité de l'enfance». L'identité de l'adolescent est une *identité réformée.* Pour accomplir cette réforme, nous devons compléter nos acquis — nos talents innés ainsi que les forces du moi et les aptitudes que nous avons cultivées antérieurement — en saisissant les occasions que nous offrent les rôles sociaux de notre culture. Dans *Enfance et société,* Erikson définit cette nouvelle identité du moi comme ceci:

> Le sentiment d'identité du moi est accru par la confiance que l'on acquiert qu'à son identité et à sa continuité intérieure *(ce que j'appelle votre conscience du «Je suis»)* correspond dans l'esprit des autres la même identité et la même continuité. C'est ce que met en évidence la promesse tangible d'une «carrière».

Selon moi, cela veut dire que le sentiment du «Je suis» de votre enfant intérieur devra alors être confirmé de deux manières: par la découverte de votre reflet dans le regard d'une personne importante pour vous, à l'intérieur d'une relation amoureuse (l'intimité), d'une part, et par l'exercice d'une carrière significative à vos yeux qui accroîtra votre *conscience d'exister,* d'autre part. Car les deux piliers de l'identité adulte, ce sont les deux fameux éléments que Freud considérait comme des signes de maturité: *l'amour* et *le travail.*

Un enfant intérieur blessé peut déployer une force de contamination dévastatrice durant l'adolescence. Même la personne portant en elle un enfant intérieur sain devra «livrer encore maintes batailles des premières années». Pour la personne *normale,* l'adolescence est une des périodes les plus orageuses du cycle de la vie.

L'ambivalence

Dans son roman intitulé *L'attrape-cœur,* J. D. Salinger a magistralement évoqué l'ambivalence de l'adolescent. Son personnage principal, Holden Caulfield, a seize ans et il veut être un adulte. Dans ses fantasmes, il se soûle, séduit les femmes et se comporte comme un gangster. En même temps, il est terrifié par la vie d'adulte et s'imagine qu'il est le protecteur de sa jeune sœur, Phœbe, et de ses amis préadolescents. En restant avec des enfants plus jeunes que lui (et en les protégeant), il peut ainsi éviter d'affronter l'univers des adultes. La moitié de la chevelure de Holden est grise. Il vit entre deux mondes, entre l'enfance et l'âge adulte. L'ambivalence réside dans le mouvement de va-et-vient entre ces deux mondes.

L'ambivalence renvoie également aux bouleversements émotionnels et aux brusques sautes d'humeur qui font partie de l'adolescence.

Selon Anna Freud, il est normal qu'un jour l'adolescent abhorre la présence de ses parents et que le lendemain il désire parler avec eux à cœur ouvert.

La mise à distance des parents

La mise à distance des parents est une facette normale de l'adolescence. Afin d'en arriver à quitter le nid familial, l'adolescent doit se faire une image moins attrayante de ses parents. Theodore Lidz, un psychologue de l'université de Yale, a mis en évidence le fait que «le conflit des générations est inhérent à la vie en société». Huit cents ans avant Jésus-Christ, le poète Hésiode s'inquiétait terriblement au sujet de la jeunesse de son époque. Il se demandait ce qu'allait devenir la génération suivante. Hier, au supermarché, j'ai entendu une dame se poser la même question!

Les adolescents effectuent leur distanciation par le biais de leur groupe de pairs — que j'aime bien désigner par l'expression *groupe de pairs parent,* étant donné qu'il devient un nouveau parent. Le groupe de pairs parent est très strict et réglementé. Par exemple, de mon temps, la «houppe de canard» faisait partie de la coiffure officielle. Dans mon groupe, nous portions tous des pantalons sur mesure garnis de surpiqûres et de poches pistolets. Nous considérions les adolescents dont les vêtements différaient des nôtres comme «vieux jeu» et nous nous amusions à leurs dépens!

L'occupation

Plusieurs recherches ont démontré que la carrière est le sujet d'inquiétude numéro un des adolescents: Quel genre de travail vais-je faire? Dans quoi vais-je investir mon énergie? Comment vais-je subvenir à mes besoins? Qui vais-je être une fois devenu adulte?

C'est notre énergie vitale qui nous pousse tous à envisager le genre de travail que nous accomplirons au cours de notre vie. Cependant, les possibilités de choix diffèrent d'une culture à l'autre et d'une génération à l'autre. Autrefois, les perspectives de carrière étaient extrêmement limitées et plutôt déterminées à l'avance. La vie était alors plus simple.

La solitude

L'adolescence a toujours été une période de solitude. Quel que soit le nombre de copains qu'il a dans son groupe de pairs, le jeune sent un vide à l'intérieur de lui-même. Il ne sait pas encore qui il est, pas plus qu'il ne sait avec certitude vers quoi il se dirige. À cause de l'émergence de sa toute nouvelle faculté de penser abstraitement, il voit l'avenir (une hypothèse) comme un problème *pour la première fois de sa vie.* Lorsqu'il envisage son avenir, il ressent une sorte de manque. Si son enfant intérieur est blessé, cette sensation est d'autant plus intense.

La structure cognitive nouvellement installée chez l'adolescent lui permet également de se poser des questions sur lui-même (le début de la conscience de soi). L'adolescent est même en mesure de réfléchir à la pensée. C'est pourquoi il peut se demander: «Qui suis-je?» Il devient peu à peu douloureusement conscient de lui-même. Sa conscience de soi est aiguisée en raison de l'apparition des caractéristiques sexuelles secondaires. Les sensations en rapport avec la sexualité qu'il commence à éprouver sont puissantes; les changements qui s'opèrent dans son corps le rendent disgracieux: il se sent embarrassé et étrange.

L'identité du moi

J'ai mentionné précédemment comment Erikson définit l'identité du moi. Les questions du type «Qui suis-je?» et «Où vais-je?» sont le résultat des nouvelles facultés mentales de l'adolescent.

L'exploration sexuelle

Avec l'apparition des caractéristiques sexuelles secondaires, une nouvelle et puissante énergie afflue. Cette énergie est l'étincelle qui favorise l'expansion de la vie. «La vie se languit d'elle-même», a remarqué Nietzsche. La sexualité génitale est une force qui assure la préservation de l'espèce. Sans la pulsion sexuelle, toutes les espèces s'éteindraient en moins de cent ans.

Les adolescents se mettent naturellement à explorer leur sexualité. Mais la première masturbation génitale accélère le processus. Les mises en garde concernant la cécité, les verrues sur les mains et même la chute éventuelle du pénis perdent toute importance comparées à l'agréable sensation éprouvée. Qui a besoin de voir, de toute façon — on peut très bien faire cela dans l'obscurité! D'autres formes d'exploration suivent habituellement: la masturbation mutuelle, les caresses entre jeunes de sexe opposé et, finalement, la relation sexuelle proprement dite.

L'exploration des organes génitaux est indispensable à l'établissement d'une saine identité. Le sexe définit qui nous sommes et non pas ce que nous avons. La première chose que l'on remarque chez quelqu'un, c'est son sexe.

La conceptualisation

Durant la puberté, on assiste à l'émergence de la pensée opératoire abstraite, qui éloigne l'adolescent de la pensée concrète et littérale de l'enfant d'âge scolaire. L'adolescent devient alors capable de concevoir des raisonnements purement formels, étrangers au réel — chose qu'un préadolescent ne saurait faire. Les réflexions à propos de l'avenir, par exemple, requièrent la faculté de concevoir un raisonnement étranger au réel ou en contradiction avec les faits. «Qui suis-je et vers quoi suis-je en train de me diriger?» «Quelles sont mes possibilités?» Durant l'adolescence, le fait de réfléchir à son identité équivaut à réfléchir à ses possibilités. «Supposons que je devienne médecin... avocat... prêtre...», et ainsi de suite. Chacune de ces suppositions implique la création d'une hypothèse qui ne s'en tient pas uniquement aux faits.

L'idéalisation constitue une autre manifestation de cette nouvelle structure cognitive. Les adolescents sont des rêveurs; en rêvant et en idéalisant, ils se créent des modèles qui les motivent. Ils s'attachent aussi à des idoles; les vedettes de cinéma ou les stars du rock leur sont plus familiers, mais un jeune est aussi susceptible de choisir comme idole un politicien ou un intellectuel qui le motivera dans le choix et la préparation de sa propre carrière. En outre, les adolescents sont religieux de nature. C'est la raison pour laquelle l'adolescence s'avère l'époque des plus grandes ardeurs religieuses, le moment où l'idole spirituelle devient souvent le principal sujet d'obsession.

L'idéalisation ou l'idolâtrie à laquelle se livre l'adolescent peut également être dirigée vers un culte ou une cause quelconques. Les disciples de Hare Krishna, les Gardes rouges chinois, les jeunes Allemands autrefois mobilisés par Hitler, comptent parmi les exemples témoignant de la manière dont les adolescents peuvent être motivés à épouser une cause, qu'elle soit positive ou négative. L'engagement envers une cause est à la base d'une force du moi que Erikson appelle la «fidélité», et qui constitue une force importante chez l'adulte.

La pensée égocentrique

L'égocentrisme de l'adolescent diffère de celui des stades précédents car l'adolescent est tout à fait capable de saisir le point de vue d'autrui. Son égocentrisme réside en ce qu'il croit que ses parents sont aussi obsédés par sa personne qu'il l'est lui-même. Les adolescents sont paranoïdes de nature; avec eux, un simple regard indifférent peut être interprété comme un jugement négatif, comme une évaluation acerbe. Prenons comme exemple le scénario courant que voici. La jeune Violette vient d'être dédaignée par un garçon qu'elle idolâtre. Elle arrive à la maison à la fois déprimée et en proie à un vif sentiment de rejet. Sa mère lui lance un «Bonjour, ma chérie! Comment ça va?» Violette se rue vers sa chambre en lui hurlant: «Tu ne pourras donc jamais me laisser tranquille, non!» David Elkind a inventé deux expressions pour caractériser la nature égocentrique de la pensée adolescente: «l'auditoire imaginaire» et «la fable personnelle», deux processus relevant de la grandiosité. Violette croit que sa mère a vraiment vu la scène de rejet et qu'elle a été témoin de l'humiliation qu'on lui a fait subir plus tôt. Du fait que l'adolescent a une conscience de soi très aiguë, il pense (et le croit): «Tout le monde me regarde.» S'il a fondamentalement honte de lui-même, sa conscience de soi s'en trouve douloureusement accrue.

La fable personnelle de l'adolescent réside dans la croyance que sa vie est *absolument unique*. Son monologue intérieur commence à peu près comme ceci: «Personne n'a jamais souffert comme je souffre», et se poursuit ainsi: «Personne ne peut me comprendre», «Personne ne m'aime» et «Personne n'a jamais eu à supporter des parents comme les miens». Vous rappelez-vous Tom Sawyer et son fantasme sur le thème de la mort? Tom voit sa tante et d'autres adultes agglutinés autour de son lit de mort. Tous pleurent à en remplir des seaux de larmes. Ils comprennent alors quel être unique et extraordinaire il était. La fable personnelle prend habituellement fin au moment où s'établit une vraie relation d'intimité. Le partage auquel la relation intime donne lieu aide réellement les individus à constater combien leur expérience est ou était *ordinaire*.

Le narcissisme

Les adolescents sont narcissiques. Obsédés par leur propre image, ils peuvent passer des heures à se regarder dans une glace. Cela est dû non seulement à leur profonde conscience de soi, mais également à la récurrence de leurs tout premiers besoins narcissiques.

La frénésie de la communication

Dans *L'attrape-cœur,* Holden a toujours un coup de fil à donner: il a un besoin dévorant de parler. La conscience de soi et la solitude inhérentes à ce stade de développement poussent en effet les adolescents à vouloir communiquer. Leurs interminables conversations avec des amis leur procurent un moyen de se sentir désirés et reliés à quelqu'un. Je me rappelle très nettement certaines balades en auto avec ma sœur, à la période où elle était adolescente. Elle se mettait à appeler frénétiquement ses copains et copines lorsque nous passions près d'eux.

L'expérimentation

Les adolescents font des tas d'expériences avec les idées, les styles, les rôles et les comportements. Souvent, leur expérimentation est fondée sur une opposition au genre de vie ou aux valeurs de leurs parents. Si maman est convaincue que «la Propreté est voisine de la Piété», sa fille adolescente pourra assurer sa propre identité en devenant une hippie aux cheveux longs, quelque peu allergique aux bains et aimant marcher pieds nus. Si papa est un bourreau du travail perfectionniste, son fils pourra assurer sa propre identité en «décrochant» de l'école. Si les parents sont athées, leurs enfants adolescents pourront se bâtir une identité en devenant très religieux, ou vice versa.

L'expérimentation constitue un moyen d'élargir ses horizons, d'essayer d'autres manières de se comporter avant de définir clairement son identité. Au bout du compte, l'adolescence est une période au cours de laquelle on intègre et l'on réforme tous les stades infantiles précédents, faisant la synthèse de toutes les forces du moi. De cette réforme commence à émerger une nouvelle identité.

LE TROUBLE DE LA CROISSANCE

Au mieux, l'adolescence est la période la plus orageuse des cycles de la vie. Ce qui est normal au cours de l'adolescence serait considéré comme éminemment névrotique à tout autre moment, a avancé Anna Freud. Si tel est le cas quand tous les stades précédents ont été sainement résolus, imaginez les problèmes occasionnés par un enfant intérieur sérieusement blessé. Plusieurs d'entre nous n'avons même pas besoin d'imaginer ces problèmes: nous les avons vécus.

Dans mon cas, l'ambivalence s'est transformée en comportement maniaco-dépressif. Un *acting out* déréglé et confus débouchait sur des moments de grave dépression. Je me distanciais en recherchant la compagnie de plusieurs gars issus de foyers désunis avec qui je faisais des virées ici et là. Nous nous révoltions contre notre stricte éducation catholique en buvant et en menant une vie de débauche. Ma prédisposition innée à l'alcoolisme est immédiatement entrée en jeu. Dès l'âge de treize ans, je souffrais de pertes de mémoire provoquées par l'alcool et je m'attirais des ennuis.

Erikson a souligné le danger que représente la diffusion des rôles durant l'adolescence. En expérimentant un trop grand nombre de rôles, l'adolescent s'éloigne du contexte qui lui permettrait de faire la synthèse des forces de son moi. Pour ma part, je me sentais terriblement mêlé et terriblement seul. Mon père étant absent, je ne pouvais ni me révolter contre lui ni modeler mon comportement sur le sien afin d'apprendre mon rôle. J'ai en définitive choisi des antihéros comme modèles; c'est précisément cette dynamique qui sous-tend ce qu'on a appelé l'«identité négative». J'ignorais qui j'étais, par conséquent je m'identifiais à ce que je n'étais pas. J'étais différent, pas semblable à tous ces «vieux jeu» qui peuplaient la société. Avec mes copains, je riais et me moquais de tous ceux qui n'étaient pas comme nous — autrement dit, à peu près tout le monde! Les gens ayant une identité négative «décrochent» et restent en marge de la vie, ils se moquent de tous les autres.

En réalité, la vie me terrifiait (la même terreur était présente chez toutes les personnes à l'identité négative que j'ai connues et avec qui j'ai travaillé en thérapie.) Les forces de mon moi étant diminuées, voire inexistantes, je n'avais aucun moyen *de rentrer en possession de moi-même*. Je trouvais dans l'ivresse le moyen de me sentir grand et fort. Mon sentiment de vide intérieur me poussait à modifier mes états d'âme de toutes les manières possibles.

C'est au cours de l'adolescence que nous commençons à transposer notre première souffrance et nos besoins infantiles frustrés. La violence du jeune délinquant témoigne de la rage aveugle de son enfant intérieur seul et meurtri. La criminalité n'est qu'un moyen de se réapproprier par le vol ce qu'on a perdu durant l'enfance. De plus, en s'adonnant aux drogues, on engourdit la douloureuse solitude que l'on a ressentie en grandissant dans une famille dysfonctionnelle.

Les adolescents mettent souvent en actes les secrets bien gardés de leur famille. Il est tout à fait normal que l'*acting out* sexuel ait lieu durant cette période où l'énergie sexuelle se manifeste. Si la mère a honte de sa sexualité et qu'elle la refoule sévèrement, cela pourrait bien se traduire chez la fille par une tendance précoce à rechercher la promiscuité sexuelle. Les liaisons secrètes du père pourraient être mises en actes par son fils adolescent. Les difficultés qu'éprouvent les parents à instaurer entre eux une relation d'intimité, avec toute la solitude et la colère que cette dysfonction véhicule, pourraient se manifester par des échecs scolaires chez leurs adolescents.

L'adolescent est souvent le bouc émissaire de la famille. Il devient «le patient désigné», mais en réalité il est le messager de la famille. À l'époque où je dirigeais un programme visant à lutter contre l'abus de drogues, je n'ai jamais trouvé un seul adolescent toxicomane dont les parents formaient un couple sain; ces derniers étaient porteurs d'une maladie transmise de génération en génération. Leur mariage était une union d'adultes enfants et leurs adolescents tentaient de les amener en thérapie. Lorsque les jeunes font de l'*acting out,* on peut habituellement établir un rapport direct entre ce comportement et leur famille dysfonctionnelle.

Enfin, il y a également la question des besoins de dépendance négligés au cours du développement. L'adolescence est le moment où l'on commence à sceller son identité personnelle. Les enfants de familles dysfonctionnelles, quant à eux, sont incapables de sceller leur identité, car ils n'ont aucun sentiment du «Je suis» lorsqu'ils arrivent à l'adolescence.

Ma famille était sérieusement enchevêtrée; cela était dû à l'alcoolisme de mon père et au fait qu'il nous avait abandonnés. Notre enchevêtrement ressemblait à ceci:

LA FAMILLE ENCHEVÊTRÉE

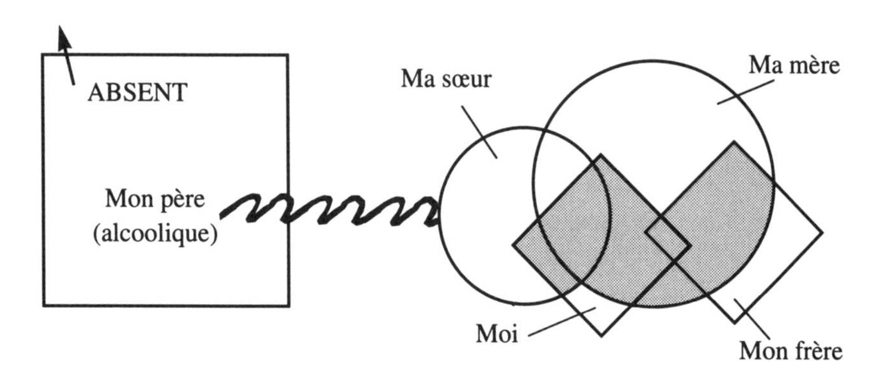

Comme vous pouvez le constater, personne parmi nous n'avait un moi complètement distinct. Chacun de nous était essentiellement une partie des autres. Quand l'un d'entre nous éprouvait quelque chose, les autres l'éprouvaient aussi. Si maman était triste, tout le monde se sentait triste. Si elle était fâchée, nous ressentions tous sa colère et tentions d'y mettre fin. J'avais très peu d'assises pour bâtir mon identité.

À mesure que la diffusion de rôle s'intensifie, l'isolement et le vide intérieur s'accroissent. *Le rôle le plus significatif que l'on a joué jusque-là dans son système familial devient le moyen privilégié de se donner une identité.* À l'âge de vingt et un ans, j'étais plongé dans la confusion la plus totale. Ma sexualité me terrifiait. Je me sentais vide et je ressentais une grande insécurité. J'étais effrayé et furieux, accablé par la perspective d'une carrière. Je me souviens que je marchais dans le centre-ville en me demandant comment tous les hommes que je voyais là s'y étaient pris pour obtenir un emploi, une voiture, une maison, et ainsi de suite. Comme j'étais pétri de honte jusqu'à la moelle, j'avais l'impression que jamais je ne pourrais me tirer d'affaire. Aussi me suis-je rabattu sur les rôles que mon système familial m'avait assignés.

J'ai donc continué de tenir mon rôle de Vedette. J'étais le président des classes supérieures, le rédacteur en chef du journal de l'école et je récoltais les plus grands succès scolaires. Je menais tout cela de front, en plus de mon alcoolisme et de mon adhésion au groupe de «gars sans père». Cependant, mon rôle principal était celui du Protecteur, car il me permettait de me sentir vraiment important. Après que mon père eut déserté le foyer, je suis devenu le Petit Homme de la maison. J'étais également le Petit Parent de mon frère. En prenant soin des autres, en les protégeant, j'avais l'impression de compter à leurs yeux. J'ai donc résolu les problèmes d'identité de mon adolescence en me faisant prêtre — ce qui impliquait le célibat. Le simple fait de revêtir la soutane noire et le collet romain m'a procuré immédiatement une identité. Soudain, j'étais le «Frère» John, *le protecteur des âmes*. C'était le plus noble travail qu'on puisse faire — l'œuvre de Dieu. Le célibat, c'était le prix que je devais payer pour exercer cette fonction.

En choisissant de devenir prêtre, j'accomplissais quelque chose que ma famille, ma religion et mes professeurs (des religieux eux-mêmes) louaient. C'était là un noble sacrifice, un signe de générosité et de bonté. Soit dit en passant, c'est ainsi que j'ai résolu mes angoisses à propos de la carrière et que j'ai préservé les rôles de mon système familial. J'étais la Vedette aussi bien que le Protecteur et, en épousant la Sainte Mère l'Église, je n'allais jamais être obligé de quitter ma mère. Bien enfoui sous cette fausse identité se cachait toujours un petit garçon seul, confus et terrifié.

LE TÉMOIGNAGE

Le pire qui puisse vous arriver, c'est de ne pas savoir qui vous êtes. Les rôles rigides du système familial scellés durant l'adolescence deviennent l'identité la plus consciente que vous ayez. En fait, vous devenez dépendant de ces rôles; en les jouant, vous vous sentez important. Si vous les laissiez tomber, vous plongeriez dans le profond réservoir de honte toxique qui renferme votre première souffrance, au cœur de la blessure spirituelle. Lorsque vous avez perdu votre conscience du «Je suis», vous avez perdu votre importance.

En écrivant l'histoire de votre adolescence, concentrez-vous sur la manière dont votre enfant intérieur blessé a contaminé votre vie à cette époque. Décrivez vos traumatismes en détail: les cartes de la Saint-Valentin que vous n'avez jamais reçues, la solitude, les pressions et les rejets du groupe de pairs, la souffrance que vous avez vécue dans votre famille.

PARTAGER L'HISTOIRE DE SON ADOLESCENCE AVEC UNE PERSONNE DE CONFIANCE

Veillez à partager l'histoire de votre adolescence avec une personne ressource. Votre moi d'adolescent correspond à la manière dont votre enfant blessé s'est adapté pour entamer sa vie d'adulte. Souvenez-vous que, dans leur version définitive, vos rôles illustrent métaphoriquement l'histoire de votre enfant intérieur blessé. Vous devez les faire reconnaître dans toute leur réalité pour prendre la décision qui vous conviendra le mieux.

ÉPROUVER SES SENTIMENTS

Pour guérir votre adolescent, vous devez vraiment quitter votre famille. Vous avez également besoin de rassembler tous vos enfants intérieurs issus de différents stades de votre développement. Par conséquent, je vous propose de participer à une grande fête de retour au foyer dont votre adolescent sera l'hôte. Pour faire de cette fête une réussite, je vous suggère la méditation suivante.

MÉDITATION DU RETOUR AU FOYER

Enregistrez la méditation ci-après sur une cassette. Utilisez comme musique de fond l'album de Daniel Kobialka intitulé *Going Home*. Ménagez une pause de vingt secondes aux points de suspension.

Fermez les yeux et concentrez-vous sur votre respiration... Rentrez légèrement le bas-ventre en inspirant et relâchez-le en expirant. Inspirez en comptant jusqu'à 4, retenez votre souffle pendant quatre temps, et expirez en comptant jusqu'à 8... Répétez cela plusieurs fois... Inspirez en comptant jusqu'à 4, retenez votre souffle pendant quatre temps, et expirez en comptant jusqu'à 16... Respirez en comptant jusqu'à 4, retenez votre souffle pendant quatre temps, et expirez en comp-

tant jusqu'à 32... Faites cela trois fois... Reprenez maintenant votre respiration normale. Concentrez-vous sur le chiffre 3 pendant que vous expirez... Voyez-le, tracez-le avec vos doigts ou entendez mentalement le mot «trois»... Faites à présent la même chose avec le chiffre 2... Avec le chiffre 1... Vous voyez maintenant le chiffre 1 se transformer en une porte... Vous l'ouvrez et vous vous engagez dans un long corridor sinueux avec des portes des deux côtés... À votre gauche, vous voyez une porte sur laquelle il est écrit «L'année dernière»... Ouvrez cette porte et regardez à l'intérieur de la pièce. Revoyez une scène agréable qui s'est déroulée l'an passé... Refermez la porte et dirigez-vous vers la suivante, à votre droite... Ouvrez-la et voyez votre adolescent qui est là, debout... Étreignez-le. Dites-lui que vous savez ce qu'il a dû traverser... Dites-lui qu'il est temps de rentrer au foyer. Dites-lui que vous êtes là pour le soutenir... Dites-lui qu'ensemble vous allez devoir partir et rassembler toutes les autres parties de vous-même — votre nouveau-né, votre bambin, votre tout-petit d'âge préscolaire et votre jeune écolier... Ensemble, vous et votre adolescent, marchez jusqu'au bout du corridor et ouvrez la dernière porte... Regardez à l'intérieur de la pièce et voyez la toute première maison que vous avez habitée... Entrez dans cette maison et cherchez dans quelle pièce se trouve votre nourrisson... Demandez à votre adolescent de prendre le nouveau-né dans ses bras... Maintenant, revenez dans le corridor, ouvrez la première porte à votre gauche et voyez votre bambin... Prenez-le par la main et revenez dans le corridor... Ouvrez la première porte à votre droite et voyez votre tout-petit d'âge préscolaire... Regardez-le... Comment est-il habillé? Vous le prenez par la main et sortez de la pièce. Trouvez maintenant votre jeune écolier... Quels vêtements porte-t-il?... Demandez-lui de donner la main à votre adolescent et sortez de la maison... Vous êtes maintenant debout à côté de votre adolescent... Qui tient votre nourrisson?... Votre moi d'âge scolaire tient la main de votre adolescent... Vous tenez la main de votre bambin et celle de votre enfant d'âge préscolaire... Maintenant, voyez votre nourrisson qui devient votre bambin... Voyez votre bambin qui devient votre tout-petit d'âge préscolaire... Voyez votre petit d'âge préscolaire qui devient votre jeune écolier... Voyez votre moi de jeune écolier qui devient votre moi d'adolescent... Vous et votre adolescent êtes debout l'un à côté de l'autre... Voyez maintenant vos parents qui sortent de la maison où vous habitiez durant l'adolescence... Vous et votre adolescent leur faites signe de la main pour leur dire au revoir... Dites-leur que toute votre personne quitte la maison maintenant... Dites-leur que vous savez qu'ils ont fait de leur mieux... Voyez-les comme les deux êtres blessés qu'ils sont (ou étaient) en réalité... Pardonnez-leur de vous avoir abandonné... Dites-leur que désormais vous allez être votre propre parent... Commencez à vous éloigner de cette maison... Continuez de regarder cette maison, vos parents pardessus votre épaule... Regardez-les devenir de plus en plus petits... Jusqu'à ce qu'ils ne soient plus du tout perceptibles... Regardez à présent devant vous et voyez votre amoureux, votre conjoint ou un ami qui vous attend... Si vous avez un thérapeute, voyez votre thérapeute qui est là... Si vous faites partie d'un groupe de soutien, voyez les membres qui sont là... Si vous croyez à une force supérieure, voyez cette force supérieure qui est là... Étreignez chacun d'eux... Sachez que vous avez du soutien... Que vous n'êtes pas seul... Sachez que vous avez une nouvelle famille d'affiliation ou que vous pouvez en créer une... Laissez maintenant votre adolescent faire corps avec vous... Choisissez un âge de votre enfance et voyez en vous l'enfant que vous étiez à cet âge... Dites-lui que vous allez prendre son parti... Que vous allez être son nouveau parent affectueux et attentif... Dites-lui que vous savez mieux que quiconque ce qu'il a traversé, que vous connaissez les blessures et les peines qu'il a endurées... Dites-lui que de tous les gens qu'il connaîtra au cours de sa vie vous êtes la seule personne qu'il ne perdra jamais... Dites-lui que vous allez vous occuper de lui et passer du temps en sa compagnie chaque jour... Dites-lui que vous l'aimez de tout votre cœur...

Maintenant, balayez du regard votre horizon mental... Voyez le chiffre 3... Sentez vos orteils... Remuez-les... Voyez le chiffre 2... Sentez l'énergie qui se remet à circuler depuis vos jambes jusque dans le haut de votre corps... Sentez l'énergie dans vos bras... Remuez vos mains... Sentez l'énergie qui afflue dans votre tête et dans votre cerveau... Voyez maintenant le chiffre 1, ouvrez très lentement les yeux et étirez-vous.

Vous avez maintenant retrouvé votre système familial intérieur au complet. Vous venez d'effectuer votre retour aux sources! Voici à quoi ressemble le mien.

LE PARDON

Le processus de retrouvailles avec votre enfant intérieur blessé est un processus de pardon. Le pardon nous permet de *donner comme auparavant.* Il nous guérit du passé et libère notre énergie pour le présent.

Le pardon n'est pas un quelconque processus sentimental ou superficiel. On nous a réellement fait du mal et cela doit être légitimé et reconnu dans toute sa réalité. Quand nous reconnaissons le tort réel que nous avons subi, nous démythifions nos parents. Nous les voyons comme les vrais êtres humains blessés qu'ils sont (ou étaient) en réalité. Nous nous apercevons qu'ils étaient des adultes enfants reproduisant par le biais de l'*acting out* les contaminations dont ils souffraient eux-mêmes. Sam Keen a fort bien exprimé cela en ces termes:

> Quand je démythifie mon passé et que je reconnais le caractère ambivalent et tragique de toute action humaine, je découvre une nouvelle liberté de nature à changer la signification de ce qui a été. [...] Seul le pardon me permet à la fois d'accepter mon passé et de me libérer de ses mutilations. [...] Le jugement, le pardon et la gratitude opèrent une alchimie qui métamorphose le passé, changeant le mauvais sort en bonne fortune et transformant mon état: je ne suis plus la victime d'événements que je ne pouvais pas contrôler, je participe à mon passé en le reformant sans cesse.

Le peine et la douleur doivent être exprimées, car, comme Fritz Perls l'a dit: «Rien ne change tant que les choses ne deviennent pas ce qu'elles sont.» C'est seulement en démythifiant nos parents que nous pouvons comprendre le mal réel dont nous avons souffert. Cette compréhension nous permet à notre tour de ressentir ce que cela nous a fait d'être bafoués. Éprouver nos douloureux sentiments refoulés depuis notre enfance, c'est exprimer notre première souffrance. Mais une fois que nous avons établi le contact avec ces sentiments et que nous les avons exprimés, nous sommes libres de progresser. Puisque nous ne traînons plus les problèmes irrésolus du passé, nous ne contaminons plus le présent. Notre énergie est alors disponible pour renforcer notre vie. Nous pouvons vivre dans le présent et inventer notre avenir.

Le pardon nous permet de quitter nos parents. À l'inverse notre souffrance refoulée donne lieu à un ressentiment qui nous maintient attachés à eux et nous amène à repasser encore et toujours par les mêmes sentiments. Le seul bénéfice que nous retirons de notre enfant blessé réside en ce que *nous n'avons jamais à nous séparer de nos parents*. Tant que nous dépensons notre énergie à les haïr secrètement, nous restons attachés à eux, et cela nous évite de grandir. Le pardon nous libère de notre ressentiment envers eux et agit de telle sorte que notre enfant doué naturel puisse en finir avec les voix mortifiantes des figures parentales que nous avons intériorisées. Le pardon, c'est une façon de quitter la maison intérieurement.

Une fois que vous aurez retrouvé votre enfant blessé, vous devrez prendre une décision au sujet de vos rapports avec vos vrais parents, s'ils sont encore vivants. Quel genre de relation entretiendrez-vous désormais avec eux? Si vos parents sont toujours des agresseurs, vous devrez vous résoudre à *rester loin d'eux. Je vous recommande de les abandonner à leur sort!* Je connais de nombreuses personnes qui, parvenues à l'âge adulte, ont ainsi continué de se voir bafouer par leurs parents.

Si vos parents refusent d'assumer la responsabilité de leur propre enfant intérieur blessé, vous devez, en ce qui vous concerne, vous rappeler que *vous êtes par-dessus tout responsable de votre propre vie. Vous n'êtes pas venu au monde pour prendre soin de vos parents.* Je ne parle pas ici de parents infirmes ou invalides. Je parle de parents qui refusent d'assumer la responsabilité de leur propre blessure intérieure. Chacun de vous doit laisser son adulte établir des frontières avec ses vrais parents. Souvenez-vous: votre enfant intérieur s'en remet à vous maintenant; il s'attend à ce que vous le protégiez.

Pour plusieurs personnes, les retrouvailles avec l'enfant blessé en eux *créent un contexte propice à une nouvelle relation, plus riche, avec leurs vrais parents.* En devenant le nouveau parent de son enfant intérieur, l'adulte l'aide à boucler la boucle du passé et à combler un vide dans son psychisme. À mesure que cet enfant découvre l'espoir, l'autonomie, l'intentionnalité et la compétence, il acquiert la faculté d'établir sa propre identité. Sitôt cette identité établie, il est apte à entretenir une relation saine avec ses parents.

TROISIÈME PARTIE

Prenez le parti de votre enfant intérieur blessé

J'aimerais que vous imaginiez ce que vous auriez fait si par hasard vous aviez rencontré cet enfant réel dans la situation où il se trouvait à l'origine. [...] Que pouvez-vous faire de raisonnable et de compatissant pour un enfant qui a du chagrin et qui est bouleversé? Vous vous assoyez et vous parlez avec l'enfant. Vous l'écoutez. Vous découvrez la source de ses ennuis, l'aidez à comprendre, le réconfortez et le prenez dans vos bras; plus tard, vous jouez un peu avec lui, vous lui montrez des choses, vous lui racontez une histoire. C'est là une thérapie dans le meilleur et le plus vieux sens du terme: rien d'extravagant, seulement de la bonté et de la patience.

RON KURTZ

INTRODUCTION

Maintenant que vous avez retrouvé votre enfant intérieur blessé, vous devez le soutenir. Vous êtes son héros et, à ce titre, vous le défendrez et lutterez pour lui en faisant preuve de vigilance. Il a besoin de quelqu'un qui ait suffisamment de force et de pouvoir pour le protéger. Comme vous serez à ses côtés en tant que parent attentif et protecteur, il pourra entamer un processus de guérison. Prendre résolument le parti de votre enfant intérieur, c'est non seulement une façon de devenir un nouveau parent pour vous-même, mais également un moyen d'effectuer le travail correctif qui vous rétablira dans votre vrai moi. En fait, les nouvelles permissions et la protection que vous allez donner à votre enfant intérieur formeront l'essentiel de vos *expériences correctives*.

L'expression de la première souffrance était nécessaire pour que vous entriez en relation avec votre moi authentique, votre enfant doué naturel. Cependant, bien que vous l'ayez retrouvé, vous devez poursuivre votre démarche, puisque votre enfant doué a été bloqué au cours de ses premiers stades de développement et n'a par conséquent pas eu la chance d'apprendre ce qu'il aurait dû apprendre à chaque stade. La plupart des problèmes de votre enfant intérieur blessé ont été causés par des lacunes dans son apprentissage. Vous devez donc maintenant remédier à ces insuffisances.

Les expériences correctives constituent une forme de rééducation. En tant que héros de votre enfant intérieur, vous allez veiller à sa croissance, et cela sous-tend une bonne discipline. En latin, la racine du mot *discipline* signifie «enseigner» et «apprendre». Et votre enfant intérieur a effectivement besoin d'être nourri spirituellement et d'apprendre ce qu'il n'a pas appris soit au bon moment soit dans la séquence appropriée. C'est uniquement grâce à une telle discipline que votre enfant doué pourra émerger complètement.

CHAPITRE 9

Trouvez en votre adulte une nouvelle source de force

Nous pouvons maintenant parler... des «trois P» de la thérapie. [...] Il s'agit de la puissance, de la permission et de la protection.

ERIC BERNE

Pour que vous en arriviez à soutenir votre enfant intérieur blessé, celui-ci doit avoir suffisamment confiance en vous pour être en mesure de désobéir aux lois parentales qui ont régi son éducation. Donner une saine permission à votre enfant, c'est l'aider à être *qui il est* et à désobéir aux lois et aux croyances mortifiantes de ses parents. Cependant, vous ne devez pas oublier que de telles règles et croyances sont extrêmement puissantes: si, enfant, vous ne vous y étiez pas soumis, vous auriez risqué d'être puni et délaissé. Aussi, cela s'avérera bien sûr terrifiant pour votre enfant intérieur que de devoir les transgresser.

De plus, alors que l'adulte en vous donnera cette permission à votre enfant intérieur blessé, celui-ci devra croire que vous détenez assez de pouvoir pour vous opposer à vos parents. C'est à ce *pouvoir* que Eric Berne fait allusion lorsqu'il parle de la *«puissance»*, le premier «P» dans le domaine du changement thérapeutique. Si j'aime me présenter à mon enfant intérieur sous les traits d'un magicien doux et sage, c'est justement parce que les magiciens sont vus par les enfants comme très puissants. Quand j'incarne ce vieux magicien plein de sagesse, mon enfant intérieur comprend mon pouvoir. Je vous ai demandé précédemment d'imaginer ce qui se serait produit si votre moi d'adulte avait été là durant les périodes les plus douloureuses et les plus traumatisantes de votre enfance. Votre enfant intérieur vous aurait considéré comme un dieu, comme quelqu'un de très fort. Si vous avez accompli la démarche des retrouvailles, votre enfant intérieur blessé vous fait déjà confiance et croit en votre puissance. Néanmoins, vous devrez à présent lui faire sentir le plus possible votre pouvoir et votre force. L'exercice suivant vous aidera en ce sens.

LISTE DES POUVOIRS

Énumérez dix choses que vous possédez ou que vous pouvez faire actuellement mais que vous n'auriez pu ni posséder ni faire lorsque vous étiez enfant. Pour vous donner une idée de ce dont il s'agit ici, voici quelques exemples:

1. Posséder une voiture.
2. Conduire une voiture.
3. Avoir un compte en banque.
4. Avoir des vrais dollars dans ce compte.
5. Acheter autant de crème glacée et de bonbons que l'on veut.
6. S'offrir des jouets intéressants.
7. Avoir son propre appartement, sa propre maison, etc.
8. Faire tout ce que l'on veut.
9. Aller au cinéma sans en demander la permission.
10. S'acheter un animal domestique si on le désire.

Maintenant, fermez les yeux et voyez votre enfant intérieur. (Laissez-le apparaître à quelque âge que ce soit.) Lorsque vous le verrez (l'entendrez ou le sentirez), parlez-lui des choses que vous avez mentionnées sur votre liste. Il sera très impressionné!

DEMANDEZ PARDON

Un autre moyen de gagner la confiance de votre enfant intérieur et de lui prouver votre puissance consiste à lui demander pardon de l'avoir négligé depuis tant d'années. Vous pouvez le faire en lui écrivant une lettre. La mienne se lisait comme suit:

Cher Petit John,
Je veux te dire que je t'aime vraiment tel que tu es. Je regrette de t'avoir ainsi négligé depuis l'adolescence. J'ai tout d'abord bu de l'alcool jusqu'à nous rendre malades, jusqu'à nous faire perdre totalement la mémoire. Je mettais sans cesse ta précieuse vie en danger. Après tout ce que tu avais subi depuis ton enfance, c'était une chose terrible que je t'infligeais là. Je passais également des nuits blanches à faire la fête, et je ne t'offrais pas le repos dont tu avais besoin. Ensuite, je me suis mis à travailler durant d'interminables heures, et je ne te laissais aucun moment pour jouer... Autant l'admettre, j'étais complètement insensible à toi. Je t'aime et je promets de te donner mon temps et mon attention. Je serai là chaque fois que tu auras besoin de moi. Je veux être ton héros.

Avec tout mon amour,
Le Grand John

Ensuite, en vous servant de votre main non dominante, écrivez la réponse de votre enfant intérieur:

Cher Grand John,
Je te pardonne! S'il te plaît, ne me quitte plus jamais.

Je t'aime,
Le Petit John

Dès le moment des retrouvailles, il est *impératif* que vous disiez toujours la vérité à votre enfant. Celui-ci a également besoin de vous entendre lui affirmer que vous serez toujours là pour lui. Comme le dit Ron Kurtz: «L'enfant n'a pas besoin de marteler son lit... de crier et d'être submergé par la douleur. L'enfant a besoin de quelque chose de beaucoup plus simple. Il a besoin que vous soyez là.»

Être présent à votre enfant signifie que vous lui donnerez du temps et de l'attention. Il ne servirait à rien que vous soyez là, pour les simples raisons que vous pensez accomplir ainsi votre devoir et que cela *vous* donne bonne conscience de prendre soin de cet enfant. Vous devrez être à l'écoute de *ses besoins* et y subvenir. Votre enfant intérieur aura besoin de savoir qu'*il compte* à vos yeux.

PARLEZ À VOTRE ENFANT DE VOTRE FOI EN UNE FORCE SUPÉRIEURE

Si vous reconnaissez l'existence d'une force supérieure en laquelle vous croyez, parlez-en à votre enfant intérieur; il y verra une autre grande source de puissance. Pour ma part, j'aime bien faire savoir à mon enfant que ma foi en quelqu'un de supérieur à moi-même me donne le sentiment d'être en sécurité et protégé. Pour moi, ce quelqu'un s'appelle Dieu.

La plupart des enfants sont croyants par nature; ils n'éprouvent aucune difficulté à concevoir l'existence de Dieu. Je raconte à mon enfant intérieur que Dieu s'est montré à moi. Il est venu au monde sous l'apparence d'un homme appelé Jésus. Jésus me dit que Dieu est à la fois mon père et ma mère. Il affirme que je peux établir une relation d'amitié avec Lui. Il m'explique que Dieu m'a fait tel que je suis; Dieu veut que je grandisse et que j'accroisse mon sentiment du «Je suis». Il me dit de ne pas juger les autres et de pardonner. Surtout, Jésus me donne l'exemple de Son propre «Je suis». C'est pour cela qu'Il a dit: «Je suis la vérité». Il était Sa propre vérité. J'aime bien Jésus parce que je peux lui parler et lui demander des faveurs. Jésus me donne souvent les choses que je lui ai demandées sans que j'aie eu à *faire* quoi que ce soit pour les mériter. Il m'aime exactement tel que je suis. Ma force supérieure, Dieu, m'aime aussi exactement tel que je suis. De fait, ma conscience du «Je suis» ressemble à la conscience du «Je suis» de Dieu. Lorsque je *suis* vraiment, je me rapproche de Dieu. Je veux que mon enfant intérieur sache que Dieu nous aime, qu'Il nous *protégera* toujours et *sera* avec nous. D'ailleurs, l'autre nom de Jésus, Emmanuel, signifie «Dieu est *avec* nous». Je laisse savoir à mon enfant intérieur qu'il existe un pouvoir — beaucoup plus grand que nos deux forces réunies! — et que je suis capable de l'invoquer.

OFFREZ-VOUS UNE NOUVELLE ENFANCE

La méthode dite de «changement de son histoire de vie» constitue un autre moyen efficace d'utiliser sa puissance d'adulte. Cette méthode, mise au point par Richard Bandler, John Grinder et leurs collaborateurs, fait partie d'un modèle de restructuration appelé «programmation neuro-linguistique». J'ai utilisé ce modèle au cours des huit dernières années et je peux dire qu'il est très efficace à condition que la première souffrance ait été exprimée. Car dès l'instant où le chagrin non résolu est encore présent, cette méthode risque de se réduire simplement à une quelconque démarche cérébrale. Leslie Bandler, une autre créatrice de la programmation neuro-linguistique, en a témoigné dans son excellent ouvrage intitulé *The Emotional Hostage* (L'otage émotionnel), lorsqu'elle admet avoir affronté de graves problèmes en dépit du fait qu'elle connaissait et utilisait les techniques très raffinées de la programmation en question.

La technique visant à changer votre histoire de vie est excellente pour modifier des scènes traumatisantes précises remontant à votre enfance. Ces dernières deviennent fréquemment ce que Silvan Tomkins appelle «les scènes dirigeantes ou formatrices», les moules qui façonnent l'histoire de notre développement. Elles ancrent notre souffrance et nos émotions inexprimées puis sont recyclées pendant toute notre vie.

Toutefois, le changement de son histoire de vie peut également s'appliquer à des schémas plus généralisés tels que le sentiment de n'avoir pas été désiré quand on était un enfant. Il est fondé sur la prémisse cybernétique selon laquelle notre cerveau et notre système nerveux central ne peuvent différencier une expérience réelle d'une expérience imaginée, pour peu que cette dernière soit assez vivante et détaillée. Comme l'affirme Leslie Bandler: «La formidable efficacité du changement d'histoire a été découverte lorsqu'on a prêté attention à la manière dont les individus peuvent déformer l'expérience qu'ils génèrent à l'intérieur d'eux-mêmes pour ensuite agir selon cette déformation, en oubliant qu'ils l'ont à l'origine eux-mêmes créée.» De surcroît, les gens imaginent souvent les événements à venir et se font peur avec les images qu'ils se sont créées. Ainsi que Leslie Bandler le souligne, la jalousie en est le meilleur exemple: «[...] la jalousie est presque toujours provoquée par le fait qu'on élabore des images mentales de l'être aimé en compagnie de quelqu'un d'autre puis qu'on se sent mal par réaction à ces images qu'on a soi-même créées.» On se sent mal et on agit comme si ce sentiment avait été provoqué par un *fait* réel.

Il en va de même en ce qui concerne le pouvoir du fantasme sexuel: on peut se créer une image mentale d'une scène ou d'un partenaire sexuels et être physiologiquement excité par cette image.

La technique du changement d'histoire de vie utilise délibérément le même processus. Grâce à cette technique, vous utiliserez la *puissance* de votre expérience d'adulte pour changer les empreintes internes du passé. Prenons quelques exemples et examinons de quelle façon vous y parviendrez.

La petite enfance

Rappelez-vous la démarche que vous avez faite dans la deuxième partie de ce livre. Quels étaient les problèmes de votre petite enfance? Avez-vous entendu le genre de paroles que vous aviez besoin d'entendre? Vous a-t-on suffisamment caressé? Si cela n'a pas été le cas, considérez ce qui suit.

Trouvez, dans les moments de force que vous avez vécus à l'âge adulte, une ressource qui vous aurait aidé durant la petite enfance. Par exemple, pensez à un moment où vous vous êtes senti particulièrement bien accueilli. Ce pourrait être lorsque vous avez rencontré un vieil ami très cher. En ce cas, revoyez l'expression de joie apparue sur son visage quand il vous a soudainement aperçu. Mais vous pourriez aussi évoquer le souvenir d'une fête donnée en votre honneur, alors que l'attention de tout le monde était centrée sur vous.

Lorsque je travaille à changer mon histoire, je ferme les yeux et je remonte le temps jusqu'en 1963, au moment où j'ai été élu «l'homme de l'année», à la fin de ma première année au séminaire. J'ai l'impression d'être encore là, debout; j'entends les applaudissements de l'assistance et je vois s'éclairer cinquante visages à l'appel de mon nom. Je vois le visage du père Mally et celui de John Farrell, mon meilleur ami. Sitôt que j'éprouve les sentiments reliés à cette scène, je joins mon pouce à un autre doigt de la main droite et je garde cette position pendant trente secondes. Ensuite, je décolle mes doigts et je détends ma main droite. *J'ai désormais ancré une expérience de bienvenue.* Ceux d'entre vous qui travaillent en groupe ont effectué le même genre d'ancrage durant les méditations de retrouvailles présentées dans la deuxième partie. Si vous êtes gaucher, faites votre ancre ressource de la main gauche.

L'ANCRAGE

En joignant le pouce et un autre doigt de la même main, vous créez une ancre, ou un déclencheur, kinesthésique. Or, votre vie est remplie d'anciennes ancres qui résultent des empreintes neurologiques gravées par certaines expériences. J'ai déjà parlé des rapports entre la physiologie de l'encéphale et les expériences traumatisantes. Plus le traumatisme est grand, plus l'empreinte est puissante. Chaque fois qu'une nouvelle expérience assez semblable à l'ancien événement traumatisant se présente, les émotions autrefois éprouvées se déclenchent et *l'ancre d'origine est activée.*

Toutes nos expériences sensorielles sont encodées de cette manière. Nous avons des ancres visuelles. Supposons, par exemple, que quelqu'un vous regarde d'une façon vous rappelant celle dont votre père violent avait l'habitude de vous regarder juste avant de vous frapper. Cela peut déclencher en vous une forte réaction émotive, même si vous ne faites pas consciemment le rapport entre ces deux façons qu'on a de vous regarder. Les ancres peuvent également être auditives, olfactives ou gustatives. Un ton de voix, une certaine odeur ou un aliment particulier peuvent déclencher d'anciens souvenirs accompagnés de leurs émotions d'origine. Les chansons constituent probablement les ancres auditives les plus puissantes. Je parierais qu'il vous est déjà arrivé, en écoutant la radio au volant de votre voiture, de vous rappeler soudainement une personne ou une scène de votre passé très lointain. Toute notre vie est une accumulation de ce genre d'empreintes ancrées, tant agréables que douloureuses.

Vous pouvez changer les souvenirs douloureux de votre enfance en les rapprochant des vraies expériences de force vécues durant votre vie d'adulte. Si les besoins de votre petite enfance sont demeurés inassouvis, si vous étiez un Enfant Sacrifié, *vous pouvez vous donner une nouvelle petite enfance.* Vous êtes en mesure de le faire en ancrant des expériences concrètes reliées aux forces que vous possédez maintenant. Si vous aviez joui de ces forces durant la prime enfance, vous vous seriez senti bien mieux. Une fois ces forces ancrées, vous devez ancrer les sentiments d'abandon de la petite enfance. Ensuite, vous activerez simultanément les deux ancres pour *changer concrètement l'expérience* remontant à votre petite enfance. Pour ce faire, voici les étapes que vous devrez suivre.

PREMIÈRE ÉTAPE

Pensez tout d'abord à trois expériences positives que vous avez vécues une fois adulte mais qui vous ont manqué durant la prime enfance, au moment où vous en auriez eu besoin. Voici les miennes:

Expérience A. Me sentir bien accueilli.
Expérience B. Être tenu et me blottir dans les bras de quelqu'un.
Expérience C. Me sentir accepté inconditionnellement par quelqu'un.

DEUXIÈME ÉTAPE

À présent, fermez les yeux et rappelez-vous votre expérience A. Vous devez réellement vous sentir là, regardant avec vos propres yeux, éprouvant vos sentiments, etc. Lorsque vous pouvez ressentir la joie d'être *bien accueilli*, faites une ancre kinesthésique avec le pouce joint à un autre doigt. Gardez cette position pendant trente secondes puis relâchez. Ouvrez les yeux et concentrez votre attention sur un objet quelconque.

Attendez quelques minutes, puis fermez les yeux et passez à l'expérience B. Ancrez-la *exactement* comme en A. Cette technique consiste à *accumuler* les ancres. L'accumulation intensifie le pouvoir de l'ancre ressource. Cela augmente la tension. Ouvrez les yeux et prenez quelques minutes pour vous concentrer sur un objet quelconque dans la pièce.

Fermez ensuite les yeux et revivez l'expérience C. Ancrez-la exactement comme les expériences A et B.

Vous avez maintenant ancré vos ressources positives d'adulte. Nous appellerons cela l'ancre Y.

TROISIÈME ÉTAPE

Vous devez maintenant ancrer les sentiments de votre petite enfance. Retournez à la méditation du chapitre 4. Refaites cette méditation jusqu'au moment où vous devenez le nourrisson dans son berceau. Ancrez votre sentiment d'être seul et non désiré. Il s'agit de votre ancre négative. Créez cette ancre avec le pouce et un autre doigt de la main gauche, si vous êtes droitier, et avec la main droite si vous êtes gaucher. Nous l'appellerons l'ancre X.

QUATRIÈME ÉTAPE

Vous allez maintenant prendre les forces que vous avez ancrées à la deuxième étape et les emporter dans votre petite enfance. Pour ce faire, vous devez toucher simultanément les ancres X et Y. Pendant que vos doigts sont joints, abandonnez-vous à la sensation d'être bien accueilli dans ce monde. Laissez-vous aller à sentir une étreinte chaleureuse. Lorsque vous serez rempli de chaleur et de force, vous relâcherez les deux ancres, ouvrirez les yeux et vous abandonnerez à ce respect tangible et inconditionnel que vous éprouverez.

CINQUIÈME ÉTAPE

Laissez-vous envahir par cette expérience pendant dix minutes, en prenant le temps de bien l'assimiler. Vous avez soutenu votre nouveau-né intérieur. Vous avez mêlé vos toutes premières empreintes neurologiques avec d'autres, plus récentes et plus favorables à votre croissance. Dorénavant, chaque fois que vous affronterez une nouvelle situation et que votre petite enfance remontera à la surface, vous éprouverez les sentiments reliés à votre expérience XY. L'ancienne expérience X sera également ravivée, mais elle ne prendra plus toute la place. Désormais, quand surgiront les besoins rattachés à votre petite enfance, vous serez plus libre de choisir.

SIXIÈME ÉTAPE

Les gens qui ont conçu la programmation neuro-linguistique nomment la présente étape «l'entraînement au futur». Elle consiste à imaginer un moment à venir où vous serez confronté à une situation qui déclenchera les besoins de votre petite enfance: par exemple, lorsque vous irez à une réception où vous ne connaissez personne ou encore quand vous obtiendrez un nouvel emploi. Vous vous préparerez à ce genre d'événements futurs en activant l'ancre Y (votre ancre positive) et en vous imaginant plongé dans la nouvelle situation. Voyez-vous, entendez-vous et sentez-vous vraiment dans la situation, en imaginant que vous vous tirez très bien d'affaire. Une fois cela terminé, revivez la même scène imaginaire sans déclencher votre ancre positive. L'entraînement au futur nous amène à faire une répétition générale positive. Étant donné que notre enfant intérieur est blessé nous avons tendance à faire des répétitions générales négatives, à nous créer des images catastrophiques de danger et de rejet. L'entraînement au futur nous donne le moyen de reformer nos prévisions intimes.

La même technique de base visant à changer son histoire de vie peut être utilisée pour guérir les souvenirs en rapport avec les autres stades de l'enfance. Cependant, il faut bien se rendre compte que différents événements traumatisants peuvent exiger différentes ressources à la portée de l'adulte. Par exemple, à l'âge préscolaire, j'ai un jour frappé un camarade de jeu avec un bâton. D'autres petits garçons m'avaient incité à faire ce geste brutal. Or, il s'est avéré que le père du garçon que j'avais frappé était un *lutteur professionnel!* Le soir même, il est venu à la maison pour me réprimander. De ma chambre, je l'entendais crier après mon père. Il disait qu'il fallait me fouetter à coups de ceinture de cuir. Je me souviens d'avoir été terrifié par ces propos et d'être allé me cacher au sous-sol.

Ce souvenir est très différent de celui où, à la même époque, le jour de mon anniversaire, je m'étais retrouvé seul à la maison avec maman. J'étais terriblement triste: j'ignorais où était mon père et il me manquait.

Chacun de ces souvenirs nécessiterait l'ancrage d'une force différente.

Afin de mieux illustrer ce dont il est ici question, voici quelques exemples de changements d'histoire relatifs à chacun des stades de mon enfance.

Le stade du bambin

Je ne peux me rappeler aucun événement traumatisant précis datant des années où j'étais un bambin, mais quand je consulte mon «inventaire des signes supects» concernant ce stade, j'en déduis qu'à cet âge mes besoins n'ont pas été comblés. Face à une telle constatation, je trouve qu'il est bon de travailler ce stade de mon développement au complet.

1. Je pense à un moment de ma vie d'adulte où:
   - A. J'ai respectueusement déclaré que je ne ferais pas quelque chose.
   - B. J'ai voulu quelque chose et j'ai essayé de l'obtenir.
   - C. J'ai exprimé respectueusement ma colère.
2. En utilisant tour à tour chacune de ces expériences, je crée une accumulation d'ancres.
3. Je crée une ancre à partir d'une scène imaginaire où l'on m'administre une fessée pour avoir été curieux et avoir exploré des choses passionnantes dans le salon. Au cours de cette scène, lorsqu'on m'ordonne de cesser mon exploration, je rétorque: «Non, je n'arrêterai pas.» C'est à ce moment-là que je reçois la fessée.
4. En activant simultanément les deux ancres, je recrée la scène imaginaire. Je dis que je ne m'arrêterai pas, j'exprime ma colère et je continue d'explorer et de toucher tout ce que je veux.
5. Je réfléchis aux problèmes ayant trait à l'indépendance du bambin et j'examine quelles répercussions ils peuvent avoir dans ma vie présente.

6. Je me projette dans l'avenir, imaginant que je visite un magasin d'articles de sport. Je touche à tout ce qui frappe mon imagination et je dis «non» chaque fois qu'un vendeur offre de me servir.

L'âge préscolaire

Pour cette période, je travaille la scène du petit garçon que j'avais frappé et ma peur de son lutteur de père.

1. Je pense aux forces *actuelles* de mon adulte puissant, particulièrement à celles qui m'auraient permis, à l'époque, d'affronter cette situation en éprouvant moins de stress. J'aurais pu par exemple:

   A. Appeler la policie.
   B. Invoquer la protection de la force supérieure en laquelle je crois.
   C. Assumer le fait que j'avais brutalisé l'enfant et présenter mes excuses.

2. Je crée une accumulation d'ancres composée des ressources positives A, B et C.
3. J'ancre la scène où, terrorisé, je suis allé me cacher au sous-sol lorsque le père du petit garçon est venu pour me réprimander.
4. J'active les deux ancres et je répète la scène jusqu'à ce que je me sente mieux.
5. Je réfléchis aux répercussions de cette scène dans ma vie présente. (J'ai anormalement peur des hommes du genre bagarreur.)
6. Je me prépare à une hypothétique scène future au cours de laquelle j'affronte un mâle «bagarreur» avec succès.

La période scolaire

C'est durant mes années d'école que ma famille s'est lentement désagrégée. Sur ce sujet, j'aurais pu travailler plusieurs événements traumatisants, mais j'ai choisi de me concentrer sur la nuit de Noël de mes onze ans. Ce soir-là, mon père était rentré ivre à la maison. J'avais attendu avec une joyeuse impatience ce moment que nous devions passer en famille. Mon père était censé rentrer à 13 heures. Nous devions aller acheter un sapin de Noël au cours de l'après-midi et, tous ensemble, le décorer durant la soirée avant d'aller à la messe de minuit. Mon père ne s'était pas montré avant 20 heures 30. Il était tellement ivre qu'il titubait. Ma colère s'était amplifiée à mesure que la journée avait avancé. À cela s'ajoutait le fait que j'avais peur de mon père quand il était soûl. Il n'était pas violent mais plutôt imprévisible. Peu après son retour, je m'étais enfermé dans ma chambre, couché dans mon lit, les couvertures rabattues par-dessus la tête, refusant de parler à qui que ce soit.

1. Je pense aux forces dont dispose maintenant mon adulte, à celles qui m'auraient permis d'affronter cette scène différemment. Par exemple, je suis maintenant capable d'exprimer ma colère avec fermeté, tout en respectant autrui. Je suis physiquement plus vigoureux et indépendant; je peux me sortir d'une situation douloureuse qui échappe à mon contrôle. Je suis maintenant articulé et capable de dire ce que j'ai à dire. Pour effectuer cet exercice de changement d'histoire, je pense à un moment où:

   A. J'ai exprimé ma colère de façon franche et nullement offensante.
   B. J'ai échappé à une situation qui me faisait souffrir.
   C. Je me suis adressé de manière articulée et cohérente à une figure d'autorité.

2. Je crée une accumulation d'ancres à partir de ces trois expériences.

3. J'ancre la scène d'origine: mon repli loin de mon père ivre, la veille de Noël.

4. J'active simultanément les deux ancres et je recrée la première scène. Je sors de ma chambre et j'affronte mon père. Je lui dis: «Papa, ça me fait de la peine que tu sois malade; tu dois te sentir seul et plein de honte. Mais je ne te laisserai pas gâcher mes vacances et mon enfance. Je ne resterai pas ici à souffrir dans mon coin. Je vais aller passer Noël chez mon ami. Je ne te permettrai pas de me faire honte plus longtemps.»

   Notez que je n'imagine pas la réaction de mon père. De la même manière, lorsque vous recréerez ce genre de scène, vous devrez vous concentrer sur *votre* comportement et sur votre état intérieur, car il vous est impossible de changer une autre personne.

5. Je réfléchis à la manière dont cette scène a ultérieurement conditionné certains aspects de mon comportement avec les gens. Je me rends compte du grand nombre de fois où cette vieille ancre m'a poussé à la séquence colère-isolement. Je suis heureux de changer ce vieux souvenir.
6. Je pense à une situation future où je devrai exprimer de la colère. Je répète tout d'abord la scène en me servant de mon ancre positive, puis sans me servir de cette ancre. Cela me fait du bien de m'affirmer et de ne pas céder.

Plusieurs questions surgissent habituellement quand j'enseigne la méthode permettant de changer son histoire de vie:

Que devrais-je faire si je ne constatais pas de réels changements après avoir travaillé une scène? Vous devrez peut-être travailler la même scène à plusieurs reprises. J'ai travaillé celle de ma fameuse veille de Noël une demi-douzaine de fois et quelques autres une douzaine de fois. Souvenez-vous que les ancres primitives sont très puissantes. Pour les neutraliser, vous avez besoin de nouvelles ancres très bien constituées.

Comment puis-je constituer de meilleures ancres ressources? Les ancres ressources sont la clé d'un travail efficace. Mais leur développement adéquat exige du temps et de l'entraînement. Des ancres bien constituées répondent aux conditions ci-dessous.

1. *Elles doivent vous faire accéder à une grande intensité émotionnelle.* Cela signifie que plus vous ressentirez la ressource positive intensément, meilleures seront les ancres ressources. Un souvenir se présente sous une forme associée ou dissociée; dans le premier cas, vous *revivez réellement* l'ancien souvenir, alors que dans le deuxième cas vous ne faites que l'observer. Livrez-vous à l'expérience suivante: fermez les yeux et imaginez-vous en plein cœur de la jungle. Voyez un gros tigre qui bondit hors des broussailles et se dirige vers vous. Voyez, à votre gauche, un énorme boa constrictor, prêt à vous attaquer...

Maintenant, intégrez votre corps et soyez vraiment là. Regardez vos bottes de marche et votre pantalon kaki. Levez les yeux et voyez le tigre qui vient vers vous. Écoutez-le feuler, rugir. Juste au moment où vous commencez à courir, voyez à votre gauche l'énorme boa constrictor qui fonce sur vous... À présent, ouvrez les yeux.

Comparez ce que vous avez ressenti durant ces deux exercices. Le premier était une expérience intérieure dissociée; son intensité émotionnelle est généralement très faible. Le second était une expérience intérieure associée; son intensité émotionnelle est généralement beaucoup plus forte.

Créez maintenant, en utilisant des souvenirs associés, les ancres fortes avec lesquelles vous avez besoin de travailler. Recherchez une énergie de haute intensité pour neutraliser l'ancienne ancre.

2. *Elles doivent être maintenues pendant un temps approprié.* L'ancre ressource doit être maintenue un certain temps tandis que l'énergie atteint un haut niveau de tension. Pour faire cela correctement, un certain entraînement est nécessaire. J'aime bien maintenir mes ancres pendant trente à soixante secondes afin d'enregistrer la plus haute tension possible.
3. *Elles doivent pouvoir être répétées.* Heureusement, vous pouvez tester vos ancres. Si celle que vous avez créée est bonne, vous devriez pouvoir la déclencher à volonté. En d'autres termes, lorsque vous joignez le pouce et un autre doigt, vous devriez être à même de sentir l'énergie qui commence à circuler. Après la création d'une ancre ressource, j'attends toujours cinq minutes, puis je la vérifie. Si sa tension n'est pas élevée, je la recrée. Je me suis fait une obligation de vérifier toutes mes ancres ressources pour m'assurer qu'elles sont bien constituées.

Que devient l'ancre ressource une fois que je l'ai utilisée pour affaiblir l'ancienne ancre? L'ancre ressource reste présente sous une forme diluée, mais vous devez la rétablir de nouveau si vous désirez l'utiliser pour un autre événement. Vous pouvez faire des ancrages tactiles de différentes manières sur votre corps. J'utilise mes doigts uniquement parce que c'est commode.

L'exercice final que je vais maintenant vous expliquer vous aidera à déterminer jusqu'à quel point vous avez bel et bien changé un épisode ancien de votre histoire personnelle (c'est-à-dire dans quelle mesure vous avez désactivé l'ancienne ancre). Cet exercice impliquera que vous testiez l'ancre négative X. Fermez les yeux et concentrez-vous sur votre respiration pendant deux minutes. Déclenchez ensuite lentement votre ancre négative de la main gauche (si vous êtes droitier). Soyez particulièrement attentif à ce que vous ressentez et à ce qui se produit. Si vous avez correctement effectué votre exercice de changement d'histoire, vous devriez revivre l'expérience négative d'une manière différente. Habituellement, *la différence dans ce que l'on éprouve n'est pas spectaculaire*. Le plus souvent, les émotions sont simplement moins intenses. D'une manière toute réaliste, c'est exactement le résultat que j'attends de la technique visant le changement de l'histoire de vie: une diminution de l'intensité émotionnelle. Toutes nos expériences humaines sont *utiles dans certains contextes*. Il s'avère prudent d'étouffer sa colère et de battre en retraite lorsqu'un individu ivre ou violent s'enrage après nous. La démarche de soutien ne consiste pas à retrancher quoi que ce soit de l'expérience propre à votre enfant intérieur; elle vise plutôt à lui donner des *choix* plus souples — et c'est cela que permet le changement d'histoire. Cette technique aide l'adulte en vous à protéger votre enfant intérieur pendant que celui-ci fait l'expérience d'un autre choix. Cela atténue la rigidité de l'expérience initiale.

ANCREZ UN SOUVENIR DE SÉCURITÉ

La création d'une ancre de sécurité constitue une autre façon d'utiliser votre puissance d'adulte pour soutenir votre enfant intérieur. Pour ce faire, vous devez penser à deux ou trois moments dans votre vie où vous vous êtes senti particulièrement en sécurité. Si cela vous est difficile, vous pouvez simplement imaginer une scène d'absolue sécurité. Voici les trois moments privilégiés dont je me suis servi pour constituer mon ancre de sécurité:

A. Un moment, au monastère, où je me suis senti en totale union avec Dieu.

B. Un moment d'étreinte amoureuse où j'étais enlacé par une personne qui m'aimait inconditionnellement à cet instant.

C. Un moment où, enveloppé dans ma douce couette de duvet, je me suis éveillé après avoir dormi pendant dix heures; je n'avais aucune obligation ni responsabilité (il n'y avait rien que je devais *faire* et aucun endroit où je devais *aller*).

Faites une accumulation d'ancres à l'aide de vos trois expériences de sécurité. Vous pouvez avoir recours à plus de trois expériences si vous le désirez. Je considère cette ancre comme permanente. J'ai fait cet exercice trente minutes par jour, pendant une semaine complète, pour créer la mienne. Elle est très efficace. Chaque fois que mon enfant intérieur est effarouché, je déclenche cette ancre. C'est merveilleux! Cela me soulage de mes appréhensions. La peur tente de s'immiscer de nouveau, mais l'ancre interrompt la «spirale alarmiste». Elle me procure des moments de sécurité et de soulagement. Quelquefois, elle efface complètement les peurs de mon enfant.

LAISSEZ VOTRE ADULTE TROUVER DE NOUVEAUX PARENTS POUR VOTRE ENFANT INTÉRIEUR

Une autre façon de protéger votre enfant enfant intérieur consiste à vous laisser guider par l'adulte en vous afin de trouver pour cet enfant de nouvelles sources de nourriture spirituelle, que j'appelle «mes nouvelles mères» et «mes nouveaux pères». Il est d'une importance décisive que ce soit *votre adulte* qui les trouve, et non votre enfant intérieur blessé. Si c'était lui qui effectuait ces choix, cela aurait pour conséquence de vous faire revivre votre sentiment d'abandon initial. En effet, votre enfant intérieur blessé désire avant tout être aimé inconditionnellement par ses parents. Sa logique interne le poussera donc à rechercher des adultes possédant les caractéristiques positives et négatives de ses parents qui l'ont abandonné. Mais, bien sûr, cela lui infligera de cruelles déceptions. Votre enfant intérieur considère ses parents substituts comme des dieux, il les investit d'une estime démesurée, mais ces derniers ne peuvent être la hauteur. N'étant que des êtres humains limités, ces adultes sont incapables de répondre aux attentes fantasmatiques de votre enfant intérieur blessé, qui, pour cette raison, se sent rapidement abandonné et déçu. Votre enfant intérieur doit savoir que *l'époque de l'enfance est révolue* et que vous ne pourrez *jamais revenir en arrière ni vraiment avoir de nouveaux parents*. Vous devez faire votre deuil de votre enfance réelle et de vos vrais parents. Votre enfant doit savoir que c'est *vous, en tant qu'adulte,* qui assumerez le rôle nécessaire de parent. Cependant, l'adulte en vous est capable de trouver des personnes extérieures aptes à stimuler sa croissance et à le nourrir spirituellement. En ce qui me concerne, le poète Robert Bly est un de mes nouveaux pères. Il est une source d'inspiration et a beaucoup d'intuition. Il touche mon enfant doué et me donne à penser et à ressentir. Il est sensible et bon. Bien que je ne le connaisse pas personnellement, je l'aime et je l'ai adopté en tant que nouveau père. Un prêtre nommé David est un autre de mes pères. Il m'a témoigné un respect tangible et inconditionnel durant mes derniers jours au séminaire. Je voulais partir, mais je craignais de me percevoir ensuite comme un raté si je le faisais. J'étais terriblement perplexe et submergé par la honte. Le père David était mon conseiller spirituel. En dépit de l'extrême violence que je m'infligeais, il m'a doucement amené à me concentrer sur mes forces et sur ma valeur en tant que personne. Un membre de l'Église épiscopale, le père Charles Wyatt Brown, est lui aussi l'un de mes pères. Il m'a accepté de manière inconditionnelle alors que je débutais comme conférencier.

J'ai également des pères intellectuels tels que saint Augustin, saint Thomas d'Aquin, le philosophe français Jacques Maritain, Dostoïevski, Kierkegaard, Nietzsche et Kafka. (Pour être franc, je dois avouer que mon enfant ne fait que tolérer nos pères intellectuels. Il me fait confiance en ce qui a trait à leur pouvoir de favoriser notre croissance, mais il les trouve extrêmement ennuyeux!)

J'ai trouvé plusieurs mères pour mon enfant intérieur et moi. Virginia Satir, cette merveilleuse thérapeute et grande philosophe des systèmes familaux, est l'une d'elles. Tout comme sœur Mary Huberta, qui a manifesté à mon égard un intérêt particulier lorsque je fréquentais l'école primaire. Je savais que je comptais à ses yeux. Nous nous écrivons encore. J'ai également une vieille amie qui demeurera toujours l'une de mes mères. Dans ma quête spirituelle, sainte Thérèse d'Avila, la Petite Fleur, m'a montré ce qu'est une éducation maternelle, tandis que je recevais une puissante nourriture spirituelle de Marie, la mère de Jésus, qui est vraiment ma mère céleste.

Dieu est mon père le plus important. Jésus est la fois mon père et mon frère. Jésus me montre comment Dieu, mon père, m'aime inconditionnellement. J'ai éprouvé un grand soulagement à lire les histoires bibliques du fils prodigue et du berger à la recherche de la brebis égarée. Dans cette histoire, le berger quitte tout son troupeau pour retrouver une seule brebis perdue. Aucun berger *sain d'esprit* ne ferait cela. Sachant que son troupeau représente son unique richesse, il regarderait le fait de mettre en péril toutes ses brebis afin d'en retrouver une seule comme futile et irresponsable. Cette histoire démontre à quel point l'amour que Dieu a pour nous touche aux extrêmes. Mon enfant intérieur se sent parfois comme la brebis égarée, et il retrouve sa joie quand je lui rappelle que notre Père Céleste nous aime et nous protège.

Actuellement, quatre amis masculins très proches sont mes frères dans le sens le plus authentique du terme. Souvent, ils sont aussi mes pères. À de nombreuses occasions, George, Johnny, Michael et Kip ont aidé mon petit garçon profondément mortifié à grandir. Mon enfant et moi, nous savons qu'ils seront toujours là pour nous. Récemment, j'ai ajouté Pat à ma liste. Nous sommes tous deux dans le circuit des ateliers et nous avons tous deux écrit des best-sellers. Il comprend certains problèmes que je ne peux partager avec d'autres. L'adulte peut de maintes façons amener d'autres adultes à combler ses besoins et les laisser agir en tant que parents pour son enfant intérieur.

Tant que nous n'avons pas retrouvé et soutenu notre enfant intérieur, son indigence se fait dévorante. Il est semblable à tous les enfants, qui ont continuellement besoin de leurs parents et dont les besoins sont insatiables. Si nous le laissons mener le bal, nous risquons, à cause de notre indigence, de rendre fous nos amis et notre partenaire amoureux. Mais une fois que nous avons exprimé notre première souffrance, nous pouvons apprendre à faire confiance à notre adulte et à sa capacité de trouver chez les autres adultes la nourriture spirituelle dont nous avons besoin.

Pour diverses raisons, mon dernier anniversaire de naissance a été un moment de solitude inhabituelle. Mon ami Johnny était sensible à mon état d'âme et savait que je suis un passionné du golf. Il m'a donc offert un putter fabriqué sur commande. Normalement, mes amis et moi n'échangeons pas de cadeaux d'anniversaire. Celui de Johnny était très spécial et précieux. Mon adulte l'a accepté comme un geste paternel. En m'offrant ce cadeau, Johnny prenait soin de moi comme un père.

CHAPITRE 10

Donnez de nouvelles permissions à votre enfant intérieur

Lorsque nous pensons au bien-être de nos enfants, notre intention est de leur donner ce qui nous a fait défaut. [...] Ensuite, quand arrive le premier enfant, nous nous retrouvons face à face avec la réalité, nous apercevant que le rôle de parent est beaucoup plus qu'un rêve d'amour. [...] certains jours, nous nous surprenons à faire exactement ce que nous avions juré de ne jamais faire. [...] Ou nous démissionnons. [...] Nous devons développer des compétences, souvent plusieurs compétences, que nous n'avions pas acquises dans notre famille d'origine.

JEAN ILLSLEY CLARKE ET CONNIE DAWSON

Notre propre enfant intérieur doit être discipliné pour pouvoir libérer son formidable pouvoir spirituel.

MARION WOODMAN

Une fois que nous avons commencé à soutenir notre enfant intérieur, nous nous retrouvons face à un autre dilemme. Étant donné que la plupart d'entre nous sommes issus de familles dysfonctionnelles, *nous ne savons vraiment pas comment* jouer le rôle de parent auprès de notre enfant intérieur afin de l'éduquer convenablement. Notre enfant intérieur blessé est puéril. Il a été soit trop, soit trop peu discipliné. Nous devons donc devenir de bons éducateurs en matière de discipline afin que notre enfant intérieur blessé puisse guérir. L'enfant en nous doit intérioriser de nouvelles règles qui lui permettront de croître et de s'épanouir. L'adulte en nous doit recueillir de nouvelles informations sur ce qui constitue une bonne discipline et il doit acquérir de nouvelles compétences afin d'interagir avec l'enfant intérieur. Nous devrons utiliser notre puissance d'adulte pour donner de nouvelles permissions à notre enfant intérieur. Il a besoin que nous lui donnions la permission de *transgresser* les anciennes règles parentales, la permission d'incarner son moi authentique et la permission de jouer.

LA DISCIPLINE QUI FAVORISE LA CROISSANCE

Quelqu'un a déjà souligné que «de tous les masques de la liberté, la discipline est le plus impénétrable». Cela me plaît. Sans discipline, notre enfant intérieur ne peut pas vraiment être libre. Scott Peck a des choses importantes à dire à ce sujet: il considère la discipline comme un ensemble de techniques conçues pour alléger l'inévitable souffrance de la vie. C'est très loin de ce que j'ai appris durant mon enfance. Au fond de mon subconscient, le mot «discipline» est synonyme de punition et de souffrance. Selon Scott Peck, une bonne discipline est constituée d'un ensemble de leçons sur la manière dont nous pouvons vivre notre vie plus gracieusement; elle sous-tend des règles qui permettent à la personne d'être qui elle est. Ce genre de règles rehausse notre existence et protège notre conscience du «Je suis». C'est pourquoi je vous propose maintenant un ensemble de règles fructueuses que vous pourrez enseigner à votre merveilleux enfant intérieur.

1. C'est bien d'éprouver ce que tu éprouves. Les émotions ne sont ni bien ni mal. Elles existent simplement. Il n'y a personne qui soit en mesure de te dicter ce que tu *devrais* éprouver. Il est bon et nécessaire de parler des émotions.
2. C'est bien de vouloir ce que tu veux. Il n'y a rien que tu devrais ou ne devrais pas vouloir. Si tu es en contact avec ton énergie vitale, tu voudras croître et te développer. C'est bien et même nécessaire que tu combles tes besoins. C'est bien de demander ce que tu veux.
3. C'est bien de voir et d'entendre ce que tu vois et ce que tu entends. Peu importe la nature de ce que tu as vu et entendu, c'*est* ce que tu as vu et entendu.

4. C'est bien et nécessaire de jouer et d'avoir beaucoup de plaisir. C'est bien d'aimer le jeu sexuel.
5. Il est essentiel que tu dises toujours la vérité. Cela atténuera la souffrance inhérente à la vie. Le mensonge déforme la réalité. Toutes les formes de distorsions de la pensée doivent être corrigées.
6. Il est important que tu connaisses tes limites et qu'à l'occasion tu *diffères* les gratifications. Cela amoindrira la souffrance inhérente à la vie.
7. Il est d'une importance décisive que tu développes un sens des responsabilités équilibré. Cela signifie que tu dois assumer les conséquences de tes actes et refuser d'assumer les conséquences des actes d'autrui.
8. C'est bien de commettre des erreurs. Les erreurs sont nos professeurs, puisqu'elles nous aident à apprendre.
9. Les émotions, les besoins et les désirs d'autrui doivent être respectés et valorisés. Le fait de bafouer les autres t'amène à éprouver de la culpabilité et t'oblige à en assumer les conséquences.
10. C'est normal d'avoir des problèmes. Ils doivent être résolus. C'est normal de vivre des conflits. Eux aussi doivent être résolus.

Permettez-moi de commenter brièvement chacune de ces nouvelles règles.

Première nouvelle règle

Étant donné que ce sera très angoissant pour votre enfant intérieur blessé d'enfreindre l'ancienne loi familiale du *silence* où celle qui condamne l'expression des émotions en les considérant comme des signes de faiblesse, vous devrez prendre soin de bien l'orienter dans ce domaine. Avant tout, cela signifie que vous lui donnerez la permission d'éprouver ce qu'il éprouve et que vous lui montrerez que les émotions ne sont ni bien ni mal. Mais vous devrez avoir une ligne de conduite claire en ce qui a trait à l'expression des émotions. Dans certains contextes, en effet, ce n'est ni sûr ni approprié d'exprimer ses émotions. Il ne serait pas souhaitable, par exemple, que vous encouragiez votre enfant intérieur à déclarer ses sentiments au policier qui vient de vous donner une contravention. Dans un même ordre d'idées, il est peu recommandable de faire connaître à ses parents son sentiment d'avoir été délaissé. Vous devez exprimer ces émotions selon les manières que j'ai décrites dans la deuxième partie.

Votre enfant intérieur doit également apprendre la différence entre *exprimer* une émotion et *agir* d'après une émotion. La colère, par exemple, est une émotion parfaitement légitime. Elle nous avertit que nos besoins ou nos droits fondamentaux ont été bafoués ou sont sur le point de l'être. Dans cette optique, il est légitime d'exprimer sa colère, mais beaucoup moins légitime de frapper, de blasphémer, de crier ou de détruire les biens d'autrui.

Vous devez trouver un milieu sûr où personne ne vous couvrira de honte lorsque votre enfant exprimera librement ses émotions. Cela peut impliquer que vous vous joigniez à un groupe de soutien dont les membres travaillent sur des problèmes semblables aux vôtres.

En outre, vous devrez montrer à votre enfant intérieur que vos émotions font partie intégrante de votre force intérieure. Elles sont le combustible psychique qui vous pousse à rechercher et à obtenir la satisfaction de vos besoins. Elles vous signalent la présence d'un danger, vous font savoir qu'on est en train de vous faire violence ou que vous avez perdu quelque chose d'important.

Deuxième nouvelle règle

La deuxième nouvelle règle neutralise l'humiliation toxique qu'éprouve votre enfant intérieur blessé face à ses besoins et à ses désirs. Vous rappelez-vous les parents âgés de trois ans et pesant plusieurs dizaines de kilos? En tant qu'adultes enfants, ils n'ont jamais pu assouvir leurs besoins ou leurs désirs; par voie de conséquence, sitôt que vous manifestiez des besoins ou des désirs, ils se mettaient en colère et vous couvraient de honte.

Intoxiqué par la honte, votre enfant intérieur ne croit pas qu'il a le droit de *désirer* quoi que ce soit. Néanmoins, vous pouvez prendre sa défense en étant très attentif à ses besoins et à ses désirs. Vous ne serez peut-être pas toujours en mesure de lui donner ce qu'il veut, mais vous pourrez l'écouter et lui donner la permission de désirer. Si nous n'avions aucun désir et aucun besoin, notre énergie vitale finirait par s'annihiler.

Troisième nouvelle règle

La troisième règle contrebalance l'illusion et le mensonge qui prévalent dans les familles dysfonctionnelles, et engendrent de surprenantes réponses. La petite Julie arrive de l'école et *voit* sa mère en train de pleurer. Elle demande: «Qu'est-ce que tu as, maman?» Sa mère répond: «Je n'ai rien. Va jouer dehors!» Un bon matin, le petit Farquhar voit son père étendu à côté de la voiture, dans le garage. Intrigué et confus, il demande à sa mère pourquoi papa est couché là. Elle lui répond que son père a besoin de dormir sur le plancher de béton du garage «parce qu'il a mal au dos»! Le jeune Daniel entend son père et sa mère qui se disputent. Leurs cris l'ont tiré de son profond sommeil. Il va jusqu'à leur chambre et veut savoir ce qui se passe. Ses parents lui disent: «Ce n'est rien. Retourne te coucher. Tu as dû rêver!»

L'enfant qui reçoit ce genre de messages ne peut plus se fier à ses propres sens. Ainsi privé d'informations sensorielles, il lui sera difficile de vivre dans la réalité. Les enfants possèdent une expertise en matière de sensibilité sensorielle; nous avons donc particulièrement besoin de notre enfant intérieur dans ce domaine. Mais pour pouvoir profiter de son expertise, nous devons lui donner la permission de voir, d'écouter, de toucher et d'explorer le monde extérieur.

Quatrième nouvelle règle

La quatrième règle concerne le jeu et le plaisir. Jouer, c'est une façon de simplement *être*. J'ai appris à concevoir mon emploi du temps de manière à me réserver certains moments de jeu durant lesquels je peux aller pêcher ou jouer au golf ou encore *ne rien faire*. Cela me plaît d'aller quelque part seulement pour y flâner. Flâner et ne rien faire sont deux formes du jeu adulte. Nous comblons notre besoin d'*être* lorsque nous donnons à notre enfant intérieur la permission de jouer.

Le jeu sexuel représente une autre merveilleuse forme d'amusement pour adultes. Il recouvre son meilleur aspect à partir de l'instant où l'adulte en nous sort ses parents de la chambre, verrouille la porte et laisse son gamin intérieur naturel se débrouiller. L'enfant intérieur adore toucher, goûter, sentir et parler durant le jeu sexuel. Il adore prendre le temps d'explorer, particulièrement s'il a été élevé dans la honte de la sexualité ou si on lui a interdit de regarder ce qui l'attirait.

Il est indispensable que vous laissiez votre enfant intérieur s'ébattre et s'amuser sexuellement. Certes, votre adulte doit établir pour lui les limites morales auxquelles vous adhérez, mais à l'intérieur de ces limites, il est bon que votre vie soit riche en jeux sexuels.

Cinquième nouvelle règle

La cinquième règle est probablement la plus importante de toutes. Étant jeune, votre enfant intérieur naturel a appris à s'adapter afin de survivre. Or, dans les familles dysfonctionnelles, on ment beaucoup. L'illusion et la dénégation qui y règnent sont des mensonges. Les faux rôles familiaux que les membres y jouent sont des mensonges. Pour dissimuler des aspects désagréables de la vie familiale, on a besoin de mentir. Le mensonge devient alors un mode de vie, et pour s'en libérer, votre enfant intérieur devra faire de grands efforts.

Votre enfant intérieur blessé a également des façons de penser qui nient la réalité et déforment la vérité. Comme tous les enfants, il a une pensée magique et absolutiste qui doit être affrontée.

De plus, votre enfant intérieur blessé ayant profondément honte de lui-même, vous devez corriger sa pensée empreinte de honte. Voici quelques-unes des distorsions de la pensée les plus courantes auxquelles vous devrez prendre garde en parlant avec lui.

La pensée polarisée. L'enfant intérieur blessé conçoit tout d'un point de vue extrémiste. C'est tout l'un ou tout l'autre; il n'y a rien entre les deux: les choses et les gens sont soit bons soit mauvais. L'enfant intérieur blessé pense que si une personne ne veut pas rester près de lui chaque minute de chaque jour, cela signifie qu'elle ne l'aime pas vraiment. Il s'agit d'un mode de pensée absolutiste; il est dû au fait que, étant bambin, l'enfant a mal intégré la notion de permanence de l'objet. L'absolutisme conduisant au désespoir, vous devez faire comprendre à votre enfant intérieur que la vérité, c'est que tout le monde est à la fois bon et mauvais et que l'absolu n'existe pas.

Le catastrophisme. Votre enfant intérieur blessé a appris à s'épouvanter et à se catastropher par l'entremise de l'enfant intérieur blessé de vos parents. Votre éducation représentait souvent un fardeau trop lourd à porter pour les adultes enfants qu'étaient vos parents. Ils vous ont tourmenté, inquiété et hypnotisé avec leur interminable déluge de rappels à l'ordre angoissés. Juste au moment où vous aviez besoin de sécurité pour explorer et expérimenter, ils vous terrorisaient à coups de plaintes telles que: «Attention!», «Prends garde!», «Arrête-toi!», «Ne fais pas ça!» et «Dépêche-toi!». Il ne faut pas s'étonner que votre enfant intérieur soit hypervigilant: on lui a appris que le monde est un lieu effroyable et dangereux. Cependant, vous pouvez maintenant le soutenir en lui donnant la permission de s'aventurer et de faire des expériences tout en lui assurant que c'est bien puisque vous êtes là pour veiller sur lui.

L'universalisation. Votre enfant intérieur blessé a tendance à faire des généralisations par trop absolues à partir d'incidents mineurs. Si votre partenaire amoureux vous annonce qu'il aimerait passer la soirée à lire chez lui, votre enfant intérieur entend sonner le glas de la relation. Si quelqu'un refuse de sortir avec vous, votre enfant intérieur blessé en conclut: «Je n'obtiendrai *jamais* un autre rendez-vous. Les gens refuseront *toujours* de sortir avec moi.» Si vous apprenez à faire du ski nautique et que vous n'arrivez pas du premier coup à vous tenir sur les skis, votre enfant intérieur en déduit que vous n'apprendrez *jamais* à maîtriser les techniques de ce sport.

Vous pouvez par conséquent soutenir votre enfant en confrontant et en corrigeant sa tendance à universaliser. Pour ce faire, vous pouvez notamment exagérer les mots tels que *tout, jamais, personne, toujours, rien,* etc. Chaque fois que votre enfant dit des choses comme: «Personne ne fait jamais attention à moi», répondez: «Tu veux dire que pas une seule personne dans le monde entier ne t'a *jamais, jamais, jamais* regardé ni parlé?» Parallèlement, apprenez-lui à utiliser plutôt des mots comme *souvent, peut-être* et *quelquefois.*

Les mots ancrent nos expériences. En outre, nous nous hypnotisons littéralement avec eux. Notre enfant intérieur blessé s'effraie lui-même avec des mots dénaturés. Mais, utilisés correctement, les mots peuvent témoigner de notre honnêteté et nous servir à dire la vérité. Notre gamin intérieur a besoin d'apprendre à être honnête.

La divination. La divination est une forme de magie. La pensée magique fait partie de la nature des enfants, et lorsque les parents affirment des choses comme: «Je sais à quoi tu penses», ils renforcent leur pensée magique. Par ailleurs, à partir du moment où les perceptions sensorielles de l'enfant sont constamment reniées, celui-ci s'en remet de plus en plus à la magie. Si bien que votre enfant intérieur pourrait dire des choses telles que: «Je sais que mon patron s'apprête à me congédier. Je peux le deviner juste à la façon dont il me regarde.»

La divination découle également des projections auxquelles se livre votre enfant intérieur blessé. Supposons qu'il n'aime pas quelqu'un et que vos parents avaient l'habitude de vous gronder quand vous manifestiez votre aversion envers certaines personnes. L'antipathie qu'éprouve votre enfant est maintenant dissimulée et reliée à la honte. Cela se vérifie quand il dit: «Je pense que monsieur Untel ne *m'*aime vraiment pas.» En réalité, c'est votre enfant intérieur qui n'aime vraiment pas *monsieur Untel.*

Il est essentiel que vous affrontiez l'esprit de divination de votre enfant intérieur. Il y a assez de choses menaçantes en ce monde sans qu'on ait besoin d'en rajouter. Apprenez-lui à vérifier ses croyances. Donnez-lui la permission de poser beaucoup de questions.

Le fait d'être honnête et de dire la vérité crée la confiance, et la confiance engendre l'amour ainsi que l'intimité. Chaque fois que votre enfant intérieur essaie de mentir, d'exagérer ou de déformer la réalité en recourant à l'absolutisme et à la magie, vous devez corriger son attitude. L'amour et une discipline fondée sur le respect diminuent la souffrance occasionnée par le mensonge et les distorsions de la pensée.

Sixième nouvelle règle

La sixième règle concerne les besoins voraces de l'enfant intérieur. Tous les enfants veulent ce qu'ils veulent *au moment précis* où ils le veulent. Ils ont une très faible tolérance à la frustration et aux retards. Le fait d'apprendre à différer les gratifications est inhérent au processus de croissance, et cela nous aide à diminuer les souffrances et les difficultés de la vie. Car à quoi bon s'empiffrer, par exemple, pour éprouver un peu plus tard un malaise et des maux d'estomac; ou encore à quoi bon dépenser tout son argent d'un seul coup et n'avoir plus rien ensuite?

L'enfant sans cesse privé et négligé a beaucoup de mal à différer les gratifications. Notre enfant intérieur blessé croit qu'il existe dans son monde une grave pénurie d'amour, de nourriture, de caresses et de plaisir. Par voie de conséquence, dès qu'il a l'occasion d'obtenir ces choses, il s'emballe.

Pendant des années, j'ai mis dans mon assiette plus de nourriture que je ne pouvais en avaler. Cependant, je mangeais toujours toute mon assiettée. Je me surprenais également à acheter de nombreuses choses dont je n'avais nul besoin, simplement parce que j'avais l'argent nécessaire pour me le payer. J'avais l'habitude d'accumuler ces objets dans ma chambre jusqu'à en être envahi. Je me surprenais aussi à éprouver de la jalousie envers tout autre thérapeute ou animateur qui jouissait d'une certaine popularité. Comme s'il n'y avait pas eu assez de gens ayant besoin de recouvrer la santé; ou comme s'il n'y avait eu qu'une réserve limitée d'amour et d'admiration, et que, si une autre personne en recevait, moi, j'allais en être privé. Tout cela faisait partie des épanchements de mon enfant intérieur blessé. Il croyait qu'on ne me donnerait jamais ma part du gâteau et que, pour mon bien, je devais m'arranger pour en obtenir le plus possible au moment où j'en avais la chance. Ses «indulgences» m'ont causé de nombreuses souffrances au fil des ans.

Je prends maintenant le parti de mon enfant intérieur blessé en m'occupant très bien de lui. Je lui promets des choses merveilleuses et *je tiens toujours les promesses que je lui ai faites.* Vous devez être rigoureusement fidèle à vos promesses si vous désirez gagner la confiance de votre enfant intérieur. En donnant à mon enfant des tas de bonnes choses, je l'éduque. Il lui arrive parfois encore de prendre le dessus, mais cela se passe tellement mieux qu'avant. Je lui prouve que nous pouvons avoir plus de plaisir en retardant le moment de nous récompenser et ça porte ses fruits.

Récemment, par exemple, j'ai fait une expérience avec lui. Il adore les bonbons, les tartes, les sundaes, etc. Je lui ai permis de manger toutes les sucreries qu'il voulait pendant une semaine. À la fin de cette semaine-là, nous avons évalué comment nous nous sentions. C'était terrible: j'avais pris plus de deux kilos et mon ventre débordait de mon inconfortable pantalon de taille 38. J'ai alors refusé toute sucrerie à mon enfant intérieur pendant six jours au cours desquels nous avons fait de l'exercice le plus souvent possible. Le dimanche, je lui ai permis de manger des gâteries. Nous avons ensuite réévalué comment nous nous sentions. Beaucoup, beaucoup mieux. En réalité, nous n'avons pas mangé énormément de sucreries ce dimanche-là.

Ce régime risquerait fort peu d'être endossé par une quelconque association de médecins ou de diététistes, mais il m'a permis de prouver au Petit John qu'il y a *plus de plaisir* à différer les gratifications qu'à sauter dessus comme un goinfre.

Septième nouvelle règle

La septième règle est une des clés du bonheur. Une si grande partie de la souffrance humaine provient du fait que l'enfant intérieur blessé prend sur lui trop de responsabilités ou, au contraire, refuse d'en assumer sa juste part!

Vous devez carrément faire face aux conséquences de votre comportement. En retrouvant votre enfant intérieur blessé, vous avez commencé à travailler votre *sens des responsabilités*. La plupart des réponses de l'enfant intérieur ne sont pas de vraies réponses; ce sont plutôt des réactions ancrées et souvent excessives. Une vraie réponse prend sa source dans de vraies émotions et relève d'une décision consciente. Pour être à même d'avoir une vraie réponse, on doit être en contact avec ses émotions, ses besoins et ses manques. Or, les adultes qui vivent avec un enfant intérieur blessé sont jusqu'à un certain point coupés de tout cela.

Soutenir votre enfant intérieur, c'est lui apprendre à agir plutôt qu'à réagir. Pour agir, vous devez *être en mesure de répondre*; cette capacité se manifeste lorsque c'est vous qui maîtrisez la vie de votre enfant intérieur et non pas lui qui maîtrise la vôtre.

La relation d'intimité est, à ma connaissance, ce qui illustre le mieux combien il est important d'assumer cette responsabilité. Nous pouvons établir des relations intimes parce que nous avons tous un enfant intérieur merveilleux et vulnérable. Deux personnes «en amour» reproduisent la symbiose qui caractérise le premier lien entre la mère et l'enfant. En substance, elles fusionnent l'une avec l'autre. Elles éprouvent un sentiment tout-puissant d'unité et de force. Chacun partage son *moi le plus vulnérable* et le plus profond avec l'autre.

Cette extrême vulnérabilité conduit les adultes à avoir peur des relations intimes et à détruire en fin de compte toute intimité. Dans une relation amoureuse, la destruction de l'intimité survient quand l'un des partenaires, ou les deux, refuse d'assumer la responsabilité de l'enfant vulnérable qu'il porte en lui.

Examinons ce qui se passe à partir de l'instant où deux adultes enfants tombent amoureux. Leurs enfants intérieurs blessés sont transportés. Chacun voit dans l'autre les qualités et les défauts de ses parents. Chacun croit que, cette fois, les besoins inassouvis de son enfant seront finalement pris en considération. Chacun prête à l'autre une force démesurée et lui accorde une estime excessive. Chaque enfant blessé considère l'autre comme son parent. Peu de temps après le mariage, les deux partenaires commencent à manifester l'un envers l'autre leurs exigences. Celles-ci masquent leurs attentes essentiellement *inconscientes* qui découlent des désirs ardents et du sentiment de vide qu'éprouve l'enfant intérieur blessé niché en chacun d'eux. La nature a horreur du vide, et un élan vital pousse l'enfant intérieur blessé à finir ce qui n'est pas terminé. Il recherche l'affection parentale qu'il n'a jamais eue, mais qu'il désire toujours aussi vivement obtenir. Emporté par cette quête, l'un des partenaires peut même *inciter* l'autre à adopter le comportement de l'un de ses parents. À certains moments, il peut *dénaturer* les actes de son partenaire de manière à accentuer la ressemblance entre celui-ci et son parent réel. À tout prendre, cette perspective n'est pas rose! Cela équivaut à un mariage entre deux enfants de quatre ans qui tenteraient d'assumer des responsabilités d'adultes.

Si vous avez retrouvé votre enfant intérieur, vous avez une chance de connaître l'intimité. En le soutenant, *vous vous rendez responsable de sa vulnérabilité*. Le fait de vous engager à devenir le parent de votre enfant intérieur vous évite de nouer un lien avec une personne en espérant que celle-ci remplacera vos parents perdus. *L'intimité devient possible lorsque chaque partenaire assume la responsabilité de son propre enfant intérieur vulnérable.* Par conséquent, elle ne pourrait se créer si vous essayiez d'obtenir de votre partenaire ce que vos parents ont été incapables de vous donner.

Huitième nouvelle règle

La huitième règle vous offre le moyen d'apprendre à votre enfant intérieur ce qu'est la honte normale. La honte toxique nous contraint à être plus qu'humains (des modèles de perfection) ou moins qu'humains (des ploucs). La honte normale nous permet de nous tromper, l'erreur étant foncièrement humaine. Elle tient compte de ce que nos erreurs nous servent d'avertissements et de ce que nous pouvons en tirer des leçons valables durant toute notre vie. En accordant à notre enfant intérieur le droit de se tromper, elle lui offre la possibilité de se montrer plus spontané. Car vivre dans l'appréhension des erreurs, c'est marcher continuellement sur des œufs et mener une existence circonspecte, superficielle. Si votre enfant intérieur croit devoir surveiller chacune de ses paroles afin de ne jamais rien dire de mal, il ne dira probablement jamais rien qui vaille. Il pourrait bien aussi ne jamais demander d'aide ni vous dire qu'il souffre ou qu'il vous aime.

Neuvième nouvelle règle

La neuvième règle est la Règle d'Or. Elle demande à votre enfant intérieur d'avoir pour les autres autant d'amour, d'estime et de respect que vous en avez pour vous-même. Elle lui fait également comprendre que s'il enfreint cette règle, il devra en assumer les conséquences. Notre enfant blessé doit en effet apprendre à répondre de ses actes et faire l'expérience d'une saine culpabilité, cette forme de honte morale nous informant que nous avons bafoué nos propres valeurs et celles des autres et qu'il y a un prix à payer pour cela. La saine culpabilité est à la base de la saine conscience dont notre enfant intérieur a besoin. L'agressivité dont j'ai parlé précédemment vient surtout du fait que notre enfant blessé n'a jamais développé sa propre conscience. Lorsqu'un enfant maltraité s'identifie à son agresseur, il hérite également du système de valeurs déformé propre à cet agresseur. Lorsqu'un enfant a vu ses comportements répréhensibles renforcés par l'excès d'indulgence ou de complaisance de ses parents, il en a déduit que les règles ordinaires des gens moyens ne s'appliquaient pas à lui: de par son «statut particulier», il s'est cru autorisé à se placer au-dessus des règles.

Dixième nouvelle règle

La dixième règle laisse savoir à l'enfant intérieur que la vie est fertile en problèmes, lui qui s'indigne si souvent devant les aléas et les difficultés de l'existence en gémissant «Ce n'est pas juste!». «Je ne peux pas croire que ça me soit arrrivé à moi!»: voilà une phrase que j'ai souvent entendue en tant que thérapeute. Comme si les problèmes et les difficultés étaient de mauvais tours que nous jouait un esprit sadique caché dans le cosmos! Les problèmes et les difficultés font partie de l'existence de tout un chacun et, ainsi que Scott Peck l'a dit: «Nous ne pouvons résoudre les problèmes de la vie qu'en les résolvant.» De fait, la manière dont nous transigeons avec nos problèmes et nos difficultés détermine la qualité de notre vie. Un thérapeute de Chicago, Terry Gorski, a avancé que «croître, c'est passer d'un ensemble de problèmes à un meilleur ensemble de problèmes». J'aime bien cette observation. Elle est absolument vraie en ce qui concerne ma vie. Chaque nouveau succès apporte de tout nouveaux problèmes.

Nous devons apprendre à notre enfant intérieur qu'il est normal d'avoir des problèmes et qu'il faut les accepter. Nous devons également lui faire comprendre que les conflits sont inévitables dans les relations humaines. En réalité, l'intimité n'est possible qu'à condition que la relation soit en mesure d'absorber les conflits. Nous devons montrer à notre enfant intérieur comment lutter honnêtement, en respectant les règles du jeu, et comment résoudre ses différends. Je traiterai ce sujet plus longuement au chapitre 12.

En apprenant ces nouvelles règles à votre enfant intérieur, vous lui donnerez la permission d'enfreindre ses anciennes lois. Une fois qu'il les aura intériorisées, elles deviendront pour lui une seconde nature, stimulant son narcissisme et favorisant la guérison de sa blessure spirituelle.

LA PERMISSION D'ÊTRE VOUS-MÊME

Votre enfant intérieur a besoin que vous lui donniez la permission inconditionnelle d'être lui-même et, dans cet ordre d'idées, la discipline éducative que je viens d'exposer lui fera faire de grands pas vers le rétablissement de son moi. Cependant, vous pouvez l'aider encore davantage en lui donnant la permission d'abandonner le(s) rôle(s) rigide(s) qu'il a endossé(s) afin d'équilibrer son système familial et de sentir qu'il était important aux yeux des autres. J'ai déjà suffisamment parlé des rôles et de la façon dont ils se mettent en place dans un système familial dysfonctionnel. Vous avez commencé à permettre à votre enfant intérieur d'abandonner ces rôles figés quand vous avez retrouvé votre moi de bambin puis votre moi d'enfant d'âge préscolaire, et vous allez maintenant pouvoir aller plus loin. Dans cette démarche, les rubriques suivantes pourront vous servir de modèle général pour travailler tous les rôles que joue votre faux moi.

Laissez tomber les rôles de votre faux moi

PREMIÈRE ÉTAPE

Tout d'abord, vous avez besoin de vous faire une image plus claire de vos divers rôles au sein de votre système familial. Comment avez-vous appris à vous sentir important lorsque vous étiez enfant? Que faisiez-vous pour maintenir les liens de la famille et combler ses besoins? Voici quelques-uns des rôles les plus couramment adoptés: le Héros, la Vedette, le Perfectionniste, le Petit Homme de maman, l'Époux Substitut de maman ou l'Épouse Substitut de papa, la Petite Princesse de papa, le Copain de papa, la Complice de collège ou la Sœur de sang de maman, le Soutien ou le Protecteur de maman ou papa, la Mère de maman, le Père de papa, le Pacificateur, le Médiateur, l'Enfant Sacrifié, le Bouc Émissaire ou le Rebelle de la famille, l'Incapable, l'Enfant Problème, l'Enfant Perdu, la Victime. Les rôles sont inépuisables, mais chacun remplit la même fonction: garder le système familial en équilibre, immobile et à l'abri du changement. Chaque rôle fournit également à la personne qui le joue un moyen de dissimuler sa honte toxique. Le rôle nous structure et nous définit; il prescrit un ensemble de comportements et d'émotions. Ainsi au fur et à mesure que nous jouons nos rôles, notre moi authentique devient de plus en plus inconscient. Comme je l'ai expliqué précédemment, au fil des ans, nous développons une *accoutumance* à nos rôles.

Soutenir votre enfant intérieur, c'est lui permettre de choisir ce qu'il veut préserver dans ses rôles et ce qu'il désire laisser tomber. Il importe que vous lui montriez clairement que ses rôles *n'ont vraiment servi à rien*. Pour ma part j'ai demandé ceci à mon enfant intérieur blessé: «En jouant tes rôles de Vedette, de Perfectionniste et de Protecteur, est-ce que tu as réellement sauvé quelqu'un dans ta famille?» La réponse immédiate a été «Non». Je lui ai aussi demandé: «Le fait d'être une Vedette, un Perfectionniste et un Protecteur t'a-t-il procuré une paix intérieure durable?» Encore une fois, sa réponse a été «Non»; il se sentait encore vide, seul et déprimé la plupart du temps. Finalement, je lui ai demandé: «Quelles émotions as-tu été obligé de refouler afin de jouer tes rôles de Vedette, de Perfectionniste et de Protecteur?» Il m'a répondu que j'avais dû taire ma peur et ma colère; je devais toujours être fort, gai et positif. Derrière mes rôles surhumains se terrait un petit garçon seul, effrayé et pétri de honte.

DEUXIÈME ÉTAPE

Vous êtes maintenant prêt à laisser votre enfant intérieur éprouver les émotions que lui interdisaient ses rôles. Dites-lui que c'est bien de se sentir triste, apeuré, seul ou fâché. Vous avez déjà accompli une bonne part de ce travail dans la deuxième partie de ce livre mais, en tant que nouveau défenseur de votre enfant blessé, vous devez lui faire savoir qu'il a la permission d'éprouver les sentiments précis que ses rôles rigides prohibaient. Vous lui donnerez ainsi la permission d'être lui-même.

Il est particulièrement important que vous le protégiez à cette étape-ci, car les sentiments refoulés sont si redoutables à partir du moment où ils commencent à émerger qu'ils pourraient accabler votre enfant intérieur. Vous devrez procéder lentement et lui donner beaucoup d'encouragements affectueux. Chaque fois que nous changeons un vieux schéma acquis dans notre famille d'origine, cela nous semble *peu familier* (littéralement, c'est «non familial»). Nous ne nous sentons pas «chez nous» dans notre nouveau comportement. Le fait d'éprouver de nouvelles émotions semblera étrange, peut-être même fou, à votre enfant intérieur. Soyez donc patient avec lui, car il ne se risquera pas à faire l'expérience de ces nouveaux sentiments s'il ne sent pas qu'il jouit d'une *sécurité* absolue.

TROISIÈME ÉTAPE

Pour explorer votre liberté nouvellement acquise, vous devrez chercher les nouveaux comportements qui vous permettront d'expérimenter votre moi dans un contexte différent. En ce qui me concerne, par exemple, j'ai fait appel à la créativité de mon adulte afin qu'il me dise les trois choses que je pouvais faire pour échapper à mes rôles de Vedette et de Perfectionniste. Demandez vous aussi à l'adulte créatif en vous de choisir *trois attitudes précises*. Voici ce que le mien m'a proposé:

1. Je peux me rendre à un séminaire ou bien à un atelier où personne ne me connaît et m'attacher à n'être qu'un membre du groupe, un participant comme les autres.
2. Je peux faire un travail médiocre pour m'acquitter d'une tâche quelconque. Je l'ai fait alors que j'écrivais un article pour un journal.
3. Je peux seconder les efforts d'une autre personne qui est le centre d'intérêt d'un groupe ou d'une assemblée. Je l'ai fait en partageant l'estrade avec un collègue à Los Angeles. Les feux de la rampe étaient braqués sur lui.

Toutes ces expériences ont été bénéfiques pour moi. J'ai découvert comment je pouvais me sentir en faisant partie d'un groupe plutôt qu'en étant la Vedette. Je me suis laissé le choix de ne pas viser la perfection. J'ai pris beaucoup de plaisir à jouer un rôle de soutien auprès de quelqu'un d'autre. Quant à mon enfant intérieur, il a aimé accomplir ces choses. Il était si fatigué de toujours devoir être une Vedette ou un Perfectionniste.

À cette étape, je savais que mon rôle de Protecteur était encore plus influent, car il représentait mon moyen le plus significatif de compter aux yeux des autres. La perspective de modifier ce rôle était d'autant plus inquiétante. La première fois que je m'y suis attaqué, je me suis proposé les nouveaux comportements suivants:

1. Je réduis le temps que je consacre à la consultation de cinquante à quarante heures par semaine.

2. Je change le numéro de téléphone de mon domicile (que j'avais donné à mes clients) afin d'obtenir un numéro confidentiel. J'installe un répondeur téléphonique pour les consultations urgentes.

3. Je refuse de consacrer mes temps libres à des réunions sociales au cours desquelles j'ai l'habitude de répondre aux questions des participants relatives à leurs problèmes personnels.

Quand j'ai adopté un de ces comportements pour la première fois, je me suis senti coupable. Il me semblait que j'étais égoïste. Mais petit à petit, mon enfant intérieur en est arrivé à constater que les gens m'estimaient et me respectaient toujours. Lorsque j'ai découvert que j'étais digne d'estime et d'amour *sans* devoir faire ces choses pour les autres, j'ai franchi une étape importante dans ma croissance personnelle.

QUATRIÈME ÉTAPE

Enfin, vous devez aider votre enfant intérieur à choisir ce qu'il désire conserver dans ses rôles. Moi, par exemple, j'adore parler à des centaines de personnes quand je donne des conférences ou des séminaires. Mon enfant intérieur aime raconter des blagues et entendre rire les gens. Il aime aussi les moments où les applaudissements fusent à la fin d'une causerie ou d'un atelier. C'est pour cette raison que lui et moi avons décidé de continuer à faire ce travail.

Mon enfant intérieur m'a fait savoir que je le faisais mourir avec mes rôles de Gentil Garçon, de Protecteur et de Vedette. Au cours de mes ateliers ou de mes séminaires, par exemple, j'avais l'habitude de ne jamais prendre de repos. Pendant toutes les pauses, je parlais avec les gens, je répondais à leurs questions, j'essayais de les faire profiter d'une thérapie en trois minutes et je dédicaçais des livres. Je pouvais également rester une heure et demie de plus après avoir terminé une conférence ou un atelier. Résultat, je travaillais parfois douze heures de suite. Un soir que je rentrais chez moi, dans l'avion qui me ramenait de Los Angeles, mon enfant intérieur a tout simplement éclaté en sanglots. Je ne parvenais pas à croire que cela m'arrivait, mais j'ai compris le message. Mon enfant intérieur voulait bien que nous gardions le rôle de Vedette, mais le Protecteur devait s'effacer. J'ai donc effectué certains choix qui lui plaisent. Depuis quelques années, nous nous envolons toujours en première classe. On vient fréquemment nous chercher en limousine. Durant les ateliers, au moment de la pause, plusieurs personnes sont chargées de s'occuper de nous. Nous utilisons ce moment pour nous reposer et manger un fruit frais ou toute autre nourriture légère. Maintenant, mon enfant intérieur et moi donnons une attention de qualité aux autres. Néanmoins, nous prenons aussi bien soin de nous-mêmes. Et nous laissons les autres s'occuper de nous. Nous avons choisi d'être une Vedette, mais pas au prix de notre conscience d'être. Nous avons choisi de nous occuper des autres, mais nous ne sommes pas obsédés par cette tâche. Nous ne croyons plus que nous perdrions notre importance si nous ne prenions plus soin des autres. Je me préoccupe de mon enfant intérieur; je l'appuie et je lui dis que je l'aime exactement tel qu'il est. Mon enfant ne croit plus désormais qu'il doit renoncer à son moi authentique afin d'être aimé. Nous savons tous deux que la relation la plus décisive dans notre vie est celle que nous entretenons l'un avec l'autre. Je lui ai donné la permission d'être qui il est, et c'est cela qui a fait toute la différence.

CHAPITRE 11

Protégez votre enfant intérieur blessé

Les enfants qui ne sont pas aimés pour ce qu'ils sont vraiment ne savent pas comment s'aimer eux-mêmes. Devenus adultes, ils doivent apprendre à nourrir, à materner leur propre enfant perdu.

MARION WOODMAN

L'enfant désire des choses simples. Il veut être écouté. Il veut être aimé. [...] Il est peut-être incapable de l'exprimer avec des mots, mais il veut que ses droits soient protégés *et que sa dignité demeure intacte. Il a besoin que vous soyez là.*

RON KURTZ

Le troisième «P» en thérapie, c'est la protection. L'enfant intérieur blessé a besoin de protection parce qu'il est immature et encore un peu à l'état d'ébauche. Il se sent ambivalent face au nouveau parent que vous êtes maintenant pour lui: certains jours il vous fait une confiance absolue alors que d'autres jours, il est apeuré et confus. Après tout, vous êtes resté loin de lui pendant plusieurs années, sans lui prêter grande attention. Comme dans toute relation normale, sa confiance devra s'établir avec le temps.

DONNEZ VOTRE TEMPS ET VOTRE ATTENTION

Comme je l'ai déjà dit, les enfants savent intuitivement que l'on consacre du temps aux choses et aux êtres que l'on aime. Il est d'une importance vitale que vous appreniez à reconnaître les moments où votre enfant intérieur a besoin de votre attention. Personnellement, je m'y applique encore, aussi ne puis-je que vous faire part de ce que j'ai appris jusqu'à présent. Mon enfant intérieur a habituellement besoin de mon attention lorsque:

Je *m'ennuie*. Il arrive parfois que mon gamin s'ennuie durant mes propres conférences et ateliers. Il s'ennuie dès que je me lance dans de longues conversations intellectuelles. Il commence à s'agiter et à se tortiller. Il me demande de vérifier maintes et maintes fois où j'en suis rendu dans mon travail afin de savoir combien de temps il lui reste encore à endurer cela.

Je suis *effrayé*. Mon enfant intérieur était littéralement programmé pour éprouver de la terreur lorsqu'il était petit. À la moindre menace, il fait donc irruption.

Je suis *témoin d'une scène affectueuse et chaleureuse entre un père et son fils*. Cela ne rate jamais. Le jour où le tennisman Pat Cash a triomphé à Wimbledon, il est monté en courant dans les gradins pour aller étreindre son père: mon enfant intérieur s'est aussitôt mis à brailler. La même chose s'est produite peu avant que Jack Nicklaus ne remporte son cinquième Championnat professionnel: son fils se serrait contre lui tandis qu'ils se dirigeaient vers le dix-huitième trou. Cela s'est reproduit lorsque Dustin Hoffman s'est vu décerner l'Oscar du meilleur acteur. Hoffman a appelé son père qui écoutait l'émission depuis son lit d'hôpital, et mon enfant intérieur s'est mis à pleurer. Mon enfant intérieur ressent encore un lourd chagrin d'avoir été abandonné par mon père. Bien que j'aie beaucoup travaillé ce problème (en réalité, j'ai serré mon père dans mes bras alors qu'il était mourant et je n'ai plus rien à liquider en ce qui le concerne), je suis encore profondément blessé de l'avoir perdu si jeune.

Je suis *fatigué*. Je deviens geignard et irritable lorsque je suis fatigué. Je dois faire bien attention et m'occuper de mon enfant intérieur sinon il va se montrer cinglant envers la première personne venue.

Je *joue à un jeu basé sur la compétition*. Mon enfant intérieur est un mauvais perdant. Il le cache assez bien, mais il déteste perdre. Je peux devenir extrêmement émotif sur un terrain de golf. En observant mon comportement, j'ai été consterné de voir jusqu'à quel âge je pouvais régresser. Dernièrement j'ai raté un putt facile et je me suis entendu dire intérieurement: «Pourquoi est-ce que je m'obstine à faire quoi que ce soit!» C'était une réflexion plutôt absolue pour un putt manqué que j'avais oublié deux heures plus tard.

Je *réagis avec excès*. Les réactions excessives sont des régressions spontanées. Je sais que mon enfant intérieur est présent lorsque j'entends monter le ton de ma voix et qu'il devient de plus en plus défensif.

Je me sens *froissé ou rejeté*. Mon enfant capte le moindre signe de rejet ou de désintérêt. Cependant, je dois faire très attention, car il perçoit parfois ce genre de signes là où il n'y en a pas en réalité.

Je *me retrouve inopinément dans une situation périlleuse*. Cela ne m'arrive pas souvent car, en tant que personne pétrie de honte, j'ai appris à me surveiller constamment. Mais tout changement impromptu dans mes prévisions met mon enfant intérieur dans l'embarras.

J'ai *faim*. Mon enfant intérieur devient très irritable quand j'ai faim.

Je suis *en compagnie de mes meilleurs amis*. C'est un moment heureux pour mon enfant intérieur. Il adore être avec mes meilleurs amis. Il se sent joyeux et en sécurité. Il aime plaisanter, rire et avoir du plaisir.

Je me sens *isolé*. Pendant longtemps, j'ai été incapable de reconnaître les moments où j'éprouvais un sentiment de grande solitude. Je sais maintenant que je me sens isolé quand j'ai l'impression d'être engourdi et que j'ai envie de manger des mets sucrés. Je sais également que je me sens très seul lorsque j'ai envie de donner des tas de coups de téléphone.

Chaque fois que mon enfant intérieur est présent, je le reconnais. Quand il est heureux et qu'il a du plaisir, une simple reconnaissance lui suffit. Lorsqu'il est fatigué, affamé, découragé, triste ou seul, je dois parler avec lui. J'ai découvert que deux méthodes pouvaient s'avérer très utiles pour communiquer avec mon enfant intérieur.

COMMUNIQUEZ AVEC VOTRE ENFANT INTÉRIEUR

Vous avez déjà appris la première technique: l'écriture de lettres. Cette méthode peut être utilisée pour communiquer quotidiennement avec votre enfant intérieur. Rappelez-vous que votre adulte doit écrire avec la main dominante et que votre enfant intérieur doit écrire avec la main non dominante. Voici comment je procède. Le matin, peu après mon réveil, je détermine d'avance le moment que je vais consacrer à mon enfant intérieur au cours de la journée. Parfois, lorsque cet enfant surgit dans des périodes d'anxiété, d'isolement ou d'ennui, j'entre sur-le-champ en communication avec lui. Mais en général, je lui consacre vingt minutes à l'heure que j'ai déterminée à l'avance. Ce soir, à 20 h 30, j'avais besoin d'interrompre la rédaction de ce livre et mon enfant commençait à s'ennuyer. Voici ce que j'ai alors écrit:

Le Grand John: Salut, Petit John! Quel âge as-tu en ce moment?
Le Petit John: J'ai six ans.
Le Grand John: Petit John, comment ça va de ton côté actuellement?
Le Petit John: Je suis fatigué d'écrire. Je veux jouer et j'ai l'épaule en compote.
Le Grand John: Je suis désolé, je ne me rendais pas compte que j'étais si dur avec toi. Qu'est-ce que tu aimerais faire maintenant?
Le Petit John: Je veux manger la crème glacée que Katie a apportée.
Le Grand John: Je l'avais complètement oubliée. Descendons à la cuisine et allons en manger tout de suite.

Après cette courte conversation, je suis allé me servir une coupe de la crème glacée maison que ma nièce Katie m'avait apportée dans la journée. J'avais réellement oublié cette glace, mais le Petit John, lui, s'en souvenait. Nous nous sommes régalés et reposés pendant un moment, puis j'ai repris mon travail de rédaction.

Je ne passe pas vingt minutes par jour avec le Petit John, mais je lui réserve toujours ce temps. Je sais qu'il ne peut pas se concentrer pendant une plus longue période. En outre, j'ai découvert que plus je reconnaissais régulièrement le Petit John, moins il avait besoin de temps. Il sait que je suis là pour lui et il me fait confiance. Je suis fidèle au dialogue écrit depuis maintenant environ deux ans. C'est une forme de communication simple, mais certaines personnes se plaignent que cela leur demande trop de temps. C'est exigeant, je le concède. Il faut certainement s'engager à donner de son temps et à faire des efforts au début. Mais votre enfant intérieur en vaut la peine!

La deuxième façon de communiquer avec votre enfant nécessite le recours à la visualisation. De nombreuses personnes utilisent cette méthode pour faire des exercices avec leur enfant intérieur. C'est celle que je préfère.

Fermez les yeux et visualisez une pièce comportant deux fauteuils confortables placés en vis-à-vis. L'un des fauteuils est plus gros que l'autre et situé à droite de votre image mentale. L'autre siège est à la mesure d'un enfant, mais assez haut pour que le visage de l'enfant soit au même niveau que celui de l'adulte. J'ai dessiné mon moi d'adulte (le magicien doux et sage) assis dans un fauteuil et mon enfant intérieur installé dans l'autre. Je vous livre ce dessin à titre d'exemple. Contemplez votre propre image mentale et écoutez attentivement la conversation engagée entre votre adulte et votre enfant intérieur.

Commencez toujours par interroger votre enfant sur son âge. Ensuite, demandez-lui comment il se sent. Veillez à clarifier ses manques en lui demandant des détails relatifs à des comportements précis. Prenons un exemple. Un membre de mon groupe de soutien masculin s'est rendu compte récemment que son enfant intérieur était fâché contre lui. Aussitôt, mon ami lui a demandé ce qu'il désirait et l'enfant a répondu qu'il voulait aller dans un parc d'attractions pour essayer plusieurs manèges. Il a mentionné les montagnes russes, la grande roue et les rapides. Mon ami est âgé d'une cinquantaine d'années. À contrecœur, il a honoré la requête de son enfant intérieur. Il a invité plusieurs couples d'amis et ensemble ils se sont rendus au parc d'attractions. Mon ami a fait un tour non seulement dans tous les manèges que son enfant lui suggérait, mais aussi dans quelques autres… et il s'est follement amusé!

Lors de la rencontre suivante, j'ai pu constater chez lui des changements notables. Cet homme est un banquier très occupé, un expert en matière d'investissements et de planification financière complexes. Son enfant intérieur en avait plein le dos de ses activités professionnelles, aussi lui avait-il fait part de ses besoins pour briser la routine de travail dans laquelle mon ami s'était enlisé. Trois jours après cette rencontre, mon copain m'a invité à me rendre au parc d'attractions avec lui!

Votre enfant intérieur a besoin que vous lui donniez du temps et de l'attention. Ce faisant, vous lui laisserez savoir qu'il a un vrai défenseur.

TROUVEZ UNE NOUVELLE FAMILLE

Le fait de soutenir votre enfant intérieur implique que vous choisissiez pour lui une nouvelle famille. Celle-ci lui est nécessaire, car elle le protégera pendant qu'il délimitera ses nouvelles frontières et fera ses apprentissages correctifs. Si votre famille d'origine n'est pas engagée dans un processus de guérison, il vous est presque impossible d'y trouver un soutien pendant que vous-même travaillez à vous rétablir. Les membres de votre famille jugeront fort probabablement que votre démarche est stupide et ils vous couvriront de honte. Ils trouveront menaçant que vous fassiez ce genre de travail, parce qu'à mesure que vous abandonnerez vos anciens rôles vous allez pertuber l'équilibre statique du système familial. Ils ne vous ont jamais accordé la permission d'être vous-même auparavant. Pourquoi tout à coup vous permettraient-ils cela? Si votre famille d'origine était dysfonctionnelle, c'est vraiment le dernier milieu où vous pourriez combler votre besoin de nourriture spirituelle. Aussi, je vous recommande de maintenir une distance sûre avec elle et de concentrer vos efforts sur la recherche d'une nouvelle famille de soutien non mortifiante. Il pourrait s'agir d'un groupe d'amis qui vous appuient, ou du groupe auquel vous vous êtes joint pour résoudre les problèmes de votre enfant intérieur, ou encore de l'un des nombreux groupes qui entreprennent un Programme en douze étapes (on en trouve maintenant à travers tout le pays). Vous pourriez aussi choisir un groupe religieux ou un groupe de thérapie. Quel que soit votre choix, j'insiste pour que votre adulte trouve un groupe pour vous soutenir, vous et votre enfant intérieur. Vous êtes le défenseur de ce dernier et il a besoin du soutien et de la protection d'une nouvelle famille d'attaches.

Considérons le cas de Chloé, qui a grandi auprès d'un père violent et émotionnellement abusif et d'une mère fort encline à la couvrir de honte. Son père est mort maintenant et sa mère s'est remariée, mais elle continue de téléphoner souvent à Chloé. Celle-ci a fait des progrès formidables en thérapie, encore que je puisse toujours dire si sa mère l'a appelée ou non. Après chaque appel, Chloé fait une rechute qui dure plusieurs jours. J'ai passé un contrat avec Chloé pour qu'elle se joigne à un groupe d'entraide. Elle a accepté à contrecœur. J'étais son soutien moral et elle ne voulait confier ses secrets à personne d'autre. Je savais que ce n'était pas sain, aussi ai-je insisté pour qu'elle devienne membre d'un groupe et qu'elle participe à trente rencontres en trente jours. J'espérais qu'une telle saturation aurait pour effet de l'implanter dans le groupe. La stratégie a été efficace. Chloé s'est assez rapidement sentie chez elle dans le groupe et, au bout des trente jours, elle a continué de participer à quatre réunions par semaine. J'ai constaté qu'elle jouissait d'un regain d'énergie et que les coups de téléphone de sa mère semblaient moins la bouleverser. Elle avait pris l'habitude de parler de ces appels téléphoniques au groupe, et les membres lui suggéraient des réponses qu'elle pouvait donner à sa mère. Ils l'ont également incitée à se procurer un répondeur téléphonique afin qu'elle puisse filtrer les coups de fil de sa mère et la rappeler au moment où elle se sentirait prête. Le groupe lui a offert un soutien moral beaucoup plus diversifié que celui que j'aurais pu lui donner, et le feedback qu'elle a reçu était plus puissant que ma seule voix. Chloé a maintenant une nouvelle famille d'attaches qui la soutient dans sa lutte à terminer contre la tyrannie de sa mère.

LE POUVOIR ET LA PROTECTION DE LA PRIÈRE

Votre enfant intérieur a besoin de constater que votre adulte bénéficie d'une source de protection dépassant votre moi d'humain limité. Et bien qu'il vous considère comme un être divin et magique, il tient beaucoup à savoir que vous pouvez en tout temps obtenir l'appui d'une Puissance Supérieure. Même si votre adulte ne croit pas en Dieu, votre enfant intérieur croit en quelque chose de plus grand que lui-même, car les enfants sont de nature portés à accorder leur confiance à une Puissance Supérieure.

La prière est la plus puissante source de protection pour votre enfant intérieur blessé; ainsi, cela lui plaira de prier avec vous. J'aime bien fermer les yeux et voir apparaître mon enfant intérieur à n'importe quel âge. Je l'assois sur mes genoux ou bien nous nous agenouillons côte à côte et nous prions. Je récite une prière d'adulte pendant que le Petit John dit une prière d'enfant. Sa préférée est une prière du soir et nous la récitons quelquefois ensemble. La mienne est le *Memorare*, une prière que j'ai apprise à l'école primaire catholique. Elle s'adresse à Marie, la mère de Jésus. J'aime sentir la présence d'un pouvoir féminin dans ma spiritualité. Je conçois Dieu comme un être maternel et doux. Marie me prend dans ses bras et me berce. Cela plaît également au Petit John. Le *Memorare* dit:

> Souvenez-vous, ô très miséricordieuse Vierge Marie, qu'on n'a jamais entendu dire qu'aucun de ceux qui ont eu recours à votre protection, imploré votre assistance ou réclamé vos suffrages, ait été abandonné. Animé de cette confiance, ô Vierge des Vierges, ô ma Mère, je viens à vous, et gémissant sous le poids de mes péchés, je me prosterne à vos pieds. Ô Mère du Verbe incarné, ne méprisez pas mes prières, mais écoutez-les favorablement et daignez les exaucer.

Mon adulte n'aime pas toutes les références à la virginité, parce que je ne crois pas que Marie était vierge. Mais cette prière me procure une solide protection. J'ai raconté tout cela au Petit John et il a été très impressionné. Vous devrez vous aussi trouver des prières ayant des effets bienfaisants sur vous et sur votre enfant intérieur. Je vous recommande de tout cœur de donner à votre enfant intérieur blessé la puissante protection que l'on puise dans la prière.

CARESSEZ VOTRE ENFANT INTÉRIEUR

Nous savons que les enfants peuvent mourir s'ils ne sont pas étreints et caressés. Pour vivre et se développer, les nourrissons ont besoin d'être touchés, d'être stimulés. Lorsqu'ils ne le sont pas, il souffrent d'une maladie appelée *marasme* (mot dont la racine étymologique signifie «dessécher»), exactement comme s'il mouraient de faim. Un enfant atteint de cette maladie régresse jusqu'au stade du fœtus, comme si sa croissance était inversée. Sans caresses, un bébé se dessèche et dépérit. À mesure qu'un enfant grandit, son besoin de recevoir des encouragements verbaux, en plus des caresses, augmente. Il s'agit d'une forme de protection.

Puisque les enfants sont incapables de vivre sans caresses, ils les recherchent coûte que coûte. S'ils ne peuvent recevoir des caresses bénéfiques, ils s'accommoderont des mauvaises. On se résout à boire de l'eau polluée quand on n'a pas d'autre eau à sa disposition.

Votre enfant intérieur blessé s'est probablement habitué à boire beaucoup d'eau polluée. C'est pourquoi les affirmations que nous avons utilisées à chacun des stades de développement sont si importantes. Vous devrez continuer de vous en servir, car elles constituent les caresses émotionnelles dont votre enfant a besoin pour être nourri spirituellement. Mais pour l'instant, revenez aux affirmations propres à chaque stade et rappelez-vous celles qui se sont avérées les plus puissantes pour vous, car ce sont elles qui vous serviront de caresses particulières. Votre enfant intérieur aura besoin de les entendre chaque jour lorsque vous commencerez à apprendre votre rôle de défenseur à son égard. Voici mes affirmations préférées.

Pour le nouveau-né

Tu es le bienvenu en ce monde... Je suis si heureux que tu sois un garçon... Je vais te consacrer tout le temps qu'il te faudra de manière à combler parfaitement tous tes besoins.

Pour le bambin

C'est bien de dire «non»... C'est bien d'être en colère... Tu peux être en colère et je serai là quand même... C'est bien d'être curieux, d'avoir envie de regarder, de toucher et de goûter les choses... Je vais veiller sur toi pour que tu puisses explorer en toute sécurité.

Pour l'enfant d'âge préscolaire

C'est bien d'être sexuel... C'est bien de penser par toi-même... C'est bien d'être différent... Tu peux me demander ce que tu veux... Tu peux poser des questions si quelque chose te trouble.

Pour l'enfant d'âge scolaire

C'est bien de faire des erreurs... Tu peux accomplir certaines choses de façon médiocre... Tu n'as pas à être parfait ni à toujours décrocher des «A»... Je t'aime exactement tel que tu es.

Ces affirmations sont taillées sur mesure pour moi et mes besoins. Vous pouvez faire la même chose avec les vôtres.

Je vous recommande également d'écrire vos affirmations. Travaillez une affirmation à la fois et écrivez-la de quinze à vingt fois par jour. Emportez-la avec vous partout où vous allez. Regardez-la souvent et dites-la à haute voix.

Transcrivez les affirmations sur des petites fiches que vous mettrez en lieu sûr chez vous. Demandez à des amis de vous les lire. Enregistrez-les sur une cassette et réécoutez-les.

Intégrez des caresses apaisantes dans les anciens traumatismes

C'est dans les moments où vos parents étaient le plus troublés (lorsqu'ils criaient ou s'enrageaient après vous, vous faisaient des menaces, vous étiquetaient et vous jugeaient) que votre enfant intérieur blessé a intériorisé le plus dramatiquement leurs paroles. C'est dans de tels moments que votre survie était le plus menacée. Leurs mots sont restés gravés en vous.

Vous avez donc besoin de reprendre ces scènes pour permettre à votre adulte de soutenir votre enfant intérieur en lui disant les mots qui l'apaiseront et le nourriront spirituellement. Si vous ne lui offriez pas l'occasion de graver dans sa mémoire ces nouveaux messages apaisants, votre enfant blessé continuerait de s'adresser à lui-même en se servant toujours des mêmes paroles mortifiantes. L'exercice suivant vous aidera à reconstruire ces vieilles scènes et à y intégrer une nouvelle voix. Choisissez de préférence un souvenir traumatisant à partir duquel vous avez déjà travaillé votre première souffrance. Si vous choisissez une scène que vous n'avez pas déjà travaillée, *faites très attention, car vous pourriez facilement et rapidement être accablé par cette tâche. Dans un cas comme dans l'autre suivez les indications à la lettre.* Je vous recommande soit d'enregistrer l'exercice sur une cassette, soit de demander à un thérapeute, à un ami de confiance ou à une personne ressource de vous guider à travers ses différentes étapes.

PREMIÈRE ÉTAPE

Imaginez que votre moi de grande personne est assis dans une salle de cinéma et qu'il regarde le grand écran blanc. Maintenant, jetez un coup d'œil autour de vous et examinez les détails sur les murs de la salle. Que voyez-vous? Regardez le plafond. Voyez comme il est incrusté de magnifiques ciselures. À présent, regardez de nouveau l'écran et voyez-y apparaître

le titre d'un film. Lisez les mots «Scène d'un traumatisme ancien». Imaginez maintenant que vous flottez en dehors de votre corps et que vous allez vous asseoir dix rangées en arrière de vous-même. Vous pouvez voir l'arrière de votre propre tête et vous pouvez vous observer vous-même en train de regarder l'écran. Faites une ancre avec le pouce et un autre doigt de votre main gauche.

DEUXIÈME ÉTAPE

Gardez votre position d'ancrage et voyez-vous en train de regarder un film en noir et blanc présentant l'ancienne scène traumatisante. Imaginez-vous en train de l'écouter du début jusqu'à la fin. Lorsque le film est terminé, voyez-vous en train de contempler la dernière image, la caméra s'étant arrêtée sur votre enfant blessé tel qu'il est apparu dans la scène traumatisante. Il est assis tout seul.

TROISIÈME ÉTAPE

Relâchez votre ancre et réintégrez votre moi qui a visionné le film. Vous êtes maintenant dans votre corps. Imaginez que vous entrez dans l'image que vous voyez sur l'écran. Vous êtes maintenant avec votre enfant intérieur blessé. Demandez-lui s'il veut que vous le serriez dans vos bras. S'il accepte, prenez-le et caressez-le doucement en lui disant les paroles apaisantes qu'il aurait eu besoin d'entendre lorsqu'il a subi le traumatisme. S'il ne veut pas que vous le preniez dans vos bras, dites-lui simplement des paroles apaisantes.

Prenons un exemple. Je me rappelle avoir été traumatisé un jour où ma grand-mère m'avait humilié alors que je pleurais hystériquement parce que mon père était parti de la maison en jurant qu'il allait se «soûler à mort». Lui et ma mère venaient juste d'avoir une violente querelle. Je me souviens que j'étais terrifié. En travaillant cette scène, j'ai doucement serré dans mes bras mon enfant intérieur blessé âgé de dix ans et je lui ai dit: «Ça va, John. C'*est* très affolant de penser que ton papa va se soûler encore. C'est parfaitement normal dans ta situation d'être effrayé, d'avoir peur que ton papa ne revienne plus jamais ou qu'il fasse du mal à ta maman. Tu peux pleurer aussi longtemps que tu veux. Je suis là pour te protéger maintenant.»

QUATRIÈME ÉTAPE

Lorsque vous avez fini de réconforter votre enfant, imaginez que toute la scène au complet, en couleurs cette fois, repasse sur l'écran. Imaginez que, vous et votre enfant intérieur blessé, vous figurez dans le film comme si vous, vous aviez remonté le temps.

Attendez pendant environ dix minutes puis réfléchissez à l'ancienne scène traumatisante. La percevez-vous différemment. Pouvez-vous entendre résonner la nouvelle voix qui vous soutient? Si cela vous est impossible, vous avez besoin de travailler cette scène encore un peu plus. Une même scène peut être reprise plusieurs fois.

Demandez des caresses

Apprenez à *demander des caresses lorsque vous en avez besoin.* Comme la plupart d'entre nous, vous subissiez certainement une humiliation toxique quand vous exprimiez votre besoin de caresses. Vous n'avez probablement jamais pu apprendre à vous nourrir émotionnellement par vous-mêmes. Par conséquent, vous devez maintenant donner à votre enfant intérieur la permission de le faire. Lorsqu'on vous humilie, il est très sain d'appeler un ami et de lui demander une caresse. Vous pouvez téléphoner et dire: «Dis-moi que je suis une personne valable et bonne», ou «Dis-moi combien tu m'aimes et m'estimes», ou encore «Dis-moi quelques-unes des choses que tu aimes en moi». Pensez à ce que vous feriez si vous mouriez de faim. Vous trouveriez de la nourriture ou vous en demanderiez à un ami. Mais votre enfant intérieur ne se rend pas compte que vous pouvez agir de la même façon lorsque vous êtes *émotionnellement affamé.*

C'est parfaitement normal de demander le genre de caresses particulières dont vous avez besoin. Vous en connaissez déjà quelques-unes. Les très belles femmes sont souvent gavées de caresses en ce qui concerne leur beauté physique. Si vous êtes une femme séduisante, vous devez demander d'autres genres de caresses. Quand un homme vous déclare qu'il vous trouve superbe ou sexy, par exemple, répondez-lui: «Je *sais* cela; y a-t-il autre chose que tu aimes en moi?» Je reçois une pléthore de caresses pour mon esprit. Je me fais dire des choses comme: «Tu es génial! Je me demande bien comment tu t'y prends.» Mais moi, je veux des caresses *physiques.* Donc, j'apprends à mon enfant intérieur à dire: «Je sais que je suis intelligent; mais comment aimes-tu mon corps?» Ce n'est pas facile. Nous ne sommes guère habitués à demander et à recevoir des caresses. La plupart de nos parents étaient des adultes enfants qui avaient eux-mêmes été des «rationnés de la caresse»; aussi ils ont été plutôt chiches quand est venu le temps d'en donner.

Tout en prodiguant à votre enfant des caresses fréquentes et adaptées précisément à ses besoins, inculquez-lui les principes suivants:

- Donne aux autres autant de caresses que tu le peux.
- C'est bien de te caresser toi-même.
- C'est bien de demander des caresses.
- C'est bien de demander le genre de caresses dont tu as besoin.

Votre enfant intérieur a besoin de cette stimulation et de cette protection constantes.

En tant que défenseur de votre enfant intérieur, vous pouvez lui donner les trois «P» de la thérapie dont parlait Eric Berne. Ces trois «P» — la puissance, la permission et la protection — font également partie du rôle de parent sainement assumé. J'aime bien leur ajouter un quatrième «P». Le soutien donné à votre enfant intérieur est un processus ininterrompu qui implique un apprentissage correctif, lequel exige effort et pratique. Examinons maintenant ce quatrième «P», la pratique.

CHAPITRE 12

Mettez en pratique les exercices correctifs

Nous nous exposons à autant de risques que nous en courons.

HENRY DAVID THOREAU

Aide-toi, le Ciel t'aidera.

PROVERBE THÉRAPEUTIQUE

Il est réjouissant de savoir qu'en dépit du fait que l'enfant a été blessé à travers la négligence et des lacunes dans son apprentissage, nous pouvons apprendre à combler ses besoins une fois devenus adultes. Nous sommes à même de développer des compétences dans toutes les sphères de l'interaction humaine. Il n'est pas question ici de désapprendre; il est question d'apprendre certaines choses pour la première fois.

KIP FLOCK

Vous avez déjà pleuré les besoins de dépendance qui n'ont pas été comblés au cours de votre développement. Vous êtes maintenant en mesure d'apprendre différents exercices qui vous amèneront à faire des expériences correctives — cette démarche constituant l'aspect le plus encourageant du travail avec l'enfant intérieur. La souffrance reliée à votre blessure provenant en partie de lacunes dans votre éducation, vous allez pouvoir corriger ces lacunes en faisant de nouveaux apprentissages. Normalement, nous faisons quelques-uns de ces apprentissages sans y attacher une grande importance, à mesure que les exigences sociales stimulent notre croissance. Mais la plupart de ceux qui ont un enfant intérieur blessé souffrent encore de certaines failles dans plusieurs domaines et en ressentent un grand malaise. Maints adultes enfants ignorent qu'ils tournent en rond parce que leur apprentissage a été déficient. Ils se mortifient et se blâment implacablement de leurs échecs et des défauts de leur caractère. C'est pourquoi les exercices correctifs visent en partie à aider votre enfant intérieur blessé à comprendre que vos *défauts* sont des *déficits*. Les contaminations comportementales provenant de votre enfant blessé correspondent en réalité à des techniques de survie qu'il a développées. Le psychiatre Timmen Cermak compare ces comportements de survie aux symptômes qui surgissent après un stress traumatique. Les soldats dans une bataille, et tous les gens qui vivent un événement traumatisant, doivent faire appel à toutes leurs ressources pour survivre. Ils n'ont pas le temps d'exprimer leurs émotions, chose qui leur serait nécessaire pour intégrer le traumatisme. Plus tard, leur souffrance restée en suspens se manifeste par des symptômes tels que des crises d'anxiété, une maîtrise de soi exagérée, des trous de mémoire, de la dépression, des épisodes de régression et une vigilance extrême. Il s'agit des caractéristiques associées au syndrome du stress post-traumatique, mais si je vous donnais la liste complète des symptômes possibles, vous constateriez à quel point ils ressemblent aux contaminations en rapport avec l'enfant intérieur blessé que j'ai décrites dans le premier chapitre.

Les exercices présentés ici combleront vos anciens déficits d'apprentissage. Surtout, ils augmenteront la capacité de votre enfant intérieur à simplement *être*, à se montrer plus affectueux et à établir des relations plus intimes.

Plusieurs auteurs ont offert d'abondantes ressources correctives pour chaque stade de développement. J'ai mentionné *Cycles of Power* (Les cycles du pouvoir), le livre de Pam Levin; je voudrais citer également *Recovery from Co-Dependency* (Se guérir de la codépendance) de Laurie et Jonathan Weiss; *Windows to Our Children* (Des fenêtres ouvertes sur nos enfants) de Violet Oaklander; *Adult Children of Abusive Parents* (Les adultes enfants de parents abusifs) de Steven Farmer; *Breaking Free of the Co-Dependency Trap* (Se libérer du piège de la codépendance) de Barry et Janae Weinhold; et *Therapeutic Metaphors for Children and the Children Within* (Métaphores thérapeutiques pour les enfants et l'enfant intérieur) de Joyce Mills et Richard Crowley. Les rubriques qui suivent sont largement inspirées de ces ouvrages.

Les exercices que je vous propose seront plus efficaces si vous les appliquez aux domaines qui ont été le plus négligés. À présent, vous êtes censé avoir une assez bonne idée des stades de développement où votre enfant intérieur a été bloqué; je vous recommande de travailler particulièrement ces stades.

EXERCICES POUR COMBLER LES BESOINS DE VOTRE PETITE ENFANCE

Lorsque nous étions en très bas âge, nous avions besoin de nous sentir assez en sécurité pour *simplement être*. Cependant, la majorité d'entre nous savons que notre enfant intérieur blessé a appris que ce n'était pas bien de simplement *être*; nous devions *faire* quelque chose pour qu'on nous considère comme importants et significatifs. Cela nous a conduits à la perte de notre conscience du «Je suis». Pour la retrouver, nous avons maintenant besoin d'apprendre à ne rien faire et à simplement *être*.

Les exercices suivants vous aideront à seulement être qui vous êtes à un moment donné. Choisissez ceux qui vous séduisent le plus.

- Plongez dans un bain chaud et prenez le temps de vous concentrer sur vos sensations corporelles. Attachez-vous à être seulement présent.
- Offrez-vous des massages fréquemment.
- Allez chez le coiffeur et chez une manucure.
- Laissez un ami vous offrir un repas; il vous fera à manger ou vous invitera au restaurant.
- Installez-vous calmement dans un fauteuil, enveloppé dans une couette ou une couverture. En hiver, allumez un bon feu de foyer et grillez-y des guimauves.
- Passez un long moment à échanger des caresses sensuelles avec votre amoureux.
- Laissez votre amoureux vous donner un bain.
- Laissez-vous aller paresseusement dans un bain tiède agrémenté de mousse ou d'huile parfumée.
- Réservez dans votre emploi du temps des périodes où vous ne ferez rien; durant ces moments, vous ne ferez aucun projet et ne prendrez aucun engagement.

- Passez une demi-heure ou une heure à vous laisser flotter dans une piscine, lors d'une chaude journée d'été.
- Balancez-vous longuement dans un hamac.
- Écoutez une douce musique de berceuse. (Essayez *Lullaby Suite* ou *Lullabies and Sweet Dreams* de Steven Halpern.)
- En travaillant, ayez à portée de la main une boisson quelconque à siroter.
- Sucez des menthes ou des Life Savers lorsque vous entreprenez une nouvelle tâche ou que vous faites quelque chose pour la première fois.
- Changez vos habitudes alimentaires. Plutôt que de prendre trois repas par jour, mangez plusieurs petits repas nutritifs étalés sur toute la journée.
- Demandez à certaines personnes (idéalement des deux sexes) qu'elles vous donnent un soutien moral particulier en vous étreignant et en vous prenant dans leurs bras pendant des périodes clairement déterminées.
- Faites autant de siestes que possible les jours où vous disposez de tout votre temps.
- Offrez-vous un repos complet avant d'entreprendre toute nouvelle activité.
- Exercez-vous à faire des «promenades de confiance» avec un ami; demandez-lui de vous bander les yeux et de vous guider pendant une période déterminée.
- Prenez le risque de faire confiance à un ami que vous aimez bien; laissez-le planifier et contrôler ce que vous allez faire ensemble.
- Trouvez un partenaire et contemplez-vous mutuellement pendant neuf minutes. Amusez-vous, laissez-vous aller au fou rire, faites tout ce dont vous avez envie. Restez simplement présents; ne parlez pas. Ne faites que vous *regarder* l'un l'autre.
- Méditez sur le néant. Quand nous méditons sur le néant, nous méditons sur l'être même. La petite enfance a été l'époque où nous jouissions pleinement du pouvoir d'être. Il existe plusieurs façons de méditer sur le pur être ou le néant. Ce genre de méditation vise à créer un état de non-conscience — on appelle parfois cela «faire le silence en soi». En apprenant à créer le silence à l'intérieur de nous, nous permettons à notre adulte et à notre enfant de s'unir beaucoup plus profondément l'un à l'autre.

Méditation pour sentir le pouvoir d'être

Le texte qui suit est une forme très simple de méditation visant l'état de non-conscience, un état auquel les grands maîtres spirituels n'accèdent qu'après des années de tentatives répétées. Cette méditation n'en est pas moins un exercice très valable. Je vous recommande d'enregistrer ce texte sur une cassette. Utilisez comme fond sonore votre musique de méditation préférée.

Commencez par vous concentrer sur votre respiration... Devenez simplement *conscient* de votre respiration... Soyez attentif à ce qui se passe dans votre corps lorsque vous inspirez et expirez... Sentez l'air qui entre dans vos narines et en sort... Quelle différence cela fait-il?... Imaginez que vous pouvez inspirer à la hauteur de votre front et expirer toutes les tensions que vous y découvrez... Inspirez ensuite autour des yeux... Et expirez la tension que vous y trouvez... Ensuite autour de la bouche... Puis descendez dans le cou et les épaules... Allez ensuite dans les bras en descendant jusqu'aux mains... Inspirez dans le haut de la poitrine et expirez-en toute tension... Inspirez dans l'abdomen... Inspirez dans les fesses et expirez toute la tension que vous y trouvez... Inspirez dans les mollets et expirez toute la tension qui s'y trouve... Maintenant, laissez tout votre corps se détendre... Imaginez que l'intérieur de votre corps est creux... Imaginez qu'un chaud rayon de soleil passe à travers vous... Vous commencez à éprouver une sensation de lourdeur ou de légèreté... Choisissez celle que vous avez envie de ressentir... Vos paupières sont très lourdes... Vos bras sont lourds... Vos jambes et vos pieds sont lourds... *Ou* vous vous sentirez très léger... Comme si tout votre corps flottait... Imaginez que l'horizon de votre esprit devient de plus en plus sombre jusqu'à ce que votre regard ne fixe plus que la pure obscurité... Au centre de cette obscurité, vous commencez à voir un infime point de lumière... Le point de lumière commence lentement à grandir, à devenir de plus en plus grand... Jusqu'à ce que tout l'horizon soit complètement illuminé... Fixez maintenant la lumière... La pure lumière... Soyez conscient de faire l'expérience du néant... Il n'y a aucune chose là... Seulement le pur être... Voyez maintenant apparaître lentement le chiffre 3 au milieu de votre horizon... Redevenez conscient de votre respiration... Laissez votre

conscience balayer tout votre corps, en commençant par les orteils et en montant dans les jambes, les hanches, le ventre, le haut de la poitrine, les bras, les mains, le cou et les épaules, le visage et le cerveau... Soyez conscient de votre sentiment du «Je suis»... Vous êtes vivement en contact avec vous-même... Avec votre propre sentiment du «Je suis»... Maintenant, voyez apparaître le chiffre 2... Et remuez les orteils... Remuez les mains... Sentez le contact de votre corps avec le fauteuil et sentez vos pieds qui touchent le sol... Soyez aussi attentif que possible à tous les sons autour de vous... Voyez maintenant apparaître le chiffre 1 et ouvrez lentement les yeux...

Lorsque vous avez terminé, restez assis calmement et offrez-vous quelques instants de rêverie... Laissez-vous aller à simplement être.

Tous ces exercices vous seront utiles pour répondre aux besoins de votre petite enfance. Ils peuvent être particulièrement efficaces lorsque:

- Vous entamez un nouveau cycle de votre développement.
- Vous devez commencer quelque chose de nouveau.
- Vous avez subi une perte.
- Vous venez tout juste d'avoir un bébé.

On doit effectuer ces exercices lentement et les ruminer longuement. Les expériences relatives à l'être sont comme des aliments sains: on doit les mastiquer à fond et non les avaler gloutonnement. Si vous dévorez votre nourriture, vous éprouverez de la difficulté à la digérer. Et quand les aliments ne sont pas digérés, l'énergie qu'ils auraient pu vous procurer n'est pas disponible. Il en va de même pour vos expériences de l'«être».

EXERCICES POUR COMBLER LES BESOINS DE VOTRE BAMBIN

Le stade de la reptation et de l'exploration sensorielle

Fritz Perls a souvent dit que nous devons «perdre la tête et retrouver nos sens». Très tôt, les sens de notre enfant intérieur se sont heurtés à des obstacles. Nous avons en conséquence besoin de rétablir le contact avec le monde sensoriel qui nous entoure. Voici quelques-unes des actions que vous pouvez entreprendre pour raviver les besoins d'exploration du bambin que vous étiez.

- Allez visiter un marché aux puces ou un grand magasin. Passez d'un objet à l'autre, regardez, touchez et examinez tout ce qui frappe votre imagination.
- Rendez-vous à une cafétéria ou à un restaurant qui offre un buffet. Choisissez une grande variété d'aliments, dont certains que vous n'avez jamais goûtés auparavant.
- Allez à l'épicerie et achetez des aliments que normalement vous ne mangeriez pas avec les doigts. Emportez-les à la maison et mangez-les avec vos doigts. Soyez aussi malpropre que vous le voulez.
- Passez un moment à mâcher ou à croquer quelque chose de croustillant.
- Attardez-vous au rayon des produits frais de votre épicerie et sentez les différents fruits et légumes.
- Allez quelque part où vous n'êtes *jamais allé auparavant.* Remarquez autant de détails que possible dans cet environnement.
- Rendez-vous sur un terrain de jeux et soyez simplement attentif aux enfants. Amusez-vous sur les balançoires, essayez la glissoire, grimpez dans les cages à poules.
- Allez à la plage et passez plusieurs heures à jouer dans le sable et dans l'eau. Construisez quelque chose dans le sable.
- Procurez-vous de la glaise et jouez avec. Modelez différentes formes.
- Procurez-vous de la peinture et passez un après-midi à peindre avec vos doigts. Utilisez autant de couleurs que possible.
- Passez un moment dans une école alternative et laissez-vous guider par l'environnement. Essayez tout ce qui frappe votre imagination.
- Habillez-vous de vêtements aux couleurs les plus éclatantes que vous puissiez trouver et allez quelque part ainsi vêtu.
- Amusez-vous à produire des bruits avec les objets familiers de la maison, simplement pour le plaisir d'entendre les sons que vous pouvez en tirer. N'oubliez pas l'argenterie ni la batterie de cuisine.

- Rendez-vous à un parc d'attractions; passez plusieurs heures à le visiter et à monter sur divers manèges.
- Promenez-vous dans un très beau parc ou dans un jardin et humez autant d'odeurs que possible, en butinant de l'une à l'autre.
- Visitez un musée d'art et contemplez les couleurs vives des différentes peintures.
- Invitez un ami ou votre amoureux à faire une longue promenade avec vous. Marchez main dans la main et laissez vos sens vous diriger là où ils vous donnent envie d'aller.
- Allez dans un parc avec un ami et exercez-vous au regard zen. À tour de rôle, fermez les yeux et laissez-vous guider par l'autre en lui tenant la main. Lorsque vous êtes le guide, amenez votre partenaire près d'une feuille, d'un tronc d'arbre, d'une fleur sauvage. Au signal convenu — une pression de la main — il ouvrira les yeux, imaginant qu'ils sont comme l'obturateur d'un appareil photo. Lorsque vous êtes le «guidé», ouvrez et fermez les yeux lorsque votre partenaire vous presse la main et *voyez* la pure essence du spectacle que vos yeux vous auront réservé.
- Marchez pieds nus dans un champ ou dans les diverses pièces de la maison. Sentez les différentes textures des choses: l'herbe, la boue, la fourrure, le carton, le papier journal, le tapis, les oreillers, les serviettes de bain, le bois, le métal, les carreaux de linoléum, etc.
- Conversez avec votre partenaire sans utiliser la parole, en ayant uniquement recours aux gestes et au toucher.
- Dressez une liste de mots en rapport avec les sensations et soyez attentif à ce qui affleure à votre esprit lorsque vous les dites à voix haute. Parmi ces mots, il pourrait y avoir *bosselé, épineux, fourmillant, plumeux, glissant, dur, doux, fin, gros, sombre, clair* et ainsi de suite.
- Réappropriez-vous vos yeux en regardant fixement les choses. Par exemple, rendez-vous à un arrêt d'autobus et regardez les gens qui attendent; faites comme si vous étiez un appareil photo qui prend un cliché. Assoyez-vous et rédigez une description détaillée de ce que vous avez vu.
- Assoyez-vous devant une fleur, un arbre ou une pomme et plongez-vous dans un état méditatif. Laissez-vous aller à ne faire qu'un avec l'objet; *voyez*-le dans toute sa splendeur. Laissez vos yeux guider vos mains et dessinez ce que vous voyez.

- Lancez-vous dans une conversation en charabia avec un ami. Vérifiez si vous pouvez imaginer ce que l'autre vous dit.
- Jouez aux «sons mystérieux» avec un ami. Retournez-vous ou fermez les yeux pendant que votre ami produit des sons en versant de l'eau, en frappant un tambour, en tapant avec un crayon, en se grattant la tête, etc.; ensuite, interchangez les rôles.
- Réunissez un groupe de gens pour chanter des chansons. Essayez celles qui ont une fin ouverte et inventez-leur de nouveaux couplets. Tous ensemble, écoutez des chansons d'enfants, des morceaux de folklore en particulier.

Rétablissez le contact avec vos désirs

L'exercice le plus important dans cette section est probablement celui qui vise à aider votre enfant intérieur à se remettre en relation avec ses désirs. C'est dans sa volonté que notre enfant blessé a été le plus atteint. Or, la volonté, c'est le désir élevé au rang de l'action. Le désir naît lorsque nous sommes en contact avec nos besoins. Mais en grandissant dans une famille dysfonctionnelle, notre enfant intérieur ne pouvait aucunement prêter attention à ses propres signaux internes, car il était trop occupé à composer avec l'anxiété familiale. Très tôt, il a perdu le contact avec ses besoins et ses désirs à lui. Pour ma part, je savais ce que mon père et ma mère voulaient avant qu'eux-mêmes ne le sachent. En devenant un expert dans la découverte de ce qu'eux, *ils* voulaient, je me suis coupé de ce que moi, *je* voulais. J'ai littéralement appris à ignorer mes désirs et, au bout d'un certain temps, j'ai tout à fait cessé de désirer quoi que ce soit. Pour mettre fin à ce genre de situation, l'adulte en vous doit aider l'enfant à reconnaître ses propres désirs et le protéger pendant qu'il se risque à obtenir ce qu'il veut.

L'une des façons les plus simples d'identifier vos désirs consiste à dresser une liste de vos comportements substituts. Ensuite, confrontez-vous en vous posant cette question: «Quand je me comporte ainsi, de quoi ai-je besoin en réalité ou qu'est-ce que je désire vraiment?» Voici une liste des comportements substituts les plus courants:

- Raconter des mensonges;
- Manger quand on n'a pas faim;
- Prendre une cigarette;
- Bouder;
- Insulter un être cher.

Quand j'ai conscience d'adopter l'un de ces comportements, je m'assois, je ferme les yeux et je prête une extrême attention à mes signaux internes. J'entends souvent mon enfant intérieur me demander ce qu'il désire. Voici quelques exemples des désirs secrets qui sous-tendent les comportements substituts que j'ai énumérés précédemment:

- Je veux exprimer ma colère;
- Je me sens effrayé et/ou seul et je veux être avec quelqu'un;
- Je ne fume plus, mais quand je fumais, j'étais habituellement plongé dans la souffrance de ma déprime chronique;
- Je veux qu'on sache que je suis vraiment important;
- Je veux qu'on me donne de l'attention;
- J'ai besoin de caresses physiques.

Il existe plusieurs autres comportements substituts que les gens adoptent lorsqu'ils sont inconscients de leurs désirs. Quelques-uns sont plutôt communs alors que d'autres relèvent plutôt de la manie. Chacun de nous doit aider son enfant intérieur en prêtant attention aux comportements substituts.

Jon et Laurie Weiss proposent à leurs clients de dresser une liste de «Je veux» ou «Je désire». Pour ce faire, les clients doivent toujours avoir sur eux de quoi écrire. Toutes les fois qu'ils remarquent quelque chose qu'ils veulent, ils doivent le noter. Chacun accepte de satisfaire vraiment quelques désirs de sa liste de «Je veux» et rend compte à son thérapeute (qui pourrait être une personne ressource ou un ami) de ce qu'il a fait. C'est un excellent exercice que je vous encourage à faire.

EXERCICES POUR FACILITER LA SÉPARATION DU BAMBIN

Dès que les enfants apprennent *à se tenir debout sur leurs deux pieds,* ils entament le processus de la séparation. Il existe plusieurs exercices que vous pouvez effectuer si vous avez découvert que votre bambin intérieur n'a pas comblé ses besoins au stade de la séparation.

Exercez-vous à dire «Non» et «Je ne veux pas». C'est certainement assez effrayant si vous avez autrefois été puni ou délaissé pour avoir dit «non». Jon et Laurie Weiss proposent une méthode en trois étapes pour s'entraîner à dire non. En voici un résumé:

1. La première étape consiste à dire non en privé. Vous devez le dire souvent (vingt fois par jour) et à voix haute. Dites non aux choses que vous ne voulez pas faire. Cela vous aidera à retrouver l'esprit de rébellion que vous aviez à l'âge de deux ans.

2. À l'étape suivante, vous devez dire non dans un contexte semi-public. Dans leurs groupes de thérapie, les Weiss ont un client qui travaille ce problème; il dit «Non» ou «Je ne veux pas» au hasard, d'une voix forte, sans que cela soit nécessairement en rapport avec ce qui se produit dans le groupe à ce moment-là. Évidemment, ce comportement serait grossier dans tout autre contexte.

Pour vous entraîner à cet exercice, je vous recommande de vous entendre avec un partenaire ou un groupe dont vous êtes membre. Avec un ami intime, vous pouvez convenir de dire non à tout ce qu'il vous demandera de faire durant une période précise. Dites toujours non d'abord et demandez-vous ensuite si, en réalité, vous avez envie de faire ce qui vous a été demandé. Les Weiss encouragent leurs clients à dire non puis à discuter pour voir si, au fond, ils veulent ou ne veulent pas faire quelque chose.

3. Voici exactement ce qu'il vous faut! Vous allez dire non à quelqu'un, et pour de vrai. Votre non devra respecter les sentiments de l'autre personne, mais *vous ne devrez pas assumer la responsabilité de ses sentiments*. Lorsqu'une personne me propose quelque chose, j'aime bien lui dire honnêtement ce que j'en pense et ce que je ressens, même quand je refuse son invitation. Ainsi, quand mon ami Mike m'a demandé dernièrement d'aller jouer aux quilles avec lui, je lui ai répondu: «Je trouve le bowling très amusant. Et non, j'ai trop de choses à faire aujourd'hui. Peut-être une autre fois.» J'aime caresser l'idée si elle me plaît vraiment. J'aime également utiliser des mots comme *et* plutôt que *mais* le plus souvent possible. Quelquefois, je dis: «Merci de l'invitation! Et non, je suis déjà pris.»

Certains «non» sont plus difficiles à dire que d'autres. C'est difficile de dire non lorsque je veux réellement faire quelque chose ou quand cela touche une zone vulnérable de mes besoins insatisfaits. Une personne qui se languit d'être touchée et étreinte peut éprouver une grande difficulté à repousser des avances sexuelles. Cependant, plus vous aiderez votre enfant intérieur à identifier ses besoins et plus vous lui montrerez à s'en occuper, plus il vous sera facile de dire non.

Les cours d'affirmation de soi constituent également un autre bon moyen de renforcer l'indépendance de votre bambin intérieur. Ce genre de cours offre à votre enfant intérieur la sécurité d'un groupe et des exercices soigneusement structurés pour vous apprendre à dire non. De bons livres ont aussi été écrits sur le sujet; mes deux ouvrages préférés sont *Your Perfect Right* (Votre droit le plus strict), de Robert Alberti et Michael Emmons, et *When I Say No I Feel Guilty* (Quand je dis non, je me sens coupable), de Manuel Smith.

Si vous êtes du genre rebelle, vous dites probablement non trop souvent. Vous dites peut-être non lorsque vous-même voulez dire oui. Parlez avec votre bambin intérieur; dites-lui que vous allez protéger ses droits, qu'il peut cesser de dépenser toute son énergie à les défendre. Dites-lui qu'au lieu de chercher à découvrir ce que les autres veulent afin de leur résister, il peut maintenant déterminer ce qu'*il* veut, ce dont *il* a besoin, et le demander directement.

Délimitez votre territoire distinct

Avec les proches qui partagent votre vie, ouvrez la discussion à propos de l'importance que chacun attribue au fait de disposer d'une partie de son temps, de posséder ses propres biens matériels et de jouir de son propre espace physique. Entendez-vous pour définir un ensemble de règles qui régiront votre propre territoire distinct. Cet ensemble de règles pourrait ressembler à ceci:

- Il y a une partie de mon temps qui m'appartient. Je peux ou non le partager avec toi.
- Personne ne peut utiliser quelque chose qui m'appartient sans avoir obtenu ma permission.
- Si je te donne la permission d'utiliser quelque chose qui m'appartient, je m'attends à ce que tu le remettes là où tu l'as pris.
- Ma chambre (ou un autre lieu à ma disposition) est sacrée pour moi. Si tu vois que la porte en est fermée, s'il te plaît, frappe et demande la permission avant d'entrer. Je peux parfois verrouiller la porte pour protéger mon intimité.
- Pour une période donnée, je veux négocier la jouissance de mon propre espace de travail, de ma place à table et de mon

fauteuil particulier au salon. Plus tard, au moment dont nous aurons convenu, je suis prêt à rouvrir les négociations à propos de ces espaces.

Si vous entretenez une relation enchevêtrée ou basée sur la codépendance, vous pourriez également appliquer une autre méthode utile, laquelle consiste à *dresser une liste de ce qui vous appartient*. Procurez-vous des autocollants sur lesquels vous écrirez votre nom; faites le tour de la maison et apposez-les sur toutes les choses qui vous appartiennent. Vous pourriez aussi faire une grille-horaire et l'afficher sur votre porte, y indiquant les moments que vous voulez passer dans l'intimité et la solitude et les moments que vous êtes prêt à partager avec les autres.

Entraînez-vous à exprimer votre colère spontanée

La colère fait partie de notre force intérieure, cette énergie étant au service de nos besoins fondamentaux. Sans la colère, nous ressemblerions à des chiffes molles, essayant de plaire à tout le monde. Durant l'enfance, c'est au moment où vous exprimiez votre colère que vous avez été le plus sévèrement puni et mortifié. Par conséquent, votre enfant intérieur a appris à ravaler sa colère. Au fil des ans, il est devenu si engourdi qu'il n'a même plus conscience d'éprouver de la colère.

De plus, votre enfant intérieur a probablement appris à se servir du «racket des émotions» pour dissimuler sa colère. Une émotion escroquerie, c'est une émotion qui nous sert à manipuler autrui et à remplacer l'émotion que nous éprouvons en réalité. Votre enfant intérieur s'est peut-être aperçu que s'il montrait sa peine ou se mettait à pleurer lorsqu'on le punissait pour avoir exprimé de la colère, il ne pouvait pas s'attendre à être réconforté par ses parents. Il a donc eu recours au racket des émotions en affectant d'éprouver du chagrin ou de la tristesse lorsqu'il était en colère.

Le racket de la culpabilité s'élabore différemment. L'enfant qui exprime de la colère est souvent *conditionné à se croire mauvais*. On lui a appris à considérer toute manifestation de colère comme une marque d'irrespect et de désobéissance; on lui a dit que ce genre de comportement était immoral et qu'il violait le quatrième commandement de Dieu. De ce fait, sitôt que cet enfant éprouve de la colère envers ses parents, il se sent coupable, comme s'il avait fait quelque chose de répréhensible. La plupart des sentiments de culpabilité que les gens éprouvent envers leurs parents ne sont en réalité que de la colère déguisée. La majorité d'entre nous confondent la colère normale avec l'accumulation explosive et les débordements provoqués par une colère refoulée mais devenue impossible à retenir plus longtemps.

La colère n'est pas nécessairement explosive. Sur une échelle graduée de 1 à 100, les crises de rage se situeraient au plus haut niveau. La plupart des gens ne se rendent pas compte que la colère commence par une anxiété ou un trouble *légers,* ne savent pas que si cette colère est exprimée sur-le-champ, elle se décharge aisément et en douceur. Ils considèrent la colère comme une émotion explosive parce qu'ils n'ont jamais développé leur aptitude à l'exprimer dès qu'ils l'éprouvent.

Étant donné que votre enfant intérieur croit que la colère est explosive, il la redoute. De nombreux adultes enfants sont manipulés par la colère, à tel point qu'ils sont prêts à nier leur propre réalité pour empêcher quelqu'un de se fâcher.

En aidant votre enfant intérieur à ressentir sa colère et en lui apprenant à l'exprimer, vous atténuerez la peur qu'il en conçoit. Il s'apercevra qu'il lui est possible de maîtriser sa colère; il pourra apprendre à considérer celle des autres comme une émotion qui *leur* appartient en propre et il sera capable d'en refuser la responsabilité.

Si un cours d'affirmation de soi ne vous convient pas, je vous recommande de mettre en *pratique* les façons suivantes d'exprimer votre colère:

1. *La première fois* que vous mettez en pratique l'expression de la colère, battez en retraite dès que vous êtes irrité. Assoyez-vous et *examinez* votre sentiment. Clarifiez ce qui vous fâche. Écrivez-le au besoin. Établissez clairement ce que vous voulez que l'autre personne fasse ou ne fasse pas. Par exemple, je me suis trouvé dernièrement face à une situation qui m'a courroucé. J'avais demandé à un employé de me téléphoner et il avait accepté. À l'heure prévue (14 h), il ne m'a pas appelé. J'ai attendu une trentaine de minutes, alors que j'avais beaucoup d'autres choses à faire. À 14 h 30, j'étais furieux. J'ai attendu que la tension retombe un peu, puis j'ai travaillé à l'expression de ma colère.

2. Exercez-vous à passer votre message. Répétez-le à voix haute. Si possible, faites-le avec un ami qui n'est pas concerné par votre colère. Face à la situation que je viens de décrire, j'ai répété: «Je suis fâché contre toi. Je t'avais demandé de m'appeler mardi, à 14 h. Tu avais dit que ça te convenait parfaitement. Et tu n'as pas téléphoné.»
3. Dès que vous vous sentez prêt, entrez en communication avec la personne qui vous a irrité. Dites-lui que vous êtes vexé et que vous voulez lui parler. Convenez ensemble d'un moment précis pour en discuter.
4. Exprimez votre colère à la personne qui vous a offensé. Personnellement, j'aime bien commencer en disant: «Il y a probablement dans ma colère beaucoup d'éléments de mon propre passé dont je ne suis pas tout à fait conscient, mais je suis fâché contre toi...»

Je suis parfois conscient des problèmes qui relèvent de mon passé. Lorsque tel est le cas, je dis à peu près ceci à la personne concernée: «Mon père avait l'habitude de promettre qu'il me téléphonerait et il ne s'exécutait jamais. Je suis fâché contre toi. Je t'avais demandé de m'appeler à 14 h...» Il se peut que votre interlocuteur ne réagisse pas comme vous le désirez, mais l'important, c'est que vous exprimiez votre colère.

Vous devez vous libérer de votre colère le plus tôt possible après son apparition. Une fois que vous aurez appris à exprimer sainement votre colère, vous devrez autant que possible agir au moment même où vous l'éprouverez. La seule raison pour laquelle je vous suggère d'attendre un peu, c'est qu'au début on est habituellement effrayé de devoir exprimer sa colère. Or, quand la colère est imprégnée de terreur, elle est souvent disproportionnée et s'exprime sous forme de rage.

Exercez-vous à exprimer votre colère passée

Une fois que votre enfant intérieur sait qu'il peut compter sur votre protection, la colère du passé commence généralement à faire surface. Il se pourrait que votre enfant soit encore sous le choc de certains événements s'étant produits durant votre enfance. Puisque vous avez pris résolument le parti de votre enfant intérieur, vous désirez en finir avec le passé. S'il vous serait fort probablement inutile de vous adresser *directement* à la (aux) personne(s) contre qui votre ancienne colère est dirigée, il vous est néanmoins possible de la travailler symboliquement. Fermez simplement les yeux et voyez votre enfant intérieur; demandez-lui son âge; imaginez ensuite que vous vous transportez dans son corps. Vous êtes maintenant dans la peau de l'enfant. Regardez votre moi d'adulte et *prenez-lui la main. Faites un ancrage avec votre poing droit.* Maintenant, laissez apparaître la personne contre qui vous êtes fâché et observez-la intensément. Comment est-elle habillée? Dites-lui à présent ce qui vous met en colère. Gardez votre poing serré pendant tout ce temps. Après avoir dit tout ce que vous aviez besoin de dire, prenez une profonde inspiration et détendez votre poing (c'est-à-dire, relâchez l'ancre). Réintégrez votre moi d'adulte. Prenez l'enfant dans vos bras et quittez mentalement la pièce où la scène a eu lieu. Ouvrez lentement les yeux.

Rassurez votre enfant intérieur en lui disant que c'est bien d'éprouver et d'exprimer de la colère. Assurez-le que vous serez toujours là pour le protéger, qu'il peut même se fâcher contre vous et que vous ne le quitterez pas.

Il existe d'autres façons de travailler la colère et le ressentiment, mais quelques-unes sont plus appropriées dans le contexte d'une thérapie. Si vous avez des doutes, n'hésitez pas à en parler à un thérapeute qualifié.

Danger: une remarque concernant la rage

On ne devrait jamais se risquer à travailler la rage sans l'aide d'un expert. La rage, c'est une colère qui a été rattachée à la honte et s'est intensifiée au fil des ans. Elle fait penser à un loup féroce qu'on garderait captif dans une cave; à mesure que le temps passe, l'énergie du loup s'accroît et il se meurt d'envie de sortir de là. Quand on commence à exprimer sa rage, celle-ci s'avère primitive et aveugle. On peut crier et brailler; on peut cogner et agiter ses bras dans tous les sens.

La rage inclut une certaine terreur; cela explique pourquoi nous crions lorsque nous sommes sous son emprise. Elle est habituellement précédée de sentiments d'accablement et de perte de contrôle. Nos lèvres tremblent, notre voix se brise, et nous disons des choses exagérées ou sans rapport avec la situation. Nous voulons blesser l'autre. La rage a quelque chose d'absolu. Si nous sommes constamment en colère et que des peccadilles provoquent en nous des réactions excessives, cela peut signaler la présence d'une rage plus profonde qui doit être exprimée.

Il est prudent de craindre la rage — la nôtre et celle des autres. Lorsqu'on exprime de la rage, toutes les personnes présentes — y compris soi-même — ont besoin d'être protégées. Par conséquent, on doit consulter un thérapeute expérimenté avant de se livrer à ce genre d'exercice.

Entraînez-vous à la confrontation

Si quelqu'un viole vos frontières, vous devez aider votre enfant intérieur à se protéger en lui apprenant la confrontation. J'aime bien utiliser un «modèle de conscience» pour pratiquer la confrontation. Ce schéma met l'accent sur les quatre pouvoirs que nous possédons tous afin d'interagir avec le monde extérieur: nos sens, notre psychisme, nos émotions et notre volonté (nos désirs et nos besoins). J'utilise des messages «Je» pour communiquer la vérité de ma conscience; ce sont des énoncés qui affirment l'autoresponsabilité. Le modèle de conscience complet ressemble à ceci:

Je vois, j'entends, etc. .... (les sens)
J'interprète .... (le psychisme, la pensée)
Je sens .... (les émotions)
Je veux .... (les désirs)

Voici un exemple. Louis et Marie arrivent de leur cours de danse sociale. L'enfant intérieur de Marie est bouleversé parce que, pour exécuter une des figures que Marie n'a pas encore apprises, Louis a choisi une très jolie femme comme partenaire. Le soir, Marie dit à Louis: «*J'ai vu* que tu étais allé chercher Sarah pour danser avec elle. *J'ai entendu* tes petits rires nerveux en sa présence. *J'ai interprété* cela en me disant que tu étais attiré par elle. *Je me suis sentie* apeurée et délaissée. Et *je veux* que tu discutes de tout cela avec moi.»

Louis a confié à Marie qu'il trouvait Sarah jolie et qu'il aimait bien sa façon de danser. Il lui a également affirmé qu'il l'aimait, elle (Marie), et qu'il préférait nettement être en sa compagnie. Il a déclaré à Marie qu'il désirait lui montrer les nouveaux pas afin qu'ils puissent danser plus souvent ensemble.

Le fait que Louis ait trouvé Sarah jolie n'a pas plu à l'enfant intérieur de Marie, mais elle s'est sentie beaucoup plus rassurée. Son enfant intérieur doit encore apprendre que l'état normal implique le *«à la fois»* ainsi que le *«et»*. Louis peut l'aimer *et* continuer de trouver Sarah jolie.

Louis est assez bien équilibré et il répond à Marie de manière affectueuse. Cela ne se passera pas toujours ainsi dans vos relations. Lorsque vous confronterez quelqu'un, vous pourriez susciter une réaction allant de la défensive à la rage. À condition que vous n'ayez pas affaire à un agresseur violent, il est capital que vous utilisiez la confrontation dès que vous êtes troublé par une personne significative dans votre vie. La confrontation est une démarche honnête qui instaure la confiance; c'est donc un geste d'amour. Quand je confronte quelqu'un, je m'estime et je définis mes limites. Je fais également confiance à l'autre et je l'estime assez pour lui faire part de ce que je ressens.

Entraînez-vous à concilier les polarités

La conciliation mentale des polarités — qui est aux antipodes de la pensée polarisée dont j'ai parlé précédemment — opère une synthèse. Vous devez aider votre enfant intérieur à développer une pensée qui concilie les polarités. Aucune personne, aucune situation n'est entièrement bonne ou entièrement mauvaise. Le fait de penser en opérant une synthèse des polarités vous permet de voir les deux côtés de la médaille, de voir que la vie procède du «à la fois» ainsi que du «et». En commentant la cinquième nouvelle règle, j'ai insisté pour que vous confrontiez l'absolutisme de votre enfant intérieur, car l'extrémisme de la pensée est dévastateur dans les relations entre adultes. C'est un droit de naissance pour l'enfant d'être aimé inconditionnellement par ses parents, mais, une fois devenus adultes, nous ne pouvons pas nous attendre à recevoir ce genre d'amour de notre partenaire. *Entre deux grandes personnes, même l'amour le plus sain est conditionnel.* En tant qu'adultes, nous devons satisfaire à certaines conditions si nous voulons vivre une relation d'amour marquée par le partage. Aucun partenaire ne sera parfait, ni toujours bénéfique à notre croissance, ni toujours là quand nous aurons besoin de lui. La plupart d'entre nous «regarderons ailleurs» à l'occasion. Apprendre à voir que la réalité comporte un *«à la fois»* ainsi qu'un *«et»*, c'est le début de la sagesse. Exercez-vous à considérer l'actif et le passif chez les autres. Dites-vous que toute créature est à la fois un plus et un moins. Rappelez-vous qu'il n'y a pas de lumière sans l'obscurité; pas de son sans le silence; pas de joie sans la tristesse; pas de retenue sans le laisser-aller.

Notre enfant intérieur adore déifier les gens: cela le sécurise. Nous devons lui montrer que les marraines fées n'existent pas. Chaque fois que nous faisons de quelqu'un notre gourou, nous nous diminuons nous-mêmes. Dites à votre enfant intérieur que c'est vous qui allez être son gourou. Quant à moi, je suis le doux et sage magicien du Petit John.

Mettez en pratique des règles de dispute honnêtes

En ce qui concerne la dispute, voici mes règles préférées:

1. Restez dans le moment présent. Discutez de ce qui vient tout juste de se passer et non pas d'une affaire qui remonte à vingt-cinq ans.
2. Ne cherchez pas à marquer des points. Notre enfant intérieur aime bien accumuler des rancœurs et les déverser ensuite sur autrui.
3. Tenez-vous-en aux aspects précis et concrets du comportement. L'enfant intérieur est plus à l'aise avec ce qu'il peut voir, entendre et toucher. Affirmer à quelqu'un: «Tu me rends malade» n'avance à rien.
4. Soyez rigoureusement honnête. Optez pour l'exactitude des faits plutôt que pour l'argument.
5. Évitez le blâme et le jugement. Ils ne servent qu'à dissimuler *votre* honte. Tenez-vous-en aux messages «Je» et utilisez le «modèle de conscience» (page 297).
6. Utilisez la règle de l'écoute, qui vous demande, avant de répondre à l'autre personne, de répéter ce que vous l'avez entendu dire (à *sa* satisfaction). L'enfant intérieur blessé a rarement été écouté. Il est pétri de honte et se tient sur la défensive. La règle de l'écoute peut accomplir des miracles quand deux personnes s'engagent à l'appliquer.
7. Évitez de chicaner sur des détails: «Tu arrives quinze minutes en retard. — Non, j'ai seulement neuf minutes de retard.» Comme il a une pensée concrète et littérale, l'enfant intérieur d'âge scolaire aime beaucoup ergoter.
8. Restez là, à moins que votre enfant intérieur ne se fasse malmener. Battez *toujours* en retraite ou demandez la protection de quelqu'un si l'on vous maltraite.

9. J'apprends à mon enfant intérieur la frontière suivante concernant les conflits: «Je ne suis pas venu au monde pour être jaugé d'après tes fantasmes, tes croyances ou tes attentes. Je refuse d'être évalué ou contrôlé par eux. Si un conflit éclate entre nous, je vais rester présent et me disputer honnêtement avec toi. Je te demande de faire la même chose. Si tu te montres abusif de *quelque façon que ce soit,* je m'en irai.»

Entraînez-vous à établir vos frontières physiques

En ce qui concerne mes frontières physiques, voici le principe que j'inculque à mon enfant intérieur: «J'ai le droit de choisir les personnes qui peuvent me toucher. Je leur dirai quand et comment elles peuvent me toucher. Je peux me soustraire à un contact physique n'importe quand s'il me semble dangereux. Je ne permettrai jamais à personne de dégrader mon corps, à condition que ma vie ne soit pas en danger.»

Exercez-vous à vous entêter ou à rouspéter

Entêtez-vous ou rouspétez particulièrement lorsque vous avez une grande envie de quelque chose.

Exercez-vous à changer d'idée

Exercez-vous à changer d'idée cinq ou six fois par jour pendant que vous travaillez les besoins de votre bambin intérieur.

EXERCICES PRATIQUES POUR L'ENFANT D'ÂGE PRÉSCOLAIRE

Votre enfant intérieur d'âge préscolaire a eu plusieurs tâches importantes à accomplir. Il a dû établir son champ de forces en se définissant lui-même. À mesure que son intellect et son imagination se développaient, il a commencé à réfléchir à ses expériences, ce qui l'a conduit à poser beaucoup de questions et à établir certaines conclusions quant à son identité sexuelle. Il a imaginé ce qu'était la vie adulte, à quoi cela pouvait ressembler d'être comme maman ou papa, de travailler ou de faire l'amour.

À la même période, votre enfant intérieur avait besoin de se lier au parent du même sexe que le sien afin de s'aimer en tant que garçon ou en tant que fille.

Les petits garçons et les petites filles d'âge préscolaire font preuve d'une grande activité mentale; une conscience primitive commence à s'élaborer en eux, les amenant à reconnaître que certaines choses sont bien alors que d'autres sont mal. C'est ainsi qu'ils en arrivent à faire l'expérience de la culpabilité, cette émotion qui est la gardienne de la conscience.

Exercez-vous à poser beaucoup de questions

L'enfant intérieur blessé est obnubilé par la transe familiale. Il s'en tient à ce que les gens disent sans demander de clarification. Il passe son temps à chercher à comprendre, à deviner, à analyser et à fantasmer. Il lui arrive de se comporter comme s'il savait tout, parce qu'il a été humilié chaque fois qu'il commettait la plus petite erreur. Vous devez donc apprendre à reconnaître la confusion qui règne parfois dans l'esprit de votre enfant intérieur. Voici quelques exemples des signaux de confusion que m'envoie le mien: je me réjouis et m'attriste pour une même raison; je réfléchis à deux comportements opposés et je trouve qu'ils se valent; je ne suis pas certain de ce qu'une autre personne attend de moi; je ne suis pas sûr de ce que quelqu'un ressent; je ne sais pas ce que je veux au moment où on me le demande.

Lorsque votre enfant intérieur est confus, notez par écrit ce qui vous plonge dans cet état. Si je suis heureux — et triste, en même temps — parce qu'une relation a pris fin, par exemple. Je me demande: «Pourquoi suis-je heureux?» La réponse, c'est que je suis libre d'entamer une nouvelle relation. Cela me fait du bien de sortir d'une ornière. Si je suis triste, c'est parce que je me souviens des bons moments passés avec mon ex-partenaire. Mais je peux aussi me rappeler quelques très mauvais moments vécus avec elle. Il n'y a rien de mal à se sentir à la fois heureux et triste; on éprouve souvent deux sentiments contraires à l'égard d'une même personne. Quand je suis perplexe, le fait d'écrire les questions adéquates m'aide à y voir plus clair.

Si vous vous sentez confus en ce qui a trait aux sentiments ou aux besoins d'une autre personne, posez-lui des questions jusqu'à ce que vous soyez moins embrouillé. Peut-être que cette autre personne est également confuse et ne sait pas très bien ce qui se passe en elle-même.

Apprenez à poser beaucoup de questions. Montrez à votre enfant intérieur qu'il n'est pas facile de comprendre les autres. Personne ne comprend la même phrase de la même façon. Donnez à votre enfant intérieur cette importante permission: poser des questions.

Entraînez-vous à clarifier la communication

Choisissez une personne avec qui vous entretenez une relation significative et convenez avec elle de vous exercer à clarifier votre communication. Pratiquez deux formes d'écoute: l'écoute du type «magnétophone» et l'écoute active. La première consiste simplement à répéter avec exactitude ce que la personne vous a dit. Pour ce faire, j'utilise la formule suivante: «Tu as dit... C'est bien ça?»

La deuxième forme d'écoute, quant à elle, vous demande... d'entendre avec vos yeux! En effet, lorsque vous pratiquez l'écoute active, vous tendez l'oreille pour saisir les mots, mais vous observez en même temps l'affect (les signes d'émotion) de votre interlocuteur. L'affect se manifeste par le mouvement des yeux, l'expression du visage — celle des lèvres, en particulier —, la tension musculaire, la respiration et d'autres signaux physiques comme la posture.

Lorsque vous faites de l'écoute active, vous êtes attentif non seulement au *contenu* du message, mais aussi au *traitement* que la personne réserve à ce message. En réalité, votre enfant intérieur est déjà passé maître dans l'art de décoder la manière dont les gens traitent leurs messages, mais il le fait inconsciemment.

En vous entraînant à l'écoute active, vous serez en mesure de devenir plus *conscient* du processus dans lequel votre interlocuteur est engagé lorsqu'il communique avec vous. Les deux formes d'écoute que j'ai mentionnées vous aideront également à vérifier ce que vous dit votre interlocuteur. Peu d'entre nous ont eu des exemples de ce genre de communication attentive dans leur système familial. J'ai souvent eu affaire à des personnes qui s'en remettaient à des conjectures et à des suppositions non vérifiées. Quand on considère ces fictions comme des faits, cela entraîne de sérieux problèmes dans les relations interpersonnelles.

Exercez-vous à prendre conscience de vos émotions

Rappelez-vous que les émotions sont nos principaux motivateurs biologiques. Ainsi, ce que vous éprouvez à un instant donné constitue le noyau de votre réalité authentique du moment. Les émotions de votre enfant intérieur ont été, et sont encore, reliées à la honte toxique à un point tel que votre enfant ressent cette honte dès qu'il éprouve *quelque émotion que ce soit.* Voici donc des suggestions relatives à la manière dont vous pouvez l'encourager *à éprouver et à exprimer ses émotions en toute sécurité.*

Pendant vingt et un jours, passez quotidiennement trente minutes à simplement observer ce que vous éprouvez. Pour aider le Petit John à se mettre en contact avec ses émotions, j'utilise la technique gestaltiste de l'exagération. Si je note que je me sens triste, je laisse l'abattement de la tristesse envahir mon visage et il m'arrive même de faire semblant de pleurer. Si je note que je suis fâché, j'exagère l'expression de la colère dans mon corps: je serre les poings ou, si mes mâchoires sont déjà crispées, je les serre encore plus fortement. J'émets des grognements. Je frappe parfois à coups de poing dans un oreiller.

Je donne aussi la parole à mes émotions en leur demandant ce qu'elles veulent me dire. Ensuite, je traduis cela à haute voix. Je laisse le Petit John exprimer l'émotion aussi énergiquement que possible.

Ne manquez pas de faire cet exercice avec des sentiments de bonheur et de joie également. Si vous êtes heureux et souriant, souriez encore plus largement. Criez de joie, sautez et dansez. Utilisez cette technique toutes les fois où vous prenez conscience d'une émotion et que le contexte vous permet de l'exprimer (pas au beau milieu d'une réunion d'affaires!).

Il peut arriver qu'un morceau de musique, un film ou une émission de télévision déclenchent en vous de violentes émotions. Certaines pourraient vous prendre par surprise car, de prime abord, vous ne leur trouverez aucun lien avec le facteur déclenchant et elles vous sembleront disproportionnées. Plutôt que de réprimer l'émotion, prenez une profonde inspiration et laissez-la vous envahir; exagérez-la physiquement et exprimez-la avec des mots aussi pleinement que possible. Quand vous aurez terminé, réfléchissez-y. Il importe que vous soyez conscient de réfléchir à cette émotion, car votre enfant intérieur confond souvent les pensées et les émotions. Nommez cette émotion pour lui; affirmez-la et acceptez-la; assurez votre enfant intérieur que c'est bien de l'éprouver.

Entraînez-vous à établir vos frontières émotionnelles

J'aime bien montrer à mon enfant intérieur qu'il a le droit d'établir ses propres frontières émotionnelles; voici le principe que je lui inculque:

«Les émotions ne sont ni bien ni mal. Elles existent simplement. Ce que tu éprouves à mon égard concerne ton histoire affective; ce que j'éprouve à ton égard concerne mon histoire affective. Je vais respecter et considérer tes émotions et je te demande de faire la même chose pour moi. Je ne serai pas manipulé par ta colère, ta tristesse, ta peur ou ta joie.»

Entraînez-vous à établir vos frontières sexuelles

Bien que les enfants d'âge préscolaire ne soient nullement mûrs sur le plan de la sexualité, la question de l'identité sexuelle les préoccupe beaucoup. Poussés par l'énergie vitale, qui est une énergie sexuelle, ils se lancent à la découverte des limites de leur pouvoir, ce qui les amène à se définir, à établir leur identité. L'identité sexuelle est au cœur de notre vraie identité. Le sexe n'est pas un attribut que nous avons, c'est ce que nous sommes. En matière de sexualité, les croyances de votre enfant intérieur ont été forgées d'après celles de vos parents, d'après le degré d'intimité fonctionnelle de leur union et selon le lien qui s'est établi entre vous et le parent du même sexe que le vôtre. Si vous n'avez pas vraiment exploré votre sexualité, il est important que vous le fassiez car, dans ce domaine, votre enfant intérieur est encore chargé des recommandations formelles de ses parents; il a besoin que vous établissiez vos propres frontières et que vous les gardiez clairement en tête. Je trouve utile de les mettre par écrit, car le fait d'écrire aide à clarifier les choses. Pour ce faire, dressez la liste de toutes vos croyances en matière de sexualité, y compris vos idées sur: la fréquence des rapports sexuels et les moments où il convient d'en avoir; la gamme des comportements sexuels admissibles; les perversions sexuelles; les discussions en rapport avec la sexualité; les jeux préliminaires; les réactions sexuelles de la femme et celles de l'homme. Pour chacun de ces éléments, notez d'où vous est venue votre conviction. Par exemple, si dans la colonne concernant les perversions sexuelles vous avez mentionné les relations bucco-génitales, demandez-vous qui vous a appris que cette pratique était perverse. Si votre réponse n'a rien à voir avec vos propres expériences ou vos préférences personnelles, vous devriez sérieusement envisager une exploration de ce côté-là. Nous devons établir nos propres croyances dans le domaine sexuel en développant une conscience éclairée. Cela implique que nous nous servions de notre expérience d'adultes et que nous raisonnions, en ne perdant pas de vue les traditions culturelles et spirituelles dont nous avons hérité. Il m'apparaît évident que la norme minimale doit proscrire l'exploitation et l'avilissement d'autrui. Ce critère laisse place à un large éventail de pratiques sexuelles qui sont parfaitement correctes entre adultes. Toute personne se doit de faire ses propres choix quant à ses balises sexuelles.

Voici un exemple d'énoncé écrit en ce qui a trait à la frontière sexuelle: «Je vais déterminer avec qui je serai sexuel. J'ai le droit de déterminer comment, quand et où je serai sexuel avec une autre personne. Ma seule ligne de conduite consiste à respecter ma propre dignité et celle de mon partenaire. Dans cet esprit, je ne ferai jamais rien qui sous-tende une exploitation ou une dégradation de moi-même ou de mon partenaire.»

Exercez-vous à libérer votre imagination

Souvent, l'enfant intérieur se sent désespéré. Ce désespoir est dû au fait que, très tôt durant l'enfance, son imagination a été étouffée. Votre enfant intérieur peut avoir été traité de rêveur ou avoir été humilié parce qu'il se laissait emporter par son imagination. Aussi, prenez régulièrement le temps de vous asseoir pendant trente minutes afin d'envisager de nouvelles possibilités pour vous et votre vie. Voyagez dans votre imaginaire. Permettez-vous d'être qui vous voulez. Commencez votre rêverie par: «Que se passerait-il si...» Quand vous aurez terminé, vous noterez par écrit vos idées fantasques. Avec le temps, vous pourriez constater la récurrence d'une certaine vision. Prenez-la au sérieux! L'énoncé écrit concernant la frontière de votre imagination pourrait se lire comme suit: «Je suis capable d'envisager mon propre avenir, et je le ferai sans me préoccuper de ton opinion sur la soi-disant incongruité de ma vision.»

Passez vos divinations au crible

La magie est différente de la fantaisie. La fantaisie procède de l'imagination; la magie, quant à elle, réside dans la croyance que des comportements, des pensées ou des sentiments peuvent vraiment changer le cours des choses dans le monde alors qu'il n'existe aucune relation de cause à effet réelle. «Dis le mot magique», ordonnent couramment les parents, et l'enfant intérieur blessé est généralement imprégné de magie. Madame Y croit que si elle fait la cuisine et l'amour à la perfection, son mari cessera d'être obsédé par le travail, l'alcool ou le jeu. Monsieur Z croit que s'il travaille comme un damné et qu'il gagne beaucoup d'argent, sa femme sera automatiquement heureuse.

L'«essai» est un autre comportement magique. De nombreux enfants intérieurs blessés ont appris que *l'important, c'est d'essayer très fort et non pas de réussir.* En thérapie, «l'essai est mortel». Trop fréquemment, au cours d'une séance de thérapie, quand je donne à une personne un «devoir» à faire à la maison et que j'entends son petit enfant intérieur soumis répondre: «Je vais essayer», je sais que cela signifie qu'*elle ne le fera pas.* J'illustre parfois cela en disant aux gens: «Essayez de vous lever de votre siège.» Lorsqu'ils commencent à s'exécuter, je leur dis: «Non, assoyez-vous, puis *essayez* de vous lever.» Après plusieurs «essais», ils comprennent ce que je veux dire. Soit vous vous levez de votre chaise, soit vous ne vous levez pas. Mais vous ne pouvez pas «essayer» de vous lever.

Le mariage représente souvent un événement magique pour l'enfant intérieur. Telle femme pense: «Si seulement je pouvais me marier, tous mes problèmes s'envoleraient. Je serais heureuse.» Obtenir un diplôme, posséder une maison, avoir un enfant, s'acheter une piscine, tomber amoureux et gagner un revenu annuel mirobolant: voilà autant d'autres perspectives auxquelles on prête un pouvoir magique.

En accordant votre soutien à l'enfant niché en votre sein, vous devez passer au crible absolument chacune de ses croyances magiques. La vie est difficile; le Père Noël n'existe pas; il n'y a personne pour donner «un bécot au bobo»! *La vie n'est pas toujours juste.*

Apprenez à vous aimer en tant qu'homme

Il est important qu'un homme se perçoive comme un homme — et cela demeure vrai quelle que soit son orientation sexuelle. Je crois que pour en arriver à se sentir un petit homme, notre garçonnet intérieur avait besoin d'être aimé par un homme. Nous sommes si nombreux à avoir perdu notre père. Soit qu'il nous ait abandonnés physiquement ou affectivement. Soit qu'il ait perdu la vie à la guerre, dans un accident ou à la suite d'une maladie. Soit qu'il ait connu une mort psychique, due à une charge de travail déshumanisante. Notre petit garçon intérieur blessé n'a pas eu de père *avec qui se lier,* il n'a donc jamais rompu le lien avec sa mère. N'ayant pas connu ce lien paternel, il n'a pu découvrir ce qu'était l'amour d'un homme pour un autre homme.

Alors comment pourrait-il être capable de s'aimer lui-même en tant qu'homme? Finalement, tout cela le mènera soit à rechercher des femmes maternelles pour se faire consoler lorsqu'il souffre, soit à continuer d'essayer de consoler des femmes démunies — soit encore à faire un peu des deux. Mais la perte du père est une blessure masculine: elle ne peut pas être guérie par une femme.

Il vous est possible de contrebalancer cette perte en trouvant d'autres hommes avec qui vous pourrez partager votre expérience, et ce dans un tout autre esprit que celui de la camaraderie masculine — faite de compétition et de vantardises rituelles à propos des conquêtes féminines — que la plupart d'entre nous ont connue. Le nouveau partage exige que l'on en finisse avec le scénario culturel masculin; il nous demande d'être vulnérables les uns face aux autres, de partager nos peurs et nos déceptions. Car le fait de partager sa vulnérabilité crée un vrai lien d'amour et d'intimité au sein duquel on peut se sentir accepté et reflété par un homme. Et tandis que l'on intériorise cette estime et cet amour qui nous reflète, on commence à s'aimer soi-même en tant qu'homme.

Aujourd'hui, il y a dans ma vie quelques hommes qui m'aiment vraiment. Je me sens lié à eux. Je peux me montrer vulnérable face à eux. Je leur parle de mes peurs; je pleure devant eux; je partage mes succès avec eux. Ils me disent qu'ils m'aiment. Ils me serrent dans leurs bras. L'amour et le partage que je vis avec eux ont eu de formidables répercussions sur le Petit John. Il se sent davantage comme un vrai petit homme. Je me sens comme un homme.

Apprenez à vous aimer en tant que femme

Pour en arriver à s'aimer elle-même en tant que femme, votre petite fille intérieure avait besoin d'être aimée par une femme. Cela n'a rien à voir avec l'orientation sexuelle; cela concerne plutôt votre être profond. On a beaucoup écrit au sujet du manque d'amour maternel dont maintes personnes ont souffert et qui entraîne des effets particuliers chez les filles. Ce manque s'explique principalement par l'incapacité des parents à établir une relation d'intimité entre eux. À cause de cette impuissance, la mère est frustrée et isolée. Elle peut se tourner vers le fils et en faire son Petit Homme, en rejetant sa fille par la même occasion, ou encore jeter son dévolu sur sa fille et l'utiliser pour combler son vide. La fille ne peut être aimée pour elle-même dans une situation aussi enchevêtrée. Ne pouvant voir son image dans le regard de sa mère, elle est incapable de développer une conscience de soi. Elle endosse alors le moi esseulé et pétri de honte de sa mère, laquelle désire ardemment l'amour du mari.

Quand une petite fille n'est pas aimée sainement par sa mère, elle grandit en passant à côté de certains aspects décisifs de son identité sexuelle. C'est pourquoi tant de femmes entretiennent cette croyance magique selon laquelle elles seront convenables en tant que femmes *à condition qu'un homme les aime*. Que leur relation amoureuse prenne fin, et c'est la panique. Elles s'empressent de nouer une autre relation avec un homme afin de se sentir à la hauteur. Si ce comportement ressemble au vôtre, vous devez permettre à votre enfant intérieur blessée de recevoir l'amour d'une femme. Trouvez deux ou trois femmes qui acceptent volontiers de se montrer vulnérables face à vous. N'essayez pas de jouer le rôle de thérapeute les unes avec les autres ni de régler réciproquement vos problèmes. Soyez là pour vous soutenir mutuellement dans votre recherche d'une actualisation de soi. Les femmes entretiennent tout naturellement des liens fondés sur la vulnérabilité et, trop souvent, ces liens sont faits d'une victimisation commune. Votre petite fille intérieure a besoin de savoir qu'elle peut compter sur vous pour conquérir son indépendance. Elle doit sentir qu'elle peut y arriver avec vous et votre groupe de soutien, qu'elle n'a pas *besoin* d'un homme pour être heureuse. Il se peut qu'elle *désire* partager sa vie avec un homme, cela faisant partie d'une pulsion naturelle qui la pousse vers l'amour charnel et l'attachement à un homme. Mais elle accomplira mieux cela quand elle se suffira à elle-même et qu'elle sera indépendante. Votre groupe de femmes vous donnera le soutien nécessaire tandis que vous poursuivrez cet objectif.

Confrontez votre culpabilité toxique

Comme je l'ai déjà souligné, nous avons besoin d'une saine culpabilité pour développer notre conscience et établir les limites de notre comportement. Sans culpabilité, nous serions des inadaptés sociaux. Cependant, notre enfant intérieur blessé porte en lui une lourde culpabilité toxique, laquelle nous renie le droit d'être qui nous sommes, selon notre moi unique, et avive notre blessure spirituelle.

La culpabilité toxique revêt deux formes. La première est inhérente à la vie dans un système familial dysfonctionnel, où chacun est forcé de jouer un rôle rigide afin de préserver l'équilibre du système. Si un membre de la famille essaie de se défaire de son rôle, ou s'il tente de partir afin de vivre sa vie, tous les autres s'insurgent contre lui et le culpabilisent. C'est en aidant votre enfant blessé à laisser tomber ses rôles rigides que vous pourrez mettre en question ce genre de culpabilité. Par conséquent, mettez en pratique les méthodes que j'ai décrites au chapitre 10, pages 263 à 265.

La deuxième forme de culpabilité naît d'une colère retournée contre soi-même. Ce retournement est dû au fait que l'enfant intérieur blessé était souvent fâché contre ses parents, mais ne pouvait pas l'exprimer. Considérez le scénario suivant.

Le petit Farquhar, âgé de trois ans, vient de se faire dire qu'il est temps d'aller se coucher. Il est complètement absorbé par son jeu et s'amuse ferme. Il répond à sa mère: «Non, je veux pas.» Sa mère le prend et le met au lit. Il crie, rage et hurle: «Je te déteste!» En entendant ces mots, le père bondit sur ses pieds et agrippe le petit Farquhar. Il lui reproche sévèrement d'avoir violé le quatrième commandement: «Ton père et ta mère tu honoreras». Le petit Farquhar se sent affreux. Il est allé jusqu'à violer une loi de Dieu en personne! Il éprouve maintenant tout à la fois de la colère et de la culpabilité. Au cours des ans, afin d'apaiser sa douloureuse culpabilité, il fera ce qu'il croit qu'on attend de lui — mais ce faisant, il sera rempli de ressentiment.

Pour travailler cette culpabilité, vous devrez exprimer directement la vieille colère sous-jacente. Pour ce faire, utilisez la technique d'imagerie mentale que j'ai décrite aux pages 294 et 295. Le divorce d'avec le parent culpabilisant, que l'on effectue en exprimant sa première souffrance, sera également profitable.

Vous pouvez augmenter l'effet de cette démarche en prenant conscience de la manière dont votre culpabilité toxique s'est élaborée à travers des incidents précis. Dressez une liste des événements de votre enfance au cours desquels on vous a culpabilisé. Comparez votre comportement à celui qu'un enfant du même âge aurait normalement adopté (pour vous aider, référez-vous aux stades de développement décrits dans la deuxième partie). Dans la plupart des cas, vous allez découvrir qu'en dépit du fait que vous ayez agi d'une *manière appropriée, compte tenu de votre âge,* on a condamné votre comportement *normal,* le considérant comme mauvais. Revivez mentalement ces événements et affirmez vos droits. Le Petit Farquhar pourrait dire: «Hola! Minute! J'ai trois ans et je ne suis qu'un petit garçon normal qui adore jouer. J'essaie d'établir mes frontières. Je suis fâché contre toi parce que tu gâches mon plaisir.»

Vous auriez avantage à prêter une attention particulière aux sentiments de culpabilité engendrés par un abus ou une forme de dégradation quelconques. À cause de son égocentrisme, votre enfant intérieur se sent en général coupable de l'abus dont il a été victime — et cela est dramatiquement vrai chez les enfants battus ou victimes d'inceste.

Examinez également les façons dont vous avez pu être culpabilisé en ce qui a trait aux besoins de votre système familial. Un de mes clients est devenu le protecteur de sa mère après que le père les eut abandonnés tous deux. Son enfant intérieur se sent coupable dès l'instant où sa mère est dans le besoin — et elle est démunie la plupart du temps. Il m'a raconté que chaque fois qu'il affrontait une situation particulièrement difficile ou stressante, il se demandait ce qu'il adviendrait à sa mère si elle devait faire face à une telle situation. Son enfant intérieur se sent bien uniquement lorsqu'il sait que sa mère est heureuse. Et comme elle est rarement heureuse, il éprouve de la culpabilité la majorité du temps.

Une de mes clientes, quant à elle, préservait le mariage de ses parents. Elle avait souffert d'un grave trouble de l'alimentation qui s'était déclaré peu de temps après que sa mère eut trompé son père et que celui-ci eut demandé le divorce. Alors que son anorexie s'aggravait, le père et la mère, partageant une même inquiétude face à l'état de santé de leur fille, s'étaient rapprochés l'un de l'autre. En parlant avec elle, j'ai découvert qu'elle se sentait très coupable de tout ce qui touchait de près ou de loin à sa vie, et en particulier du divorce éventuel de ses parents. Elle se sentait responsable du maintien de leurs liens conjugaux.

Dans les deux cas, il est primordial d'exprimer la première souffrance selon la démarche décrite dans la deuxième partie. Vous devrez continuellement signaler à votre enfant intérieur qu'il n'est pas responsable des dysfonctions qui affectent ses parents.

EXERCICES POUR VOTRE ENFANT INTÉRIEUR D'ÂGE SCOLAIRE

Lorsque votre enfant intérieur est entré à l'école, il a repoussé les frontières familiales et est entré dans une plus grande famille sociale. Il avait deux tâches principales à accomplir. La première était centrée sur le développement de ses aptitudes sociales: interagir et coopérer avec ses pairs, et acquérir un esprit de compétition équilibré qui allait lui permettre de se réjouir de ses victoires et d'accepter la défaite.

La deuxième tâche consistait à faire les apprentissages dont il avait besoin pour être à même d'envisager une carrière qui assurerait sa survie économique.

Votre enfant intérieur a également dû apprendre que les gens extérieurs à sa famille étaient souvent très différents, de par leur appartenance à divers groupes ethniques, religieux, politiques ou socio-économiques. Il devait définir sa propre et unique identité en se situant par rapport à toutes les différences qu'il observait dans ses interactions avec une société élargie.

Si vous avez l'impression que votre enfant intérieur d'âge scolaire a été blessé, voici quelques exercices que vous pouvez faire.

Faites l'inventaire de vos compétences pratiques

Dressez une liste des compétences que vous possédez déjà. Ensuite, dressez une liste des compétences pratiques — ce savoir-faire qui vous faciliterait la vie — que vous ne possédez pas. Pour ma part, j'aurais aimé étudier davantage la grammaire. J'ai réussi à surmonter ce handicap au cours de mes études parce que j'avais une bonne mémoire et que je me bourrais le crâne avant les examens. Cependant, si vous lisiez mon premier livre, vous verriez à quel point je me suis décarcassé avec la grammaire. Je n'ai également aucune compétence en mécanique (je peux changer une ampoule et c'est à peu près tout!).

Choisissez le domaine dans lequel il vous serait le plus profitable de développer vos compétences et suivez un cours approprié ou trouvez quelqu'un qui vous aide à concrétiser cet objectif.

Il est également important de répéter constamment à votre enfant intérieur blessé qu'une grande partie de la vie est basée sur des habiletés apprises. Car il a tendance à croire que le succès est attribuable à un «pouvoir magique». Vous devrez dire à votre enfant blessé que si certaines personnes sont rendues plus loin que vous, c'est parce qu'elles ont bénéficié de meilleurs modèles et qu'elles ont pu s'exercer davantage durant leur jeunesse. Ne cessez pas de lui expliquer qu'il lui manque certaines habiletés parce que personne ne les lui a apprises. Maintenant que vous êtes là pour l'appuyer, il peut les acquérir. Je connais une femme qui apaisait son enfant intérieure en amenant son moi d'adulte à confronter l'humiliante voix intime qui disait: «Je crois bien que les hommes ne me trouvent pas séduisante.»

Elle lui répondait alors: «Tu n'as jamais appris à flirter ni à montrer à un homme que tu t'intéressais à lui.» Cette nouvelle stratégie a donné à son enfant la confiance nécessaire pour demander conseil à une femme expérimentée. Elle a passé une soirée absolument hilarante et elle a été largement payée de retour.

Faites l'inventaire de vos compétences sociales

Dressez la liste des compétences sociales que vous avez besoin d'apprendre. Il est ici question des aptitudes qui facilitent les choses lorsqu'il s'agit de participer à des rencontres, de bien s'entendre avec ses collègues de travail, de rencontrer des gens, de se montrer plus diplomate, d'être un meilleur «petit parleur», et ainsi de suite.

Choisissez une compétence à la fois et trouvez-vous un modèle, une personne qui se débrouille plutôt bien dans le domaine. Observez comment elle s'y prend. Prenez des notes.

Prêtez attention au moindre détail. Après que vous aurez recueilli des informations sur le comportement de cette personne, assoyez-vous pendant quinze à vingt minutes et, en imagination, voyez-la en train de faire les choses que vous désirez faire. Décortiquez sa manière d'agir afin de la réduire à quelques petites structures simples. Observez son comportement et ancrez-le. Ensuite, en conservant votre position d'ancrage, imaginez que vous adoptez le même comportement que cette personne. Passez à un autre «morceau de comportement» et répétez le processus. Faites cela pendant une semaine environ. Imaginez-vous ensuite en train d'accomplir la séquence entière. Exercez-vous pendant quelques jours, puis essayez pour de bon. Vous pouvez utiliser cette méthode pour développer n'importe quelle compétence sociale. Il s'agit d'une variante de l'exercice issu de la programmation neuro-linguistique que vous avez fait précédemment.

Exercez-vous à clarifier vos valeurs

Vos valeurs constituent vos frontières intellectuelles. Votre enfant intérieur ignore souvent quelles sont ses convictions parce qu'il a subi une répression et un lavage de cerveau à l'école.

L'ouvrage intitulé *À la rencontre de soi-même: 80 expériences de développement des valeurs* de Sidney Simon, Leland Howe et Howard Kirschenbaum est un classique en son genre. Les auteurs précisent au départ que, pour être digne de ce nom, une valeur doit répondre aux sept critères suivants:

1. Une valeur doit être choisie.
2. On doit l'avoir choisie parmi d'autres solutions de rechange.
3. On doit connaître les conséquences de son choix.
4. Une fois qu'on l'a choisie, on doit lui accorder de l'importance et la cultiver.
5. On doit être prêt à proclamer publiquement cette valeur.
6. On doit vivre en se conformant à cette valeur.
7. On doit s'y conformer souvent et régulièrement.

Dressez la liste de vos convictions les plus chères — vos Dix Commandements. Évaluez-les en les comparant aux sept critères qui précèdent et voyez combien de vos convictions y correspondent.

La première fois que j'ai fait cet exercice, je me suis senti ébranlé et légèrement déprimé. Parmi mes prétendues convictions, il y en avait très peu, en réalité, qui étaient des valeurs.

En vous servant de ces critères, vous pouvez commencer à élaborer vos propres valeurs. Vous êtes en mesure de conserver vos acquis et de commencer à changer ce que vous n'acceptez plus. Tout ce travail relatif à l'élaboration de vos propres valeurs peut s'avérer passionnant pour vous et votre enfant intérieur.

Entraînez-vous à établir vos frontières intellectuelles

Il est important que vous appreniez à votre enfant intérieur à dire ceci: «J'ai le droit de croire à ce que je crois. Je dois seulement assumer les conséquences de mes convictions. Toutes les croyances sont partiales. Chacun de nous voit les choses de son propre point de vue limité.»

Évaluez votre esprit de compétition

Il est important de gagner, mais il est aussi important de savoir perdre avec élégance. Je me souviens d'une soirée que ma famille et moi avions passée à jouer aux cartes. Nous misions de l'argent et, à mesure que les enchères montaient, ma belle-mère régressait. Au moment où elle a perdu la plus grosse mise de la soirée (environ deux dollars), elle a jeté ses cartes par terre puis elle est partie. Elle avait soixante-dix-sept ans! Il était évident que le jeu l'avait fait retomber spontanément en enfance. Dans une culture où l'on accorde une importance démesurée à la victoire, on accepte difficilement de perdre. Je me souviens également de cette fois où, jouant avec mes enfants, j'avais voulu abandonner la partie: plus je perdais, plus je me sentais irrité. J'avais quarante-deux ans!

Il est agréable de se rassembler et de jouer à des jeux (les mots croisés, par exemple) où tout le monde peut gagner. Cela peut s'avérer aussi très utile dans le domaine des affaires, lorsqu'on a besoin de former des équipes de travail.

Le monde des affaires est souvent la scène d'une concurrence acharnée. Si la compétition est trop féroce, votre enfant intérieur peut être tenté de jeter l'éponge. Aussi devez-vous prendre garde de ne pas le laisser sombrer dans la déprime lorsqu'il y a du favoritisme au bureau. Dans le milieu du travail, vous pouvez être certain de retrouver des situations semblables à celles que vous avez connues à l'école: là aussi, il y a des «chouchous du professeur» et de la rivalité entre pairs. Vous devez être un solide défenseur pour votre enfant. En fait, c'est en gardant très clairement en tête vos objectifs de carrière que vous vous rendrez les meilleurs services. Déterminez ce que vous voulez et ce que vous êtes prêt à faire, puis foncez. N'oubliez pas toutefois de protéger votre enfant à chaque étape du parcours.

Les situations où tout le monde gagne et où personne ne perd s'avèrent les plus efficaces pour tous. Exercez-vous à en créer dans votre vie; cela plaira beaucoup à votre enfant intérieur.

Pratiquez l'art de la négociation

Souvent, votre enfant intérieur blessé veut obtenir ce qu'il désire au moment même où il le désire. Il croit que seule sa façon de faire est la bonne. Pour cette raison, votre adulte doit lui montrer que la coopération et le compromis sont les clés de l'interdépendance et des relations harmonieuses entre adultes. Les enfants coopéreront pour peu qu'on leur donne la chance de savourer *les fruits du compromis*. La plupart de nos enfants intérieurs blessés n'ont jamais vu un conflit être résolu sainement, la règle de l'*inachèvement* dominant les familles dysfonctionnelles et enracinées dans la honte. L'inachèvement signifie que les mêmes luttes s'éternisent des années durant.

Vous pouvez apprendre à vous servir du désaccord pour élargir vos horizons et alimenter votre recherche d'idées nouvelles. La discussion et le débat sont des outils servant à découvrir le chemin que l'on veut prendre, selon ses besoins. Il est bon de se donner des règles pour mener une discussion, et il est *essentiel* d'avoir un arbitre. Rassemblez donc un groupe de trois personnes et exercez-vous à discuter des sujets sur lesquels vous êtes en désaccord.

Conformez-vous à la règle de l'écoute active et tenez-vous-en à des messages «Je» pour marquer votre autoresponsabilité. Recherchez le compromis négocié. Votre entente devrait toujours comporter une clause permettant la réouverture des négociations; cela signifie que l'une ou l'autre des parties peut rouvrir la discussion après un délai raisonnable si elle est insatisfaite de l'entente telle qu'elle a été négociée. Une fois de plus, optez toujours pour la solution sans perdants.

La négociation fructueuse fera bénéficier votre enfant intérieur d'une expérience valable qui l'aidera à affronter les conflits. Il pourra se rendre compte qu'un conflit n'est pas un événement horrible et traumatisant; de fait, les différends revêtent une importance décisive dans l'établissement d'une saine relation d'intimité. Chacun de nous porte en lui-même un enfant intérieur merveilleux, unique, précieux et exceptionnel. Il est donc inévitable que deux êtres d'exception puissent en arriver à des divergences de buts. On doit s'y attendre. Le fait de résoudre nos conflits transforme notre vie en une passionnante aventure.

Dans la présente partie, nous avons examiné le retour aux sources dans la perspective des quatre éléments dynamiques de toute bonne thérapie. Nous soutenons notre enfant doué en mettant à sa disposition notre puissance d'adultes. Par le biais de cette puissance, nous donnons à l'enfant la permission de transgresser les anciennes règles empoisonnées et de vivre selon de nouvelles règles correctives. Ces nouvelles règles portent en elles-mêmes l'essence d'une discipline éducative. Ce genre de discipline est nécessaire pour brider la puérilité égocentrique de l'enfant intérieur et laisser place aux qualités spirituelles propres à l'enfance. Cet état enfantin doit être *protégé* de sorte que, au moment où nous mettons en *pratique* les nouvelles expériences correctives, notre plein pouvoir créatif puisse émerger. Notre pouvoir créatif est enraciné dans notre merveilleux enfant. Tournons-nous maintenant vers cet enfant.

EXERCICE POUR SORTIR DE L'ENCHEVÊTREMENT PARENTAL MAJEUR

Voici l'exercice dont j'ai parlé au chapitre 7 à propos des rôles qui se chevauchent dans ces systèmes familiaux dysfonctionnels que sont les familles enchevêtrées. Ces rôles impliquent des liens transgénérationnels et, souvent, des abus sexuels non physiques.

Cet exercice est une adaptation du travail de Connirae et Steve Andreas et on peut le trouver sous sa forme originale dans leur ouvrage intitulé *Heart of the Mind* (Le cœur de l'esprit).

Je vous recommande de l'enregistrer sur cassette ou de vous faire guider à travers ses différentes étapes par un thérapeute, un ami de confiance ou une personne ressource. Prévoyez trente minutes pour accomplir tout le processus. Trouvez un endroit tranquille où rien ne viendra vous distraire et *restez debout* durant l'exercice. Ménagez des pauses de trente secondes aux points de suspension.

Première étape: le parent enchevêtré

Fermez les yeux et concentrez-vous sur les souvenirs qui mettent en scène celui de vos deux parents avec qui vous avez les relations les plus enchevêtrées. Voyez réellement ce parent, ressentez-le ou entendez-le intérieurement. Laissez-le vous apparaître alors qu'il adopte son *comportement le plus attrayant.* Votre inconscient saura exactement de quel comportement il s'agit...

Faites confiance à la première image qui vous vient à l'esprit. Si vous êtes incapable de vous représenter mentalement votre parent, sentez simplement sa présence ou faites semblant qu'il est là.

Deuxième étape: percevez l'enchevêtrement

Maintenant, voyez votre enfant intérieur d'âge scolaire qui se tient debout à côté de ce parent... Observez comment l'enfant est habillé... Écoutez votre enfant qui parle au parent... Flottez maintenant jusque dans le corps de votre enfant intérieur et, avec ses yeux, regardez votre parent... Regardez-le sous différents angles... Soyez attentif au son de sa voix... Notez son odeur... À présent, avancez-vous vers lui et étreignez-le... Quel

effet ce contact physique avec votre parent produit-il en vous?... De quelle manière vous sentez-vous trop relié à votre parent? *Comment* vous sentez-vous d'être ainsi lié? Comment percevez-vous le parent qui est attaché à vous? S'agit-il d'un lien physique? S'agit-il d'une attache à une partie de votre corps? (Plusieurs personnes ressentent ce lien dans l'aine, dans le ventre ou dans la région de la poitrine.) Y a-t-il une corde ou un autre genre de liens entre vous? Y a-t-il une bande élastique autour de vous? Ressentez pleinement la qualité de ce lien.

Troisième étape: échappez temporairement à l'enchevêtrement

Maintenant, rompez ce lien pour quelques instants... Permettez-vous simplement d'observer quel effet cela aurait. Si vous êtes attaché par une corde, imaginez que vous coupez cette corde avec des ciseaux... Si vous êtes lié au corps de votre parent, imaginez qu'un faisceau laser d'une miraculeuse lumière dorée vous désunit et guérit la blessure simultanément... À ce stade, vous allez éprouver un malaise en vous séparant... Cela signifie que ce lien remplit une fonction importante dans votre vie. N'oubliez pas que vous ne vous désunissez pas. Vous ne faites que ressentir les effets d'une séparation temporaire.

Quatrième étape: découvrez les avantages de l'enchevêtrement

Maintenant, demandez-vous: «Qu'est-ce que je reçois vraiment de ce parent et en quoi cela satisfait-il mes besoins fondamentaux?»... «Qu'est-ce que je désire vraiment de ce parent?»... Attendez jusqu'à ce qu'une réponse vous touche au plus profond de vous-même — cela peut concerner la sécurité, la protection contre la mort, le sentiment d'être important, d'être digne d'amour ou d'estime... Rétablissez maintenant le lien avec votre parent.

Cinquième étape: utilisez votre puissance d'adulte

Tournez-vous maintenant vers la droite ou vers la gauche et voyez-vous dans la peau d'un magicien doux et sage (ou comme si votre moi le plus puissant s'était complètement actualisé). Prenez conscience que cette projection de vous-même, plus âgé, est en mesure de vous donner ce que vous désirez et croyez obtenir de la relation enchevêtrée avec votre parent. Regardez attentivement votre moi d'adulte plein de ressources... Observez comment cette partie de vous-même bouge et parle; remarquez son apparence générale. Dirigez-vous vers votre moi de grande personne et étreignez-le... Sentez le pouvoir et la puissance de votre adulte... Rendez-vous compte que la pire chose que vous redoutiez vous est déjà arrivée... Vous avez été bafoué et délaissé en étant pris dans le piège de l'enchevêtrement... et la partie adulte en vous a réussi..., votre adulte a survécu et a fonctionné en dépit de tout cela.

Sixième étape: transformez le lien avec votre parent en un lien avec vous-même

Tournez-vous une autre fois vers votre parent enchevêtré... Regardez et ressentez l'attache... Rompez l'attache et liez-vous immédiatement à votre moi d'adulte, de la même façon que vous étiez lié à votre parent... Abandonnez-vous au bonheur de vous sentir interdépendant avec quelqu'un sur qui vous pouvez entièrement compter: vous-même. Remerciez l'adulte en vous-même d'être là pour vous. Abandonnez-vous au plaisir de recevoir de votre adulte ce que vous attendiez de votre parent. L'adulte en vous est la personne que vous ne pourrez jamais perdre.

Septième étape: respectez votre parent enchevêtré

Regardez maintenant votre parent enchevêtré et remarquez qu'il a le choix. Il peut se relier à son propre moi d'adulte. Souvenez-vous que votre parent jouit des mêmes possibilités que vous: lui aussi peut se réapproprier toutes les parties de son moi et devenir une personne intégrale. De fait, remarquez que votre parent n'a aucune chance de devenir une personne vraiment intégrale s'il reste attaché à vous... Vous l'aimez en lui donnant la chance de recouvrer son intégrité. Remarquez également que, pour la toute première fois, vous avez maintenant l'occasion d'établir avec lui une vraie relation.

Huitième étape: entrez en relation avec vous-même

Réintégrez maintenant votre moi d'adulte... Sentez le lien mutuel qui vous unit à votre enfant intérieur blessé d'âge scolaire. Rendez-vous compte que vous pouvez maintenant aimer et chérir cet enfant et lui donner ce qu'il attendait de ses parents.

TERMINEZ VOTRE MYTHE OU VOTRE CONTE DE FÉES

Votre exercice final consiste à terminer l'histoire mythique ou le conte de fées que vous avez écrit à l'étape des retrouvailles avec votre enfant d'âge scolaire (page 200). Commencez avec les mots suivants: «Et puis...»

Voici comment mon histoire se termine:

Et puis Farquhar entendit la voix de Joni. Il en fut si ému qu'il promit de se ménager chaque jour un moment de quiétude pour écouter Joni. En tout premier lieu, Joni dit à Farquhar de se joindre à un groupe de personnes qui avaient été blessées et qui appliquaient maintenant les secrets des elfes. Ils s'étaient soumis à la discipline de l'amour. Cela signifiait qu'ils différaient les gratifications, étaient responsables d'eux-mêmes, disaient la vérité coûte que coûte et menaient une vie équilibrée.

Farquhar fut accueilli à bras ouverts. Très peu de temps après, il vit son moi d'elfe dans le regard affectueux de ses compagnons, au sein du groupe. Il vécut un jour à la fois et se soumit à la discipline de l'amour. Il retrouva son enfant intérieur blessé et lui donna son soutien. Bientôt, il commença à enseigner le secret des elfes. À mesure que les années passèrent, il devint un maître célèbre qui avait la capacité de transformer l'âme des Sniamuh. Il aimait sa vie et vivait pour le jour où il retournerait dans sa vraie maison, là où il pourrait créer et se chauffer éternellement dans la vision du Grand Je Suis.

QUATRIÈME PARTIE

La régénération

Il est important de comprendre que le besoin de trouver l'enfant fait partie d'un antique désir humain. Au-delà de notre passé individuel gît notre passé culturel, contenu dans les mythes. Dans les mythes nous voyons que l'enfant est souvent le fruit d'une union entre l'humain et le divin. C'est l'enfant mythique [...] que nous cherchons, aussi bien que l'enfant de notre histoire personnelle.

RACHEL V.

Et la fin de toute notre exploration
Sera d'arriver là où nous avons commencé
Et de connaître cet endroit pour la première fois.

T. S. ELIOT
Les quatre quatuors

Et, là où se trouvaient jusqu'alors le vide et les fantasmes de grandeur tant redoutés, on découvre une richesse de vie inattendue. Ce n'est pas un retour au foyer, puisqu'il n'y en a jamais eu; mais c'est le chemin du foyer que l'on a retrouvé.

ALICE MILLER
Le drame de l'enfant doué

INTRODUCTION

À mesure que vous laisserez votre enfant devenir une partie intégrante de votre vie — en dialoguant avec lui, en l'écoutant, en établissant des frontières pour lui, en lui laissant savoir que vous ne le quitterez jamais —, un nouveau pouvoir et une nouvelle créativité commenceront à émerger en vous-même. Vous allez vous rattacher à la vision toute neuve de votre enfant, laquelle sera enrichie et approfondie par vos années d'expérience en tant qu'adulte.

L'enfant qui émergera alors sera votre enfant doué. Tandis que vous progresserez dans votre démarche de soutien, votre enfant doué s'épanouira naturellement et s'acheminera vers l'expansion et l'actualisation de son être. L'état naturel de l'enfant doué est la créativité. Le fait d'entrer en relation avec votre créativité est plus qu'un retour au foyer: il s'agit d'une découverte de votre essence, de votre moi le plus profond, le plus unique.

La démarche consistant à retrouver votre enfant intérieur blessé est un processus de *mise à nu*. Par la suite, celle visant à soutenir votre enfant blessé vous amènera non seulement à développer votre force intérieure mais aussi à rentrer en possession du pouvoir spirituel de l'enfant en vous. Grâce à ce pouvoir spirituel fraîchement retrouvé, vous pourrez commencer à vous créer vous-même. C'est cela votre vrai retour au foyer. Ce qui était retenu pourra alors s'épanouir. Dorénavant, vous serez sensible aux signaux et aux désirs ardents de votre moi le plus profond.

Dans cette dernière partie, je mettrai l'accent sur ce besoin universel que nous, les êtres humains, avons de trouver notre enfant doué. J'indiquerai deux des façons dont les mythologies mondiales ont témoigné du pouvoir de régénération et de transformation de l'enfant doué. Le premier schéma mythique met en scène le *puer aeternus*, ou l'enfant éternel, qui annonce l'âge d'or. Le second schéma mythique concerne le nouveau-né divin ou héroïque qui a été exilé et parvient à se réapproprier son droit de naissance divin. Tous deux sont des symboles de cet ardent désir, ce besoin vital et inéluctable, que nous, les humains, avons de nous réaliser et de nous dépasser constamment.

Je vous inviterai à vous laisser guider par votre enfant doué; il vous conduira vers votre moi authentique et donnera une nouvelle direction à votre vie.

Finalement, j'évoquerai l'idée que votre enfant doué est au cœur de votre spiritualité et qu'il représente votre attache la plus profonde avec la source et le fondement créatif de votre être. De fait, je vais suggérer l'idée que l'enfant doué est votre *Imago Dei*: la partie de vous-même qui garde une ressemblance avec votre créateur.

CHAPITRE 13

L'enfant en tant que symbole universel de régénération et de transformation

L'«enfant», c'est tout ce qui est abandonné et exposé et en même temps divinement puissant; le commencement douteux et insignifiant et la fin triomphale. L'«enfant éternel» en l'homme est une expérience indicible, une absurdité, un handicap et une prérogative divine; un impondérable qui détermine la valeur ou l'absence de valeur fondamentales d'une personnalité.

C. JUNG

Le grand psychologue Carl Jung a perçu clairement le caractère paradoxal de l'enfant intérieur. Pour Jung, l'enfant était la source de la divinité, de la régénération et du renouveau et, en même temps, une source possible de contamination et de destruction. Jung a nettement vu l'*enfant blessé* comme une partie de l'enfant archétypal, et cela a été son génie, puisque c'est seulement au cours des cinquante dernières années que la conscience humaine s'est intéressée à l'enfant blessé. De fait, je crois que l'enfant blessé est devenu un *archétype moderne.*

L'archétype est une représentation de l'expérience cumulative et collective de l'humanité, une virtualité universelle présente dans chaque être humain. Jung a pressenti que, une fois qu'un certain schéma de l'expérience humaine était clairement établi, celui-ci devenait une partie de notre héritage psychique collectif. Il croyait que les archétypes étaient transmis génétiquement comme l'ADN.

Les archétypes sont comme les organes de notre psyché — on pourrait les comparer aux structures squelettiques de notre corps; ils constituent des prédispositions psychiques congénitales qui proviennent des schémas hérités du passé. Ces schémas se révèlent lorsqu'on franchit certains seuils de l'expérience humaine.

Les archétypes incarnent à la fois les aspects positifs et négatifs des schémas qu'ils représentent. Ainsi, par exemple, la fécondité et le pouvoir nourricier de la mère constituent l'aspect positif de l'archétype maternel; son aspect négatif est incarné par la mère qui étouffe, dévore et détruit ses enfants.

L'aspect positif de l'archétype paternel, c'est le père qui protège ses enfants, leur fixe des limites et leur transmet les lois ainsi que les traditions inhérentes à sa culture. Le père négatif, c'est le tyran qui, craignant de perdre son pouvoir, maintient ses enfants dans l'asservissement et refuse de leur transmettre les traditions.

L'enfant archétypal positif, quant à lui, est un enfant vulnérable, naïf, spontané et créatif. L'enfant négatif est égoïste, puéril, et il résiste à la croissance tant affective qu'intellectuelle.

L'aspect négatif de l'enfant archétypal correspond à l'enfant blessé. C'est seulement au cours du présent siècle que l'enfant intérieur blessé a reçu notre attention. Dans le passé, les mauvais traitements et le joug imposés aux enfants étaient monnaie courante et souvent considérés comme normaux. Voilà à peine cent ans, en 1890, il n'existait pas de Société pour la prévention de la cruauté envers les enfants alors qu'il y avait une Société pour la prévention de la cruauté envers les animaux.

La dénonciation des mauvais traitements infligés aux enfants a représenté un grand pas en avant pour notre génération. Nous en sommes arrivés à constater que les règles qui prévalent dans l'éducation des enfants mortifient et bafouent leur unicité et leur dignité. De telles règles ont contribué à nous maintenir dans l'obscurantisme affectif. Alice Miller a montré avec une douloureuse clarté comment nos règles éducatives les plus répandues n'ont visé qu'à amener l'enfant à se conformer à une projection mentale des parents. Ces règles ont également conduit l'enfant blessé à idéaliser encore davantage ses parents et, par cette idéalisation, à créer un lien fantasmatique au moyen duquel il s'assurait de leur amour pour lui. Mais ce processus a aussi perpétué les mauvais traitements infligés aux enfants pendant des générations.

George Bernard Shaw a inventé une merveilleuse description de l'enfant lorsqu'il a écrit: «Qu'est-ce qu'un enfant? Une expérience. Une nouvelle tentative afin de créer l'homme juste... c'est-à-dire afin de rendre l'humanité divine.» Shaw a parfaitement compris qu'on ne pouvait pas jouer avec cette expérience ni la manipuler: «Et si vous tentez de façonner ce nouvel être selon *l'idée que vous vous faites* d'un saint homme ou d'une sainte femme, vous détruirez son espérance la plus sacrée et créerez peut-être un monstre.»

C'est ce dernier scénario que nous sommes maintenant parvenus à comprendre. Alors que nous faisons face à l'antique et insidieuse tradition de l'abus perpétré sur les enfants, nous donnons de nouveaux noms aux démons de l'inceste, de la violence physique et de la dégradation affective. Nous voyons clairement le *meurtre de l'âme* que constitue la blessure spirituelle causée par le mépris pour le sentiment du «Je suis» de l'enfant.

L'énergie massive animant le mouvement des adultes enfants a confirmé cette nouvelle compréhension de l'archétype de l'enfant blessé.

Notre époque en est une de catastrophe et de sinistre destruction. Il n'y a rien eu de comparable à cela dans l'histoire de l'humanité. Des millions d'individus sont morts dans la lutte pour la liberté et la démocratie. Je crois que la catastrophe du nazisme était enracinée dans la structure familiale allemande aux règles parentales mortifiantes et autoritaires. Cependant, bien qu'on les ait poussées à leur extrême en Allemagne, il ne s'agit pas de règles allemandes. En fait, ce sont des règles universelles qui ont blessé les enfants depuis des générations et qui existent encore de nos jours. Étant donné qu'on les considérait comme normales, on n'a jamais soupçonné à quel point elles étaient destructives. Avec la déclaration des droits de l'homme durant les révolutions américaine et française — aussi imparfaites qu'aient été ces révolutions — une nouvelle ère, un âge d'or, s'est lentement fait jour et, comme le phénix mythique, a surgi des cendres. Notre conscience de l'archétype de l'enfant blessé nous a incités à guérir et à retrouver l'enfant, ce qui, en retour, a permis à l'enfant doué d'émerger.

LE *PUER AETERNUS*

Dans toutes les grandes mythologies du monde, la création est un éternel recommencement cyclique. Périodiquement, le monde retourne au chaos. Les montagnes s'écroulent, les plaines sont rasées par des pluies de feu torrentielles, la terre tremble, la mort revient. Ces événements sont la préfiguration apocalyptique d'un nouvel âge d'or.

Chaque chose doit être réduite au chaos avant que la nouvelle création ne puisse commencer.

Dans plusieurs mythes, un nouvel arbre germe dans les ruines du chaos. Puis, la cime de l'arbre s'élève jusqu'au ciel. Ensuite, apparaît un miraculeux *enfant* qui grimpe au tronc de l'arbre. C'est l'arrivée de ce miraculeux enfant, ce *puer aeternus*, qui marque le commencement de l'âge d'or. Dans certaines versions, l'enfant modifie la structure du cosmos. Dans d'autres, l'enfant apporte la plénitude qui caractérise l'âge d'or. L'avènement de cet enfant concilie tous les opposés. Le vieux devient jeune; les malades recouvrent la santé; les carottes et les pommes de terre poussent dans les arbres; les noix de coco et les ananas poussent dans la terre. Il y a abondance de nourriture et de biens; personne n'est obligé de travailler ou de payer des impôts. Au cœur de tous ces mythes, l'enfant est le symbole de la régénération et de la plénitude.

Jung évoque ce que cela signifie pour nous personnellement:

> Dans le processus d'individuation, l'enfant préfigure la synthèse des éléments conscients et inconscients de la personnalité. Il est donc le symbole unificateur qui concilie les opposés; le médiateur; le messager de la guérison; celui qui fait un tout.

C'est vers cet aspect créatif et régénérateur de l'enfant que j'aimerais maintenant me tourner.

L'ENFANT DOUÉ EN TANT QUE MOI AUTHENTIQUE

Dans le roman de Gail Godwin intitulé *The Finishing School* (L'école des jeunes filles bien), l'un des personnages dit ceci: «Il y a deux types de personnes. [...] Les unes vous laissent deviner, rien qu'en les regardant, combien elles sont figées dans leur moi définitif [...] vous savez qu'il ne faut plus s'attendre à aucune surprise de leur part [...] les autres continuent de bouger, de changer... et de prendre de nouveaux rendez-vous amoureux avec la vie, et cet élan les garde jeunes.» Dans le deuxième cas, il s'agit de personnes en relation avec leur enfant doué. Votre enfant doué est votre moi le plus vrai.

Je m'en souviens comme si c'était hier. J'avais douze ans et j'étais debout, attendant l'autobus, quand j'ai éprouvé une très vive conscience de mon «Je suis». Il m'était pourtant déjà arrivé de ressentir que j'étais moi et qu'il n'y avait personne d'autre comme moi. Mais ce jour-là, je me rappelle avoir été effrayé en reconnaissant la réalité de ma solitude. Je me souviens d'avoir pensé que mes yeux étaient des fenêtres à travers lesquelles *moi* seul pouvais regarder. Je m'étais rendu compte que personne d'autre ne pourrait jamais voir le monde de mon point de vue — depuis les fenêtres qu'étaient mes yeux. J'avais également compris que nul ne pourrait jamais vraiment être à l'intérieur de moi, que j'étais séparé d'autrui. J'étais moi et personne ne pourrait rien y changer, quoi qu'on me fasse ou quoi qu'on essaie de me forcer à faire. J'étais qui j'étais, et j'étais unique.

À ce moment, à cet arrêt d'autobus de la rue Fairview, j'ai eu l'intuition de mon propre être. Cette intuition née de l'émerveillement me quitterait plusieurs fois au cours des années suivantes. Mais elle allait m'amener à étudier et à enseigner la philosophie, puis me guider dans un voyage intérieur à travers la plénitude. Je suis toujours absolument fasciné par la philosophie. Je suis intimidé par le sentiment d'*être*, par ce que Jacques Maritain a décrit comme étant «cette poussée victorieuse par laquelle nous triomphons du néant». La question de Spinoza, «Pourquoi y a-t-il quelque chose plutôt que rien?», remplit toujours l'enfant doué d'une crainte respectueuse. Des millénaires auparavant, cette question a motivé Thalès de Milet, le père de la philosophie antique. Plus tard, Aristote a écrit ceci: «C'est à cause de leur capacité de s'émerveiller qu'aujourd'hui les hommes se mettent à étudier la philosophie et qu'à l'origine ils ont commencé à philosopher.»

Cette conscience de mon être dont j'ai fait l'expérience autrefois était le fruit de mon enfant doué. Et quarante-trois ans plus tard, cet enfant doué parle à travers moi tandis que j'écris ce livre. Au cœur de ma conscience, rien n'a changé. Bien que pendant plusieurs années mon enfant blessé m'ait empêché de ressentir le caractère sacré du moment présent, je reviens lentement à ce sentiment primitif d'émerveillement teinté de crainte respectueuse. Je peux de nouveau être secoué de frissons lorsque je suis vraiment en contact avec l'être d'un océan, d'un coucher de soleil ou d'une nuit étoilée.

On peut devenir de plus en plus conscient et constamment élargir ses horizons, mais l'essentiel de notre moi authentique ne change jamais. François d'Assise a écrit: «Celui que nous cherchons est celui qui cherche.» Les psychologues transpersonnels appellent cela «le moi témoin»: le «Je» qui me regarde.

Au cœur de votre enfant doué, vous allez trouver vos sentiments, vos besoins et vos désirs authentiques. Comme la plupart des adultes enfants, vous avez probablement perdu cet enfant voilà très longtemps. Mais à mesure que vous soutiendrez votre enfant blessé, il parviendra à s'en remettre à vous et à votre protection bienfaisante; il saura que vous ne l'abandonnerez pas. Ce profond sentiment de sécurité et cette confiance fondamentale permettront à votre enfant doué de faire surface. Ensuite, pour être vous-même, vous n'aurez plus à travailler ni à fournir des efforts. Il n'y aura rien à faire. Comme l'affirme Sam Keen:

> Il se peut que ce retour au foyer soit l'équivalent laïque et déconfessionnalisé de ce que les chrétiens appellent traditionnellement la justification par la foi. [...] En séparant le salut de la réussite, le chrétien a établi la priorité de l'*être* sur le *faire*.

Mon enfant blessé et pétri de honte s'était métamorphosé en un «faire» humain afin d'avoir une signification et de compter aux yeux des autres. Après avoir passé quarante années à être une Vedette, un Perfectionniste et un Protecteur, force m'a été de constater que *je n'arriverais pas à guérir mon être avec mon «faire». Être qui je suis, voilà tout ce qui compte.*

L'enfant doué constitue le *moi essentiel.* Les psychologues transpersonnels font une distinction entre le moi essentiel et le moi adapté. Pour désigner le moi essentiel, ils utilisent souvent le mot *âme* et pour désigner le moi adapté, le mot *ego.*

Selon leur modèle, votre ego relève de cette sphère restreinte de la conscience que vous utilisez afin de vous adapter aux exigences de votre famille et de votre culture. L'ego est limité par ses besoins de survie. L'ego, c'est votre moi temporel qui est enraciné dans votre famille d'origine aussi bien que dans la culture qui vous a vu naître. Tous les systèmes familiaux et culturels sont relatifs et représentent une seule des multiples façons dont la réalité peut être comprise et interprétée. Même si votre ego d'adaptation était *pleinement fonctionnel* par rapport à votre famille et à votre culture, il demeurerait malgré tout limité et fragmenté par rapport à votre vrai moi. D'après la théorie transpersonnelle, *votre ego est toujours inauthentique comparé à votre âme.* Voilà pourquoi j'identifie l'âme à l'enfant doué et l'ego à l'enfant blessé.

Toutefois, votre ego doit être intégré et fonctionnel si vous voulez survivre et faire face aux nécessités inhérentes à la vie temporelle de tous les jours.

Un ego fort et intégré vous donne un sentiment d'assurance et de maîtrise. La démarche consistant à retrouver votre enfant intérieur blessé et à prendre sa défense vous amène à guérir et à intégrer votre ego. Une fois intégré, votre ego génère une force qui vous permet d'explorer votre enfant doué, votre moi essentiel. Aussi paradoxal que cela puisse paraître, votre ego doit être assez fort pour renoncer à sa position défensive et contrôlante. Vous avez besoin d'un ego fort pour transcender l'ego. Pour donner un exemple rudimentaire, disons que l'ego est comme la fusée de lancement qui vous met en orbite au beau milieu du ciel. Là-haut, votre âme prend ensuite la relève, se mettant à l'œuvre dans l'étendue illimitée de l'espace intersidéral.

La relation entre votre enfant doué (l'âme) et votre enfant blessé (l'ego) *doit* être guérie avant que vous ne puissiez vous relier à votre moi essentiel. Une fois que vous avez travaillé votre ego (en exprimant votre première souffrance, ou souffrance légitime), vous êtes mûr pour la pleine actualisation de soi.

Actuellement, c'est votre enfant doué qui vous motive à travailler votre ego. L'enfant blessé est incapable d'entreprendre une démarche de guérison, car il est bien trop occupé à se défendre et à survivre. Lorsque la vie entière se résume à une rage de dents chronique, on est incapable de dépasser cette souffrance et d'entrevoir des pâturages plus verts. Étant donné que votre enfant doué constitue votre moi authentique, il vous a toujours poussé vers une actualisation de soi fructueuse, même quand votre ego était replié sur lui-même et inconscient parce que préoccupé par ses problèmes de survie. Carl Jung résume cela merveilleusement bien:

> L'archétype de l'enfant est une personnification des forces vitales, et il est complètement extérieur au champ limité de notre pensée consciente. [...] Il constitue la poussée la plus forte et la plus inéluctable qui soit à l'œuvre dans tout être, à savoir l'ardent désir de se réaliser soi-même.

Une fois que vous vous sentirez relié à votre enfant doué, vous commencerez à voir toute votre vie dans une perspective plus large. Votre enfant doué n'aura plus besoin désormais de se cacher derrière les défenses du moi pour survivre. Il pourra voir les choses selon un niveau de conscience différent. L'enfant doué ne se présentera pas sous la forme d'un moi amélioré; il sera un moi différent qui bénéficiera d'une vision élargie.

Méditation pour recadrer votre vie avec votre enfant doué

Les bouddhistes zen ont un *koan* traditionnel, une sorte de devinette, qui dit ceci: «Quel était votre visage original — est-ce celui que vous aviez avant que vos parents vous mettent au monde?»

Pensez à cela au moment où vous aborderez la prochaine méditation. Je vais également vous demander d'adopter, au moins temporairement, certaines croyances qui vous sont probablement peu familières. Ne vous égarez pas dans un débat visant à déterminer si vous croyez réellement à ces choses. Permettez-vous simplement de penser et de ressentir comme si votre enfant doué avait eu conscience de sa destinée avant que vous ne veniez au monde. Laissez-vous imprégner de la croyance que partagent plusieurs traditions religieuses, à savoir que vous êtes un esprit incarné. Songez que vous êtes davantage que votre personnalité socio-culturelle limitée dans le temps, que vous jouissez d'un éternel héritage divin. Laissez-vous croire, avec Thomas d'Aquin et les grands maîtres du soufisme, que vous êtes une expression unique de Dieu — le Grand Je Suis. Laissez-vous croire en outre que l'univers serait appauvri si vous n'étiez pas né, *qu'il y a quelque chose de Dieu qui peut être exprimé seulement par vous et que les autres ne peuvent connaître qu'à travers vous.* Permettez-vous de croire que votre enfant doué a toujours su tout cela. Au cours de cette méditation, vous allez entrer en contact avec votre enfant doué et connaître votre héritage divin — le but de votre incarnation. Une fois que vous aurez fait cette expérience, vous serez en relation avec votre moi authentique et vous verrez votre vie entière différemment.

Je vous conseille soit d'enregistrer cette méditation sur cassette, soit de vous la faire lire par un ami. Rappelez-vous que les points de suspension indiquent une pause de dix à vingt secondes.

Commencez par vous concentrer sur votre respiration. Observez lentement le processus de votre propre respiration... Devenez attentif à votre respiration... Prenez conscience de la sensation que cela vous procure lorsque vous inspirez et expirez de l'air... Commencez à voir le chiffre 5 en expirant... Voyez un chiffre noir sur un fond blanc ou un chiffre blanc sur un fond noir... Si vous avez du mal à visualiser, imaginez que vous peignez le chiffre 5 avec vos doigts ou que vous l'*entendez* dans votre tête. Si possible, rendez-vous-le sensible des trois

façons. Voyez-le, tracez-le avec les doigts et entendez-le... Maintenant, le chiffre 4; voyez-le, tracez-le ou entendez-le — ou faites tout cela à la fois... Faites ensuite la même chose avec le chiffre 3, le chiffre 2 et le chiffre 1. *(Longue pause)*... Lorsque vous voyez le chiffre 1, imaginez qu'il s'agit d'une porte. Avant de franchir cette porte, imaginez que vous déversez toutes vos peines et tous vos soucis dans une boule de cristal. Enterrez cette boule de cristal... Vous pourrez reprendre vos soucis après cette méditation... Entrez maintenant par la porte et voyez une série de trois marches conduisant à une autre porte. À présent, imaginez que vous déversez votre incrédulité et votre scepticisme dans une boule de cristal. Enterrez la boule remplie de votre incrédulité et de votre scepticisme. Passez maintenant en revue votre nouveau système de croyances. Voici votre mythe fait de «comme si»:
Vous êtes une manifestation unique et exceptionnelle du divin.
Vous avez une destinée que *vous seul* pouvez exprimer à travers votre être.
Cela n'est ni dramatique ni mélodramatique.
C'est simplement la différence que fait votre présence ici — votre être ici. C'est une différence qui fait une différence.
Votre enfant doué a toujours su ce que c'est.
Votre enfant doué peut vous amener à découvrir le but de votre vie.

Maintenant, montez les marches et ouvrez la porte... Vous allez découvrir un porche avec un escalier qui mène au ciel. [À cette étape-ci, vous pourriez avoir envie d'écouter *Ancient Echoes* ou *Starborn Suite* de Steven Halpern.] Vous voyez apparaître lentement une silhouette entourée d'une lumière d'un blanc bleuté; la silhouette descend l'escalier... À mesure qu'elle se rapproche de vous, vous sentez que sa présence est chaleureuse et amicale. Quelle que soit la forme de cette silhouette, tout ira bien tant et aussi longtemps que vous sentirez qu'il s'agit d'un être chaleureux et amical à votre égard. Si la silhouette vous fait peur, dites-lui de s'en aller et attendez qu'une autre se présente. Cet être est votre guide intérieur. Demandez-lui son nom. Dites-lui que vous voulez parler à votre enfant doué... Permettez-lui de vous prendre par la main et commencez à monter l'escalier... Vous arrivez devant un grand temple. Votre guide vous conduit vers une porte... Franchissez la porte. Voyez des objets d'une exquise beauté. Dirigez-vous vers un maître-autel sur lequel vous voyez la statue d'un magnifique et précieux enfant — c'est votre enfant doué... Voyez la statue prendre vie... Prenez le temps de serrer votre enfant doué dans vos bras. Demandez-lui d'énoncer pour vous le but de votre vie. Pourquoi suis-je ici? *(Longue pause)*... Acceptez la réponse qui vous sera faite sous quelque forme que ce soit — un symbole, des mots réels, un sentiment fort. Parlez-en avec votre enfant doué. *(Longue pause)*... Même si vous ne le comprenez pas, emportez ce qui vous a été donné. Remerciez votre enfant doué et revenez vers la porte. Votre guide intérieur vous attend. Laissez-le vous reconduire au bas des marches... Lorsque vous atteignez le porche, reposez-vous un instant. Vous allez maintenant revoir votre vie entière, depuis votre naissance jusqu'à ce jour, à la lumière de votre nouvelle compréhension. Même si le message de votre enfant doué n'était pas clair, revoyez votre vie en réfléchissant à la compréhension que vous avez de votre but... À présent, revenez au moment de votre naissance, comme si vous étiez capable de vous voir naître. En partant de ce jour de votre naissance, revoyez chaque étape importante ou chaque événement dont vous pouvez vous souvenir, les contemplant à la lumière de votre nouveau savoir. Voyez les gens qui étaient présents. Les percevez-vous différemment maintenant? *(Longue pause)*... Peut-être y a-t-il quelqu'un que vous considériez comme sans importance et qui vous semble maintenant beaucoup plus important. *(Longue pause)*... Il se peut que certains événements revêtent une nouvelle signification. Pouvez-vous découvrir un nouveau sens aux événements traumatisants que vous avez vécus? *(Longue pause)*... Revenez à votre vie actuelle. Considérez que, du point de vue de votre âme, votre vie entière est parfaite — et acceptez-la. Maintenant que vous avez travaillé votre ego et exprimé votre première souffrance, vous êtes en mesure d'adopter cette position avantageuse et plus élevée. Acceptez le passé en le considérant comme parfait. Engagez-vous par rapport à votre but... Ayez des pensées pleines d'amour destinées à tous ceux que vous connaissez... Prenez conscience du fait que nous sommes tous des enfants qui luttent pour trouver la lumière. Voyez vos parents comme des

enfants blessés. Voyez chacun d'eux baignant dans une chaude lumière dorée. Imaginez que vous touchez et étreignez les personnes qui font partie de votre vie. *(Longue pause)*... Considérez chacune d'elles comme un enfant qui a besoin d'amitié et d'amour.

Revenez maintenant sous le porche avec l'escalier menant au temple. Ouvrez la porte et descendez les trois marches. Reprenez toutes les croyances, tout le scepticisme et toutes les présuppositions que vous voulez... Continuez jusqu'à la porte suivante et reprenez tous les soucis et les angoisses que vous voulez... Prenez trois profondes inspirations. Sentez la vie qui revient dans vos pieds et vos orteils alors que vous voyez le chiffre 1... Sentez ensuite le fauteuil sur lequel vous êtes assis et les vêtements qui recouvrent votre corps tandis que vous voyez apparaître le chiffre 2... Sentez ensuite l'énergie dans vos mains. Laissez-la monter dans vos bras jusqu'au cou et aux épaules... Voyez maintenant le chiffre 3. Sentez que tout votre cerveau est complètement réveillé. Respirez profondément. Promettez-vous de vous souvenir de cette expérience. Dites-vous que vous allez continuer de vivre avec ces images même si vous ne les comprenez pas toutes entièrement. Voyez maintenant le chiffre 4, puis sentez que vous êtes complètement éveillé alors qu'apparaît le chiffre 5.

Il est bon de simplement vivre avec cette méditation pendant un moment. Quelquefois, les images prendront davantage de sens plus tard. Pour certaines personnes, cette méditation a marqué le commencement d'une nouvelle conscience d'elles-mêmes et de leur vie. Ainsi, un homme a reçu de son enfant doué une clé sur laquelle était écrit le mot *antiquités*. Enfant, il aimait séjourner dans la maison de sa grand-mère, qui possédait une vaste collection de montres anciennes. Il adorait écouter sa grand-mère lorsqu'elle lui racontait l'histoire secrète de chaque montre; elle était une merveilleuse conteuse et avait l'art de stimuler son imagination. Finalement, il s'était mis lui aussi à collectionner les montres anciennes, mais, trop occupé à diriger sa compagnie d'assurances, il ne pouvait jamais consacrer beaucoup de temps à sa collection. Un an et demi après qu'il eut fait la méditation, je l'ai rencontré à une exposition d'antiquités. Il avait vendu sa compagnie et était devenu antiquaire, un antiquaire spécialisé dans la vente de montres anciennes et de clés antiques rares! Il semblait passionné par sa nouvelle vie. En fait, bien d'autres gens ont obtenu des résultats tout aussi spectaculaires de cette méditation. Le guide intérieur et l'enfant doué représentent la sagesse de votre âme. Cependant, l'âme évolue dans un monde de symboles et s'exprime au moyen d'un langage imagé. C'est l'âme qui parle dans vos rêves, dont le langage est si difficile à comprendre pour l'ego. On doit vivre avec les images et les ressentir avant d'être en mesure de saisir pleinement leur signification. Par conséquent, acceptez simplement ce que vous avez récolté et considérez cela comme pertinent pour vous.

Assurez-vous de partager cette expérience de méditation avec un ami qui vous offre son soutien et ne vous donne nullement honte.

Grâce à cet exercice, j'ai connu une merveilleuse régénération; plusieurs autres personnes ont également vécu des expériences puissantes. Si, de votre côté, vous n'avez pas vécu quelque chose de particulièrement fort, c'est aussi très bien.

LA NON-IDÉALISATION DE L'ENFANT DOUÉ

À ce stade-ci, permettez-moi d'affirmer clairement que je ne considère pas l'enfant doué comme le *seul modèle* en jeu dans une vie authentique. Je crois, tout comme Sam Keen, qu'une telle opinion reviendrait à mépriser la dignité de la maturité humaine. N'être qu'un enfant doué équivaudrait à vivre en exil dans le présent. Or, je peux témoigner de l'horreur que cela peut constituer. Mon grand-père a complètement perdu la mémoire durant les dernières années de sa vie. Aussi, à chacune de mes visites, il me posait sans cesse les mêmes questions. C'était un très bel homme, qui s'était bâti une vie fondée sur le travail acharné, la fidélité et l'amour. Le fait de le voir ainsi privé de passé ou de futur était extrêmement pénible. Nous devons vivre *dans* le présent, mais *pas pour* le présent. Nous devons «remplir la minute inoubliable avec soixante secondes de décalage», comme disait Kipling. Mais, étant donné sa jeune vision, l'enfant doué a besoin de la sagesse et de l'expérience propres à l'adulte que vous êtes devenu. En fait, votre enfant doué ne peut être présent que si votre adulte est là pour le soutenir et le protéger.

Aussi merveilleux soit-il, l'enfant ne saurait donner à l'adulte un exemple de vie authentique, pas plus que l'adulte ne pourrait être un modèle pour l'enfant. Sam Keen écrit d'ailleurs ceci:

> Nous devenons humains seulement lorsque nous quittons l'eden et nous devenons mûrs seulement lorsque nous nous rendons compte que l'enfance est terminée. Nous accédons à la plénitude de notre humanité seulement lorsque nous possédons et assumons notre conscience du présent aussi bien que la pleine mesure de nos souvenirs et de nos rêves. Une existence remplie de grâce intègre le passé, le présent et le futur.

Le fait de recadrer ma vie avec mon enfant doué m'a aidé à constater que toute mon enfance m'avait préparé à ce que je fais maintenant. Le *but* que j'ai découvert au cours de ma méditation, c'est que je suis là pour être moi-même, pour proclamer ma liberté humaine et pour aider les autres à en faire autant.

Afin d'accomplir cette tâche, j'avais besoin de toutes mes années d'études, de tout mon travail de guérison, de toute mon expérience en tant que thérapeute et de toute la sagesse que j'ai acquise à travers ma souffrance et mes erreurs. Avec mon enfant doué comme guide, je peux maintenant voir que ma vie entière est parfaite. Ma famille dysfonctionnelle, mon père alcoolique et ma mère codépendante, ma misère, tout cela était parfait. *C'était exactement ce que j'avais besoin de vivre afin d'accomplir mon travail actuel.* Sans mon enfance, je n'aurais jamais conçu d'émissions de télévision sur les familles dysfonctionnelles ni écrit de livres sur la honte et les familles élevées dans la honte. Et je n'aurais certainement pas écrit ce livre sur le retour aux sources, qui nous incite, vous et moi, à retrouver et à soutenir notre enfant intérieur blessé.

L'enfant doué nous pousse à nous développer constamment. Il nous appelle à vivre toujours davantage. Il nous dit que vivre, c'est croître et qu'être humain, c'est vaincre les obstacles. Être engagé envers la vie en tant que croissance et victoire sur l'adversité, c'est être disposé à accepter la souffrance et à risquer d'avoir mal.

Comme l'a écrit le philosophe Karlfried Graf Von Durkheim:

> C'est seulement dans la mesure où l'homme s'expose maintes et maintes fois à l'anéantissement que peut se révéler ce qui est indestructible en lui. C'est là que réside la dignité du téméraire.

Lorsque nous nous engageons à poursuivre un processus de croissance, nous sommes à même de constater que nous avions besoin de l'enfant blessé pour accéder à l'enfant doué. Notre enfant doué a enduré beaucoup de choses et il en supportera bien d'autres encore. C'est la part indestructible en nous, notre *Imago Dei*. Examinons cela de plus près maintenant.

CHAPITRE 14

L'enfant doué en tant que *Imago Dei*

Dieu ne meurt pas le jour où nous cessons de croire à une divinité personnelle, mais nous mourons le jour où notre vie cesse d'être illuminée par le rayonnement soutenu, chaque jour renouvelé, de l'émerveillement, dont la source est au-delà de toute raison.

DAG HAMMARSKJÖLD

L'émerveillement, c'est notre sixième sens et c'est un sentiment religieux naturel [...].

D. H. LAWRENCE

En vérité, je vous le déclare, si vous ne changez et ne devenez comme les enfants, non, vous n'entrerez pas dans le royaume des cieux.

MATTHIEU, 18,3

Quelles que soient vos croyances religieuses, vous ne pouvez pas entrer en relation avec votre enfant doué si vous n'avez pas conscience qu'il existe quelque chose de plus grand que vous-même. Emmanuel Kant, qui est sûrement l'un des plus grands esprits philosophiques de tous les temps, a été convaincu de l'existence de Dieu en contemplant l'immensité d'une nuit étoilée.

Nous sommes à même de voir la nuit succéder au jour et les saisons revenir de façon prévisible et régulière. Voilà le cosmos: il y a là un ordre manifeste et observable. La Terre n'est qu'une partie infinitésimale d'un incommensurable éventail de galaxies. On ne peut qu'être saisi d'un respect craintif devant le miracle de tout cela! L'enfant doué est religieux de nature. Il est naïf et croit, avec une foi inébranlable, en quelque chose de supérieur à lui-même. L'âme poétique de l'enfant doué touche le cœur même de l'être.

Votre enfant doué est cette partie de vous qui jouit, à sa manière humaine, de ce pouvoir divin entre tous: la régénération créatrice.

L'ENFANT DOUÉ EN TANT QUE SOURCE DE RÉGÉNÉRATION CRÉATRICE

L'enfant doué possède tous les ingrédients naturels nécessaires à la créativité. Carl Rogers et un groupe de psychologues et d'artistes ont étudié la dynamique de la créativité. Leur recherche a porté sur les conditions psychologiques qu'une personne devait obligatoirement réunir afin d'être créative. Ils ont découvert que les éléments suivants étaient essentiels pour favoriser la créativité: l'enjouement; la spontanéité; l'aptitude à vivre dans le présent; la faculté de s'émerveiller; la capacité de se concentrer; et la capacité de s'auto-évaluer en se référant à soi-même. Cette dernière qualité signifie que l'on est satisfait de soi-même, que l'on est le centre de sa propre activité. Cela équivaut à ressentir son «Je suis». Toutes ces qualités *enfantines* sont celles de l'enfant doué; il est spontané, apte à vivre dans l'instant présent, concentré, imaginatif, créatif, gai; il joue, s'émerveille, éprouve la confiance, la tristesse, l'amour, l'étonnement et l'espoir.

L'enfant doué est le poète naturel que décrit Morley dans le poème que j'ai cité au début de la première partie de ce livre. Quand nous sommes en contact avec cette partie de nous-mêmes, nous disposons de notre pouvoir créatif. La plupart des gens ne sont pas conscients de posséder ce pouvoir, car ils restent pris dans la souffrance figée de leur enfant blessé. «La masse de l'humanité mène une vie de désespoir tranquille», a dit Thoreau. Néanmoins, une fois accomplie notre démarche de retrouvailles et de soutien, l'enfant doué nous invite à une régénération créatrice.

C'est en faisant vôtre la signification des mythes évoquant «le petit enfant en exil» qu'il vous sera plus facile d'entrer en relation avec le pouvoir créatif de votre enfant doué. *La découverte d'une signification personnelle sous-tend que vous preniez conscience de la manière dont les événements relatés dans ces mythes ont vraiment eu lieu dans votre vie.* Ces mythes présentent habituellement l'enfant soit comme une divinité soit comme un meneur-héros qui inaugurera une période de changement et de régénération. Dans certains cas l'enfant sera un sauveur; dans d'autres cas, l'instigateur d'un nouvel ordre. Au sein de la pensée occidentale, c'est Jésus qui est l'enfant exilé le plus familier; mise à part la question de la véracité historique, l'histoire de sa naissance illustre le thème majeur de l'enfant en exil. Différentes combinaisons des mêmes éléments sont également présentes dans l'histoire de la naissance de Romulus et Remus, Sargon, Moïse, Abraham, Œdipe, Pâris, Krishna, Persée, Siegfried, Bouddha, Zarathoustra, Hercule, Cyrus et Gilgamesh, entre autres. Ce thème du petit enfant en exil est récurrent dans la mythologie.

Dans toutes les descriptions mythiques de l'enfant en exil, on peut retrouver plusieurs schémas élémentaires. Ces schémas ont été mis au jour par Otto Rank, l'un des pères fondateurs du mouvement psychanalytique, et également par Edith Sullwold, une psychologue pour enfants de formation jungienne. Ce qui suit constitue une synthèse de leurs découvertes.

- L'enfant qu'on doit exiler est de noble souche, le fils d'un roi ou l'héritier légitime du trône. Il a parfois des origines divines.
- Sa naissance est précédée de circonstances inhabituelles (la stérilité ou la chasteté) et d'une grossesse inusitée (il naît d'une femme vierge, d'une côte de sa mère, etc.).
- Évidemment, avant ou pendant la grossesse de la mère, une prophétie — sous forme de rêve ou d'oracle — met en garde contre la naissance de cet enfant, suggérant que celle-ci constitue en quelque sorte une menace (souvent pour le père ou celui qui en tient lieu, souvent aussi pour le pouvoir régnant). Il en ressort qu'un événement inhabituel est sur le point de se produire.
- L'enfant naît d'une façon peu commune et est immédiatement livré aux forces de la nature (on le met dans une boîte et on le laisse dériver au fil de l'eau; on l'abandonne sur une montagne; il voit le jour dans une caverne ou dans une étable). L'enfant naît quelquefois d'un élément naturel (la mer).
- L'enfant est souvent sauvé par des gens de condition modeste (des bergers), par une humble femme, ou allaité par un animal femelle. Fondamentalement, le mythe suggère que l'enfant est livré à la merci des forces de la nature.

- Les représentants de l'ordre établi tentent de tuer l'enfant (le massacre des Innocents). Mais l'enfant abandonné est fort et capable de survivre. L'enfant est prodigieux; c'est pourquoi il représente une menace.
- Peu à peu, l'enfant commence à reconnaître sa propre nature extraordinaire. Lorsqu'il devient assez fort, son temps est venu. La force de l'enfant résulte de ce qu'il reconnaît graduellement qui il est.
- C'est grâce à l'avènement de cette autoreconnaissance que l'enfant divin (le héros) sait qu'il a quelque chose à enseigner à l'ordre ancien. Il comprend qu'à ce moment précis dans le temps, le vieil ordre doit l'écouter et être régénéré. À ce stade-là, ce n'est pas seulement un nouvel enfant qui est né, c'est aussi un nouvel ordre mondial. Il est possible que l'enfant ait à rechercher ses nobles parents, parfois parce qu'il doit se venger, parfois même parce qu'il doit les tuer (Œdipe, Électre).
- Finalement, l'enfant réussit à réintégrer son rang et il reçoit les honneurs qui lui sont dus. Il accepte sa divinité, sa royauté ou son rôle de meneur.

Les mythes représentent les récits collectifs de l'humanité; leurs éléments ont un caractère archétypal. Cela signifie que les histoires mythiques décrivent *des schémas que chacun de nous revit maintes et maintes fois dans sa vie personnelle.*

Quelle signification l'archétype du petit enfant en exil peut-il donc revêtir pour nous? Outre le souvenir de notre souffrance d'enfant, *nous avons peut-être le souvenir d'une créativité très particulière qui serait notre don personnel, unique et exceptionnel.* Chacun de nous est un enfant divin, un héros ou une héroïne, un meneur et un guérisseur en exil. Cependant, tellement préoccupés par notre blessure spirituelle, nous sommes, depuis nos plus jeunes années, demeurés insensibles aux coups de coude et aux signaux que nous donnait constamment notre enfant doué.

La plupart d'entre nous avons été plongés au cœur d'une enfance ahurissante. Nous nous sentions vaincus par les forces environnantes. Si nous avons survécu, c'est uniquement grâce à notre instinct naturel. Mais nous avons dû développer un faux moi afin de compter aux yeux des autres. Nous étions perdus, ne sachant pas qui nous étions.

Finalement, en retrouvant et en soutenant votre enfant doué, vous recouvrez la capacité de laisser briller votre lumière divine. Encore une fois, c'est Jung qui l'a fort pertinemment souligné: «L'enfant, c'est ce qui illumine l'obscurité et porte la lumière au-devant de lui.»

RACONTER SON HISTOIRE PERSONNELLE

Nous disposons de plusieurs moyens pour reprendre contact avec notre enfant doué archétypal. Une des manières de retrouver notre force profonde consiste à nous raconter mutuellement notre histoire. Durant mes ateliers sur l'enfant intérieur, lorsque j'entends les gens livrer leur récit, cela touche quelque chose de profond en moi. Ce phénomène s'est reproduit maintes et maintes fois. Je suis parfois subjugué par la force intérieure et par la créativité que les participants ont dû déployer pour survivre à leurs plus sordides et terribles débuts. Le plus souvent, le schéma de ces récits est des plus courants. J'ai écouté au bas mot des centaines de gens raconter l'histoire de leur enfance. Cela a pour effet de me sortir de ma propre solitude d'enfant; mon histoire me semble alors plus ordinaire. Edith Sullwold a d'ailleurs avancé que «le récit de notre histoire débouche sur un contact profond avec qui nous sommes sur le plan archétypal». Ce qui nous a peut-être le plus empoisonné l'existence, en tant qu'enfants et adolescents, c'était ce sentiment d'une terrible solitude découlant de ce que nous pensions être les seuls à souffrir. La plupart d'entre nous vivaient dans des familles où régnait «la loi du silence». Par voie de conséquence, il n'y avait personne pour nous raconter notre histoire. Dans mes ateliers, quand les participants sont assis en groupe de six ou huit et qu'ils partagent l'histoire de leur enfance les uns avec les autres, *ils sont soulagés simplement en constatant l'universalité de leur vie d'enfants. D'une façon ou d'une autre, nous sommes tous des petits enfants en exil.*

Il est crucial que nous le sachions, car les adultes enfants croient trop fréquemment être *les seuls* à avoir souffert dans leur jeunesse. Plongés dans notre chagrin et notre souffrance, manquant de nourriture spirituelle, nous essayons de rendre concret ce qui est abstrait. Nous donnons généralement trop de réalité à notre enfant blessé, et perdons ainsi de vue notre enfant doué, en nous embourbant dans le littéral et en ignorant le symbolique — ce qui équivaut à perdre la notion de notre existence spirituelle. Cela crée ce que Marion Woodman appelle la «matérialisation de la conscience». Nous ne voyons rien au-delà du monde de notre enfant blessé réel et historique. S'enliser dans son histoire personnelle d'enfant blessé, c'est *ne jamais aller au-delà de ses blessures*. Et ne jamais aller au-delà de ses blessures, c'est utiliser les contaminations de son enfant blessé pour expliquer tout ce qui ne va pas dans sa vie. Les histoires des autres nous mettent en rapport avec quelque chose de plus vaste: elles nous relient à nos profondeurs archétypales.

L'archétype de l'enfant doué nous invite à la régénération spirituelle; il représente le besoin de transformation de notre âme. En outre, il nous fait découvrir le mythique enfant divin évoqué par le thème de l'enfant en exil, en nous transportant au-delà de l'enfant littéral de notre histoire personnelle. Toutes nos histoires parlent d'un héros ou d'une héroïne, d'un enfant divin qui a été exilé et qui fait un voyage pour retrouver son vrai moi.

L'ÉMERGENCE ÉNERGÉTIQUE

Selon Jung, les archétypes font partie de notre inconscient collectif. Cependant, nous ne pouvons pas en avoir une connaissance directe. C'est pourquoi nous devons apprendre à reconnaître les signes qui accompagnent l'apparition de l'archétype de l'enfant. Le fait de partager notre histoire personnelle avec d'autres gens touche nos profondeurs archétypales. Par ailleurs, notre enfant doué archétypal peut également nous convier à la régénération et au changement créateur à travers une sorte d'émergence énergétique.

Les sentiments intenses

L'émergence énergétique peut se traduire par un sentiment exceptionnellement intense ou envahissant. Elle peut se manifester par une forte attirance émotionnelle face à quelque chose ou à quelqu'un, ou encore apparaître sous la forme d'une puissante sensation physique recouvrant un sentiment refoulé. Les exemples suivants vous aideront à comprendre ce phénomène.

Il m'est arrivé de travailler avec un avocat que j'appellerai Normand. Il était très attaché aux détails et connaissait étonnamment bien la loi. Il était l'un des plus anciens associés au sein d'un bureau d'avocats fondé par son père. Les autres avocats profitaient souvent de ses talents. Il lui arrivait de passer des heures à aider ses collègues dans leurs tentatives de gagner des poursuites judiciaires, tentatives généralement couronnées de succès. Néanmoins, on accordait rarement du crédit à Normand pour son aide. Chaque fois que je l'interrogeais à ce propos, il éludait la question, prétextant qu'il contribuait simplement à améliorer le rendement de la firme.

Un jour, Normand m'a raconté qu'après avoir fait un rêve, il s'était éveillé dans une immense tristesse et que cette tristesse avait perduré pendant près d'une semaine. Quelques fois, au cours de cette semaine-là, Normand avait pleuré une heure durant. Cette énergie affective était tout à fait exceptionnelle, compte tenu du genre de vie plutôt stoïque de Normand.

Lorsque je l'ai interrogé au sujet de son rêve, il m'a raconté une histoire qui tournait autour de la perte de plusieurs animaux, des chiens et des chats surtout. Cela a réveillé en lui le souvenir depuis longtemps oublié de son jeu d'enfant favori, dans lequel il incarnait un vétérinaire et soignait des chiens et des chats. Normand se rappelait que, enfant, il voulait devenir vétérinaire mais que son père s'était moqué de cette idée. Il est alors apparu que son penchant pour les détails d'ordre juridique recouvrait en quelque sorte sa tristesse d'avoir manqué sa vraie vocation — et cette tristesse était si intense que Normand ne se permettait d'éprouver aucune autre émotion pouvant s'y apparenter. Le rêve avait déclenché une profonde énergie archétypale qui conviait Normand à se mettre en contact avec le désir de changement et de transformation de son enfant intérieur.

Normand était habitué à vivre dans l'opulence. Je l'ai aidé à répondre au désir de son enfant doué, à faire ses études de vétérinaire et à ouvrir sa propre clinique pour animaux. Il avait trente-six ans au moment où il avait fait ce rêve. Aujourd'hui, dix ans après, il mène une vie heureuse et prend soin de ses animaux. Son rêve avait déclenché une tristesse accablante, mais cette *émergence énergétique* l'avait amené à entendre la voix de son enfant doué.

Ce changement régénérateur a demandé beaucoup de courage à Normand. Son père était consterné; ses collègues pensaient qu'il était devenu fou. L'*ancien ordre établi* s'est élevé pour défier l'énergie de l'enfant doué qui émergeait. Son père m'a traité de charlatan; il soutenait que Normand était dépressif, qu'il devait être soumis à une médication et hospitalisé. Tous les schémas archétypaux étaient réunis: le petit enfant qui, suivant l'ordre naturel, voulait être un guérisseur et qui était appelé par son vrai moi à accomplir l'œuvre de sa vie; la constante opposition de l'ancien ordre; les années de souffrance, caché dans la caverne de sa tristesse; les années de lutte pour retrouver son vrai moi. Finalement, l'enfant s'est libéré. Et Normand a laissé son énergie le pousser vers une transformation créatrice.

L'émergence énergétique, sous la forme d'une forte attirance émotionnelle pour une personne ou une chose, s'est souvent produite dans ma vie. J'ai été fortement attiré, entre autres, par certains penseurs philosophiques — dont certains étaient tout à fait insolites, compte tenu de mon programme d'études du moment. Je m'attarderai davantage sur ce sujet lorsque j'aborderai mon expérience de séminariste.

Il m'est arrivé en plusieurs occasions d'éprouver une attirance exceptionnellement forte pour des livres peu connus. Tandis que je bouquine dans une librairie, un certain livre accroche mon regard; ce peut être à cause de son titre ou de quelque chose sur sa couverture. Je n'ai généralement aucune raison consciente d'être ainsi attiré par le livre en question; toutefois, je me sens habituellement contraint de l'acheter sur-le-champ — et il est bien rare que je ne le fasse pas. Quand j'arrive à la maison, j'y jette un coup d'œil puis je le mets de côté sans comprendre clairement pourquoi je le désirais.

Quelque temps après, presque toujours au moment où je suis énergiquement engagé dans un nouveau projet, l'un de ces livres surgit subitement à ma conscience. En maintes occasions, le livre en question a été le catalyseur qui a déclenché un débordement de créativité. Les deux exemples les plus remarquables ont trait à ma série d'émissions, *Bradshaw On: The Family* (Bradshaw en action: la famille), qui a été diffusée sur le réseau PBS en 1985, et à mon livre intitulé *Guérir de la honte*.

Plusieurs années après ma première série à PBS, on m'avait demandé de concevoir d'autres émissions sur un sujet différent et je n'arrivais pas à en trouver un qui me passionnait vraiment. Un jour que je furetais dans ma bibliothèque personnelle, mon attention a été attirée par un livre intitulé *Le creuset familial* de Carl Whitaker et Augustus Napier. Cet ouvrage dormait sur une étagère de ma bibliothèque depuis des années. Il présentait une théorie des systèmes familiaux et décrivait une thérapie familiale basée sur ce modèle; je l'ai lu comme un roman. Dans le passé, j'avais trouvé que la documentation accessible sur ce chapitre était trop clinique et trop aride, certainement pas appropriée à une émission de télévision pour le grand public. Mais ce livre m'a ému profondément et m'a inspiré une série télévisée qui avait pour thème la famille en tant que système social. Après avoir terminé cette série, je me suis rendu compte que tout ce qui traitait des systèmes familiaux me parlait intimement des problèmes émotionnels les plus profonds dans ma vie. L'écroulement de ma famille d'origine avait été un grand malheur pour moi. J'en suis arrivé à comprendre qu'en popularisant ce matériel vital, j'accomplissais une importante partie de l'œuvre de ma vie: c'est ce travail qui m'a amené à retrouver et à soutenir mon enfant intérieur blessé.

Quand j'ai commencé à écrire *Guérir de la honte*, je me suis retrouvé bloqué. J'étais insatisfait de la façon dont on avait présenté la honte jusqu'alors. Personne n'avait clairement distingué la honte saine de la honte malsaine. Un jour que je suivais mon petit train-train dans mon bureau, j'ai remarqué un livre rouge très mince intitulé *Shame* (La honte) et publié chez Hazeldon par un auteur anonyme. J'avais acheté ce livre plusieurs années auparavant et je l'avais complètement oublié. J'ai commencé à le lire et je me suis aperçu que l'auteur me touchait profondément. Celui-ci considérait la honte normale comme la gardienne de notre humanité; la honte, soutenait-il, est une émotion qui signale notre finitude humaine, nos limites. Selon cet auteur encore, la honte malsaine naissait tantôt lorsque nous essayions d'être *plus qu'humains*, tantôt lorsque nous étions *moins qu'humains*. C'était l'éclairage dont j'avais besoin.

Et voilà que ces deux livres achetés sans raison valable avaient déclenché en moi des émotions intenses. Après avoir dormi sur les rayons de ma bibliothèque pendant des années, ils avaient retenu mon attention juste au moment où j'en avais besoin. Les systèmes familiaux et les familles fondées sur la honte allaient me permettre d'accéder à mon propre enfant divin en exil. C'est en travaillant sur ces deux problèmes que j'ai accompli une partie de mon voyage spirituel et de l'œuvre de ma vie.

Par ailleurs, les sentiments — les *souvenirs du corps*, en l'occurrence — peuvent également nous conduire à faire d'importantes découvertes concernant notre enfant divin en exil. Il est fréquent qu'au cours de mes conférences sur les abus sexuels ou les mauvais traitements physiques, une personne dans l'auditoire éprouve de fortes sensations: nausée, mal de ventre, migraine, douleur au cou, impression d'étouffer ou d'avoir la tête comprimée par un bandeau. Ces sensations corporelles constituent des signaux énergétiques qui appellent la personne à une conscience susceptible de la conduire à une nouvelle vie. Les victimes de sévices sexuels ou physiques se dissocient de leur souffrance ou de leur traumatisme afin de survivre; elles quittent littéralement leur corps. Il n'en demeure pas moins que la blessure reste inscrite dans leur corps et qu'elle peut être ravivée sous forme de sensations physiques lorsqu'on évoque, comme je le fais dans mes conférences, le genre de violence que ces gens ont subie. Cette émergence énergétique a le mérite de renvoyer la victime à son traumatisme douloureux. Car tant que la personne n'a pas fait corps avec sa première souffrance et qu'elle ne l'a pas exprimée, elle ne peut ni se rétablir des effets de l'agression ni retrouver son enfant doué.

LES ÉVÉNEMENTS TRAUMATISANTS ET LA SOUFFRANCE ÉMOTIONNELLE

L'émergence énergétique peut également survenir en réponse à un événement traumatisant. Vous divorcez, perdez un ami ou êtes congédié de votre emploi, et l'énergie du changement vous pousse à vous régénérer et à entreprendre une nouvelle vie. J'ai constaté ce phénomène à plusieurs reprises quand des clients décidaient de mettre un terme à un mariage très malheureux. Pour leur part, les femmes victimes de violence conjugale constatent en général — lorsqu'elles trouvent le courage de quitter leur conjoint violent — qu'au bout de quelques années seulement leur vie a subi des transformations dont elles n'auraient jamais osé rêver auparavant.

Je ne connais aucune formule qui permette de prédire si une personne sera brisée ou énergisée et transformée par un événement traumatisant. Je peux simplement dire que nous devons tous être conscients du fait que le traumatisme a un double potentiel: il peut catalyser le changement créateur ou provoquer l'autodestruction. Cela dépend du courage qu'on a de faire corps avec la souffrance refoulée depuis l'événement traumatique et cela dépend de la signification qu'on a choisi de lui donner.

Il est important que vous examiniez votre vie passée et que vous découvriez les forces que vous avez gagnées de vos expériences traumatisantes. Pendant qu'ils faisaient la méditation de la page 359, plusieurs de mes clients ont découvert de grandes forces dans leurs traumatismes passés. Ils ont compris ces mots de Léon Bloy: «Il y a, dans le cœur, des lieux qui n'existent pas encore; la souffrance doit être afin qu'ils soient.»

Je n'ai aucune véritable conviction susceptible d'expliquer pourquoi certains malheurs arrivent à des gens bien ou pourquoi de terribles abus sont le lot de certaines personnes plutôt que d'autres. Aucune des réponses qu'apporte ordinairement la religion ne m'a convaincu.

Mon histoire personnelle d'un traumatisme transformateur

Dans ma propre vie, la pire chose qui me soit arrivée s'est avérée la meilleure au bout du compte. J'ai mis fin à dix-sept années d'alcoolisme en entrant à l'hôpital couché sur une civière. J'avais trente ans. L'alcool m'avait dépouillé de mon potentiel créatif. En soi, l'alcoolisme témoignait de mon ardent désir de retrouver mon âme. Marion Woodman a d'ailleurs surnommé l'assuétude «la perversion de l'âme»; littéralement, il faut entendre que «notre nature spirituelle est rentrée en elle-même». Je me servais de l'alcool comme d'un médicament pour guérir mon enfant intérieur blessé, mais le médicament me tuait. Ma dépendance à l'alcool était la métaphore de mon profond besoin spirituel.

Après que mon père nous eut abandonnés, moi et ma famille avons déménagé plusieurs fois, pour vivre la plupart du temps avec des parents proches ou éloignés. Je me suis adapté en devenant un modèle d'obéissance. Pour dissimuler ma honte et pour donner de la dignité à ma famille marquée par l'alcoolisme, je suis devenu un «ultraperformant»; je décrochais des notes parfaites à l'école et, chaque année, au cours primaire, j'étais élu président de ma classe. M'étant exagérément identifié à mon rôle de bon garçon, de perfectionniste désireux de plaire à tout le monde, j'essayais d'être plus qu'humain. L'énergie indisciplinée et instinctive de mon enfant naturel était enfermée dans une cave et s'efforçait de sortir. Au début de mon adolescence, ma fureur m'a conduit à découvrir plusieurs gars sans père venant de foyers détruits. J'ai commencé à courir çà et là avec eux et à laisser aller mon côté dissipé — auquel je me suis bientôt démesurément identifié, cachant ma souffrance derrière une vie dissolue et orgiaque. Je me suis mis à noyer ma peine et ma tristesse dans l'alcool. Mes années d'école secondaire ont été dominées par l'ivrognerie et la débauche. Je suis devenu moins qu'humain. À vingt et un ans, je me sentais seul et pris au piège. Un jour, j'ai vu une porte de sortie. J'ai cru que je pourrais résoudre tous mes problèmes en entrant au séminaire afin d'étudier la prêtrise catholique. Plusieurs religieuses et prêtres ne m'avaient-ils pas confié leur conviction que j'avais la vocation religieuse, que j'étais spécialement appelé à accomplir l'œuvre de Dieu? Je suis devenu un membre de l'ordre de Saint-Basile. Mon entrée au séminaire était évidemment une tentative de guérir ma blessure spirituelle. N'était-ce pas enfin l'endroit où j'allais pouvoir trouver la santé de l'âme? Mais je n'avais pas encore travaillé mon ego. Mon âme avait soif de Dieu, mais mon énergie émotionnelle refoulée reprenait toujours le dessus. Au séminaire, je suis devenu spirituellement compulsif, m'agenouillant souvent pour prier pendant plusieurs heures d'affilée et jeûnant jusqu'à me rendre au bout de mes forces.

Nietzsche a parlé de trois transformations dans notre croissance personnelle: «... l'esprit devient un chameau, le chameau un lion et finalement le lion un enfant.» Comme un chameau, j'ai emmagasiné du savoir. J'ai étudié les grands maîtres spirituels. J'ai médité et prié.

Comme plusieurs jeunes hommes, je poursuivais un pèlerinage spirituel, mais je n'étais pas libre de poser les bonnes questions. J'étais incapable de capter les signaux que m'envoyait mon enfant doué archétypal. Je ne pouvais pas trouver la paix intérieure pour la simple raison que je ne m'étais pas trouvé moi-même. Je portais une robe noire et un collet romain. Les gens m'appelaient «mon père», mais je n'avais aucune idée de qui j'étais réellement.

Mon enfant archétypal m'a poussé à étudier la philosophie existentielle. Dès le début, Jacques Maritain, le grand philosophe catholique thomiste, est devenu l'un de mes pères. J'ai ensuite été émotionnellement attiré par les travaux de Dostoïevski, Kierkegaard, Nietzsche et Kafka. Tous ces hommes étaient des enfants blessés dont l'énergie archétypale avait éclaté malgré eux. Ce sont de magnifiques exemples de ce que l'enfant doué archétypal peut accomplir. Leur vie était douloureuse et tourmentée. Ils n'ont jamais retrouvé et soutenu leur enfant blessé, mais leur énergie archétypale était si puissante qu'elle les a poussés jusqu'à des sommets de créativité. La vie de ces hommes a quelque chose de tragique. Ils n'ont jamais trouvé la paix intérieure et ils ont été tourmentés jusqu'à la fin. Malgré tout, leur enfant doué leur a inspiré de grandes œuvres d'art. Les plus grands artistes semblent présenter ce schéma archétypal. Plusieurs d'entre eux ne connaissent jamais la joie que l'on ressent lorsqu'on retrouve et protège son enfant blessé. Il y a là quelque chose de mystérieux, quelque chose que je ne comprends pas entièrement et qui distingue la vie des génies et des saints de la nôtre. Cependant, je crois que cela a quelque chose à voir avec l'enfant doué.

Quoi qu'il en soit, j'étais attiré par ces hommes, par Friedrich Nietzsche en particulier. Quelle ironie! J'étais là, dans ce séminaire catholique romain où tout le monde travaillait sur saint Thomas d'Aquin, et j'étudiais les écrits de Nietzsche, le philosophe qui avait proclamé la «mort de Dieu». Je me rappelle à quel point j'étais ému en lisant pour la première fois ces lignes d'une des lettres de Nietzsche: «Si ces chrétiens veulent me faire croire à leur dieu, ils devront me chanter de meilleures chansons; ils devront beaucoup plus avoir l'air de gens qui ont été sauvés; ils devront arborer sur leur visage la joie des béatitudes. Je ne pourrais avoir foi qu'en un dieu qui danse.»

Un dieu qui danse! Un dieu qui est joyeux et qui célèbre la vie! Que c'était loin des lugubres soutanes noires, du silence sacré et de l'interdiction faite aux novices d'entretenir toute amitié particulière. Les célébrations et les danses joyeuses étaient les derniers soucis des gens qui assuraient ma formation religieuse! On m'enseignait la mortification de la chair, la réclusion du regard et le déni des émotions. La réclusion du regard signifiait que nous devions garder les yeux baissés afin de ne rien voir qui puisse exciter nos passions ou notre convoitise. J'étais effectivement un prisonnier absolu du vieil ordre établi. Dostoïevski a bien exprimé cela dans le chapitre des *Frères Karamazov* intitulé «La légende du Grand Inquisiteur». Si Jésus était revenu sur terre, on l'aurait enfermé. Parce qu'il est venu pour nous libérer. C'est plus que le vieil ordre ne pouvait en supporter. Jésus nous invite à exprimer notre créativité et notre conscience unique du «Je suis». Il était notre modèle et il a dit: «Avant Abraham, je suis.». On l'a crucifié pour cela. L'ordre ancien crucifie tous ceux d'entre nous qui exprimons notre sentiment du «Je suis» et notre créativité.

Au séminaire, l'obéissance à l'autorité était une règle que nous devions mémoriser et que nous récitions quatre fois par année. J'avais une nouvelle mère (la Sainte Mère l'Église) et un nouveau père (mon père supérieur), mais je n'en restais pas moins égaré dans ma blessure spirituelle.

Toutefois, je n'étais pas complètement perdu. Mon enfant doué s'agitait. Il m'a amené à écrire ma thèse de maîtrise sur Nietzsche. Je l'ai intitulée «La philosophie en tant que connaissance dionysiaque». Nietzsche était intrigué par le dieu Dionysos — le dieu du délire extatique, du vin et de la créativité brute. Il luttait contre Apollon — le dieu de la forme et de la discipline structurée. Il savait que tous deux étaient essentiels à l'art et à la vie, mais il avait du mal à les équilibrer dans sa propre vie. Ma thèse m'a permis de saisir à quel point la philosophie était inadéquate sans l'élément dionysiaque. Pour Nietzsche la philosophie était presque de la poésie. C'était là une réaction excessive devant l'aspect figé du rationalisme apollinien de son époque. J'ai senti le pouvoir dionysiaque au cœur de l'œuvre de Nietzsche. J'ai compris combien il était important de trouver un équilibre entre l'apollinien et le dionysiaque (le dionysiaque représentant l'énergie créatrice et indisciplinée de l'enfant doué, alors que l'apollinien représente la forme et la structure dans laquelle s'incarne cette intense énergie poétique). J'ai compris cela intellectuellement, mais je ne savais pas comment instaurer cet équilibre dans ma propre vie. J'ai opté pour Dionysos.

À ce moment-là, mon chameau est devenu un lion rugissant. Je me suis rebellé contre les forces anti-vie de l'ordre ancien. Ma révolte a d'abord été intellectuelle. Mais mon alcoolisme m'a aidé à la mettre en actes. Le vieil ordre me rappelait à lui. J'étais blâmé et semoncé pour ma désobéissance. Ma rébellion continuait et, au cours d'une nuit de frénésie dionysiaque, à 3 h du matin, je me suis mis à courir comme un ivrogne à travers les couloirs du monastère en criant des injures aux autorités et aux gardiens du vieil ordre. Mon enfant doué faisait rage! On m'a condamné à un an d'enseignement en exil. Mon ordination allait être retardée. Ma classe a reçu son ordination le lendemain de mon exil. *Ouf!* Je l'avais échappé belle! L'ancien ordre avait presque gagné.

Dans le train qui m'a amené de Toronto jusqu'au Texas, j'ai bu. La bière soulageait mon âme tourmentée. Je n'avais aucune idée de ce qui m'arrivait. Mon enfant blessé était malade de honte. Peu à peu, au cours des mois qui ont suivi, j'ai commencé à écouter mon enfant doué. Il m'a parlé à travers les mots de Nietzsche: «Tu cherchais le plus lourd fardeau de tous et c'est toi-même que tu as trouvé.» Il n'y avait personne pour confirmer mon être. J'ai rassemblé tout le courage que j'avais pour quitter les basiliens, et ils ne m'ont pas rendu la tâche facile. Ils m'ont donné quatre cents dollars pour me débrouiller. J'avais trente ans; je ne possédais pas de voiture, pas de vêtements, pas de maison. Lorsque je suis parti, personne ne m'a appelé, encouragé ou soutenu de quelque façon que ce soit. Les hommes avec qui j'avais vécu pendant presque dix ans — et plusieurs d'entre eux m'étaient très chers — suivaient la règle non écrite du silence et de la distance avec le frère qui part. Un oncle qui avait donné plusieurs réceptions en mon honneur quand j'avais choisi la prêtrise m'a dit après coup qu'il savait que je «n'avais pas le cran d'y arriver». Je ressens la vieille rage et la vieille souffrance en écrivant cela.

Comme l'enfant exilé dont il est question dans les mythes, j'étais seul et livré aux forces naturelles du monde. Mon expérience professionnelle se résumait à deux emplois: commis de bureau et caissier dans un supermarché. Je ne savais pas où aller ni quoi faire. Du plus profond de moi-même, mon enfant doué me poussait en avant. Chaque fois que je repense à ces moments, je me demande encore comment j'ai pu passer à travers. Mon alcoolisme arrivait à un point culminant. Je me sentais complètement perdu et seul. Non seulement je n'avais pas de voiture, mais je ne savais même pas conduire. J'étais terrifié. Au bout de cette route, c'était l'hôpital qui m'attendait.

À ma sortie de l'hôpital, je me suis joint à un groupe de thérapie en douze étapes destiné aux alcooliques. Des mains secourables se sont tendues vers moi. Du fond de mon état d'anéantissement, je me suis vu dans les yeux de mes semblables, ces êtres humains blessés. Nous sommes tous «des petits enfants qui pleurent dans la nuit» et qui ont besoin de se soutenir mutuellement. Dans les yeux de mes pairs en voie de rétablissement, je trouvais la confirmation de l'élan intérieur qui m'avait poussé à fuir l'ordre ancien. J'ai commencé à vraiment me voir *moi-même* en écoutant les autres — tous des alcooliques en voie de rétablissement — partager leur expérience, leur force et leur espoir. Je me suis stabilisé; j'ai trouvé l'espace dans lequel mon enfant doué a lentement fait surface au cours des vingt-cinq dernières années.

Aujourd'hui, je sais au fin fond de moi que *je suis je — une personne merveilleuse!* Je suis rageur, boudeur et égoïste; mais je suis aussi affectueux, passionnant, vraiment créatif — et parfois je m'étonne moi-même. L'apprentissage le plus précieux dans ma vie aura été ma découverte du fait que la créativité triomphe de la dégradation et apporte une réponse à la violence. Ce n'est que beaucoup plus tard que j'ai pu comprendre à quel point mon enfant doué m'avait guidé pendant tout ce temps. Cette énergie pour Nietzsche, Kafka, Kierkegaard et Dostoïevski venait de mon enfant doué. Je comprends maintenant pourquoi je me suis autant identifié à eux. Je les remercie. Ils sont mes pères dans le plus vrai sens du terme. Ils m'ont aidé à me trouver.

LES RÊVES

J'ai mentionné précédemment le rêve de Normand. Ce n'est pas son rêve en soi qui lui a fait découvrir les ardents désirs de transformation de son enfant doué, mais plutôt la longue période de tristesse intense qui a suivi. Cependant, son rêve a entamé le processus.

Quelquefois, le rêve lui-même peut être une énergie venant de l'enfant doué archétypal. Dans son œuvre autobiographique intitulée *Ma vie: souvenirs, rêves et pensées,* Carl Jung appelle ces rêves susceptibles de façonner toute une vie les «grands rêves». Entre l'âge de trois et quatre ans, Jung a lui-même fait un «grand» rêve qui devait le préoccuper toute sa vie durant. Il était stupéfié de constater qu'un jeune enfant pouvait faire ce genre de rêve qui symbolisait des problèmes «bien au-delà de [sa] connaissance». Il se demandait: «Qui a réconcilié le dessus et le dessous, et jeté les bases de tout ce qui devait remplir la seconde moitié de ma vie de la passion la plus déchaînée?»

J'ai présenté une analyse d'un de mes propres «grands rêves» dans *Guérir de la honte.* Ce rêve, que j'ai fait vingt ans après avoir quitté le séminaire, m'a rappelé des aspects de ma vie en ce lieu. Il m'a particulièrement incité à méditer plus sérieusement. À l'époque, je siégeais au conseil d'administration d'une compagnie de pétrole pour laquelle je travaillais à titre de psychologue conseil, chargé de développer le programme de ressources humaines. Ce travail étouffait ma créativité. J'entretenais de surcroît une relation destructive avec une femme, et l'idée de gagner beaucoup d'argent m'obsédait de plus en plus. En tant que membre du conseil d'administration, je détenais des actions de la compagnie qui m'employait. L'industrie du pétrole vivait son heure de gloire. Tout ce que nous touchions se transformait en or. Puis vint la crise. Les gens furent licenciés. Je perdis toutes mes options plus un très bon revenu en tant que consultant. J'étais comme foudroyé. J'avais grandi dans la pauvreté, et l'argent m'avait obsédé toute ma vie. Ma peur de la misère se manifestait par un sentiment diffus et chronique de ruine imminente. Je n'en avais jamais assez. Un jour le ciel allait me tomber sur la tête. Et voilà qu'il me tombait effectivement sur la tête.

Peu de temps après, j'ai fait trois rêves, étalés sur plusieurs jours, qui m'ont clairement orienté. Dans le premier rêve, je voulais me rendre à Toronto en avion, mais je n'arrivais pas à décoller. Dans le deuxième, je m'envolais et atterrissais près de Niagara Falls, non loin de Buffalo, dans l'état de New York. À l'aéroport je voyais un abbé que j'avais rencontré vingt-cinq ans auparavant dans un monastère trappiste. Il m'avait profondément impressionné à l'époque, mais je n'avais plus du tout repensé à lui par la suite. Son image m'a hanté durant plusieurs jours. Dans le troisième rêve, je louais une voiture à Buffalo et je me rendais à Toronto. Une fois sur place, je me retrouvais tout seul. Je me dirigeais droit au 95, rue Saint-Joseph, là où j'ai fait mes études en théologie. Je flânais dans les environs pour finalement pénétrer dans la grande chapelle. Je restais assis là pendant ce qui me semblait être des heures. Je parlais avec plusieurs hommes que je considérais comme très pieux. D'une façon ou d'une autre, ils m'apparaissaient simplement, chacun me pressant de trouver mon sanctuaire intime.

Toronto était l'endroit où j'avais étudié pour devenir prêtre, et ces rêves m'ont ramené à mon centre spirituel. Ils m'ont poussé à intégrer la méditation dans ma vie quotidienne. J'avais tâté de la méditation pendant des années mais sans jamais m'y mettre sérieusement. Ces rêves m'ont aussi apporté une paix plutôt durable quant à mes problèmes d'argent. Pour une raison imprécise, je savais que je parviendrais à jouir d'une certaine sécurité matérielle. J'ai décidé que je devais consacrer mon énergie aux questions spirituelles. Pour moi, créativité égale spiritualité. Aussi me suis-je lancé dans la conception d'une nouvelle série d'émissions télévisées, laquelle a marqué le début de ma vie présente. Tout a commencé à arriver une fois que je me suis rendu compte que mon énergie créatrice était incompatible avec la vie au sein d'une compagnie et les questions financières. Mon enfant doué m'avait propulsé sur une nouvelle trajectoire par le biais de mon grand rêve.

LES SOUVENIRS D'ENFANCE

La recherche des souvenirs d'enfance significatifs constitue un autre moyen de débusquer l'inconscient archétypal. Quelquefois, il apparaît très clairement que ces souvenirs sont les germes de notre créativité future.

La célèbre peintre Georgia O'Keeffe raconte dans son autobiographie qu'elle se rappelle qu'à l'âge de quatre mois, couchée sur un grand tapis dans la maison de sa tante, elle avait été fascinée par la forme et les couleurs d'une courtepointe. La forme particulière de cette courtepointe est devenue plus tard le schéma fondamental de plusieurs de ses peintures. Georgia O'Keeffe dit avoir raconté ce souvenir à sa mère, mais que celle-ci ne croyait pas à la possibilité de conserver des souvenirs aussi anciens. La peintre lui a donc décrit en détail la robe que portait sa tante ce jour-là. *L'enfance semble être l'époque où la quête intérieure s'amorce pour nombre de grands créateurs.*

À propos de souvenirs d'enfance également, le célèbre paléontologue Teilhard de Chardin explique qu'il n'avait certainement pas plus de six ou sept ans lorsqu'il a commencé à se sentir attiré par la matière. Il évoque sa fascination pour les roches et le fer. Einstein avait environ cinq ans quand on lui a offert une boussole. Il était pénétré d'un sentiment de mystère qui l'a poussé à chercher des réponses aux secrets de l'univers. Ce sentiment de mystère est resté présent en lui durant toute sa vie. Les peintures de Picasso et de Chagall sont dominées par des images enfantines. Les semences de leur créativité ont germé durant leur enfance.

La chef de file jungienne et psychiatre pour enfants Frances Wickes énonce bien le sujet:

> Le très jeune enfant peut vivre des expériences d'une réalité intemporelle. [...] Lorsqu'il grandit, les problèmes [...] font pression sur lui. Son ego doit croître afin que l'enfant soit en mesure de satisfaire aux exigences d'une plus grande conscience et, bien que l'ego semble avoir oublié une expérience numineuse, le moi s'en souvient.

Dans *Ma vie: souvenirs, rêves et pensées,* Jung se rappelle une rencontre inopinée avec son enfant doué. Il a vécu cette expérience à une époque où son existence semblait stagner. Il se sentait si confus et désorienté qu'il craignait de souffrir d'un «trouble psychique». En essayant de trouver la racine du problème, il a commencé à fouiller dans ses souvenirs d'enfance. Ce qui l'a conduit à écrire ceci:

> La première chose qui est remontée à la surface, c'était un souvenir d'enfance remontant à mes dix ou onze ans. À cette époque, j'étais envoûté par un jeu de construction qui m'amusait passionnément. [...] À mon grand étonnement, ce souvenir était accompagné d'une bonne dose d'émotion. Ha ha! me suis-je dit, il y a encore de la vie dans ces objets. Le petit garçon est toujours dans les environs et il possède la créativité qui me fait défaut.

Comme il avait besoin de l'énergie de ce gamin, Jung a décidé de rétablir le contact avec lui en adoptant «la vie de l'enfant avec ses jeux puérils» et il a acheté un jeu de construction. Il s'est heurté à beaucoup de résistance de la part de ses voix intérieures critiques (l'ordre ancien), mais il s'est abandonné, en commençant par construire un village au grand complet avec un château et une église. Il y travaillait chaque jour après le dîner et dans la soirée. Sa propre famille mettait cette activité en question. Mais il a écrit: «Je n'avais que la certitude intime d'être en bonne voie de découvrir mon propre mythe.»

Cette expérience a joué un rôle décisif dans la libération de l'énergie extraordinairement créatrice de Jung, laquelle a atteint un point culminant avec sa théorie des archétypes et de l'inconscient collectif.

Voilà quelques années, alors que je lisais cette partie de l'autobiographie de Jung, je me suis rappelé un incident similaire dans ma propre vie. Lorsque j'avais environ dix ans, je m'intéressais à la construction de modèles réduits. À un moment donné, j'avais consacré des semaines à travailler sur un modèle d'avion. Pour la première fois, avec grand soin, j'avais réussi à assembler complètement un avion. Il était fait de tout petits morceaux de balsa, très délicats et complexes. Tout ce qu'il me restait à faire, c'était coller le papier extérieur et finir de le peindre. Or un jour, en rentrant à la maison, j'ai retrouvé mon avion écrasé et démoli. Mon petit frère avait essayé de le faire voler et il l'avait mis en pièces. J'en avais le cœur brisé, j'étais vraiment fou de chagrin. De temps à autre, j'avais songé par la suite à me remettre à la tâche, mais je ne l'avais jamais fait. Trente ans plus tard, je ressentais encore une énergie qui me poussait à terminer la construction d'un modèle réduit. Étrangement, c'était très important pour moi. À trente-neuf ans, j'ai acheté un avion miniature et je l'ai laborieusement construit, travaillant parfois pendant la moitié de la nuit. Je l'ai tout assemblé, peint, et j'ai vraiment *terminé* le travail. J'ai retiré beaucoup de fierté de cette réalisation, même si je ne pouvais aucunement expliquer pourquoi elle me semblait si indispensable et urgente.

Rétrospectivement, je considère la période qui a suivi ma trenteneuvième année comme l'époque la plus créative de toute ma vie. Il y avait à l'intérieur de moi une énergie en suspens parce que je n'avais pas terminé le petit avion. J'avais besoin de le compléter pour pouvoir passer à un autre travail créateur.

UNE BONNE NOUVELLE

Nous sommes si nombreux, nous qui, ayant grandi dans une famille dysfonctionnelle, passons une grande partie de notre vie à «recycler» les contaminations de notre enfant intérieur. Nous vivons sur la défensive, tellement attachés aux mythes d'une vie illusoire que nous ne soupçonnons même pas le fait que nous sommes porteurs de la bonne nouvelle suivante: chacun de nous est créatif au plus haut point — et cela, même nos facultés d'adaptation névrotiques le démontrent. Chacun porte en soi un enfant doué qui dispose d'un potentiel créateur, et cela ne s'applique pas seulement aux peintres et aux musiciens, mais bien à tout le monde. Notre vie peut être une œuvre d'art. Une mère peut s'avérer unique et créative en maternant son enfant à sa manière, d'une façon tellement originale. On peut en dire autant de toute autre vocation ou de tout autre rôle dans la vie. Chacun de nous est appelé à être unique et exceptionnel. Si jamais vous commenciez à explorer votre créativité, vous en découvririez les traces dans n'importe quelle expérience vécue alors que vous étiez enfant.

Les adultes enfants doivent se rendre compte que chaque élément de leur vie est significatif dans l'histoire unique qu'ils composent. Nos contaminations de personnes codépendantes nous éloignent de notre sentiment unique du «Je suis» et, par conséquent, nous ne croyons plus être significatifs. Ce que je suis en train de vous dire, c'est que chaque élément de votre vie est particulier et unique. Il n'a jamais existé un autre vous-même. On aurait beau remonter des millions d'années en arrière, jamais on ne retrouverait quelqu'un comme vous. Faites confiance à la particularité de votre moi unique. Apprenez à croire à l'importance de vos souvenirs.

La méditation qui suit a été conçue pour vous aider à reprendre contact avec un souvenir d'enfance ou des souvenirs susceptibles d'être encore porteurs d'énergie créative. Je vous suggère de lire ou de relire *Le petit prince* d'Antoine de Saint-Exupéry avant de la commencer. Si vous n'en avez pas le temps, rappelez-vous simplement que l'auteur évoque la destruction de sa carrière de peintre par les adultes. Il avait dessiné un boa constrictor qui venait d'avaler un éléphant. Les adultes à qui il avait montré son dessin ne voyaient pas du tout un boa, mais un chapeau. Voici ce qu'il relate:

> Les grandes personnes m'ont conseillé de laisser de côté les dessins de serpents boas ouverts ou fermés, et de m'intéresser plutôt à la géographie, à l'histoire, au calcul et à la grammaire. C'est ainsi que j'ai abandonné, à l'âge de six ans, une magnifique carrière de peintre. [...] Les grandes personnes ne comprennent jamais rien toutes seules, et c'est fatigant, pour les enfants, de toujours et toujours leur donner des explications.

Si votre créativité a été précocement étouffée par un adulte, faites la méditation suivante. Cela pourrait vous aider à faire émerger un souvenir qui est resté enfoui en vous, tel un morceau de braise dans les cendres de votre mémoire.

Méditation sur les souvenirs d'enfance créatifs

Enregistrez le texte suivant sur une cassette. Je vous suggère comme fond musical le merveilleux album de Daniel Kobialka intitulé *When You Wish Upon a Star.*

Concentrez-vous sur votre respiration... Prenez conscience de ce qui se passe dans votre corps lorsque vous inspirez... Et expirez... Commencez lentement à exhaler une vapeur blanche qui forme le chiffre 5 sur un fond noir... Si vous ne pouvez voir le chiffre 5, peignez-le mentalement avec vos doigts... Expirez ensuite le chiffre 4 ou peignez-le avec vos doigts... Sentez que vous vous laissez aller un tout petit peu... Soyez également conscient que vous vous retenez autant que vous le voulez... Maintenant expirez ou peignez le chiffre 3... Vous pouvez en ce moment vous laisser aller un peu plus... Rappelez-vous les premiers temps où vous avez appris à retenir et à laisser aller... Vous avez appris à retenir lorsque vous avez commencé à marcher... Lorsque vous avez commencé à manger seul... Vous avez appris à laisser aller lorsque vous vous balanciez sur une balançoire et que vous sentiez le vent qui soulevait vos cheveux... Vous laissiez aller au cours de vos premiers rêves éveillés et lorsque vous alliez vous coucher pour la nuit... Vous savez donc vraiment jusqu'à quel point vous devez retenir et jusqu'à quel point vous devez laisser aller... Et vous pouvez rester complètement conscient de votre voix, de la musique, de la sensation des vêtements sur votre corps... Conscient de votre dos appuyé contre le fauteuil, de l'air sur votre visage... Et en même temps, vous entrez dans une transe légère et reposante... Vous pouvez sentir que tout l'extérieur de votre corps s'engourdit peu à peu... Vous pouvez sentir que votre corps est lourd — ou tout aussi léger qu'une plume... Que vous sentiez de la lourdeur ou de la légèreté, vous pouvez vous abandonner à cette sensation, la laissant vous emporter dans un rêve... Ce sera un rêve de découverte...

Dans ce rêve, vous allez retrouver un souvenir d'enfance oublié depuis longtemps et du genre le plus inhabituel... Il pourra être très clair ou extrêmement vague... Mais votre rêve vous montrera certainement le souvenir d'un germe créateur... Vous exprimez peut-être déjà cette créativité dans votre vie, mais vous pourriez aussi trouver un souvenir semence dont vous avez besoin maintenant... Vous allez le savoir... Et ce que vous saurez sera bon pour vous... Préparez-vous, soyez prêt à vous accorder exactement deux minutes, ce qui représente tout le temps du monde pour l'inconscient... À l'intérieur de ce temps, vous allez découvrir un autre temps... Vous pouvez donc commencer maintenant... ***(Pause de deux minutes)*** **Quelle que soit l'expérience que vous êtes en train de vivre, elle est bonne pour vous... Vous êtes** ***exactement*** **là où** ***vous avez besoin d'être...*** **Vous pouvez réfléchir à cette expérience... Vous savez peut-être déjà... Vous avez peut-être besoin de prendre ce que vous avez reçu et de vivre avec pendant plusieurs jours... Plusieurs semaines peut-être... Il n'y a que vous qui le sachiez... Il est possible que vous soyez surpris... Que vous soyez soudainement conscient de quelque chose... Quand vous regarderez quelque chose, que vous lirez un livre, que vous marcherez... Cela** ***se présentera*** **à vous... Maintenant, voyez lentement apparaître le chiffre 3, sentez vos mains et remuez vos orteils... Voyez ensuite le chiffre 5 et sentez que tout votre corps est complètement éveillé... Laissez à présent votre esprit redevenir complètement alerte, sentez que vous avez recouvré entièrement votre état de conscience normal... À présent, ouvrez les yeux.**

Il est possible que vous soyez entré ou non en contact avec un souvenir créateur. Il se peut que vous ayez éveillé un souvenir porteur d'énergie mais que vous ne connaissiez pas sa signification. Faites-vous confiance tout simplement, et croyez que vous saurez en temps voulu tout ce que vous avez besoin de savoir.

Si jamais aucune des expériences évoquées dans ce chapitre ne devait réveiller l'énergie de votre enfant doué, vous pourriez utiliser les suggestions suivantes afin de reconnaître les indices qui signalent la présence de votre enfant intérieur:

1. Prêtez attention à tout ce qui pourrait vous sembler fascinant à l'excès. Vous pourriez être totalement séduit par quelque chose dont vous faites collection, sans trop savoir pourquoi; fasciné par un pays étranger et ses coutumes; irrésistiblement attiré par une couleur ou un son.

2. Écoutez vos intuitions et vos pressentiments. Einstein a souvent reconnu l'importance de l'intuition dans son travail. Il a affirmé que bien avant qu'il ait mis au point ses fameuses équations, il les connaissait à un autre niveau — non verbal, celui-là —, avec une certitude immédiate. Bien que nous ne soyons pas des Einstein, nous possédons tous de l'intuition, cette «pensée sentie» qui nous permet de pressentir une chose plutôt que de la connaître, et ce sans raison apparente. Beaucoup de gens croient que la connaissance intuitive provient de l'hémisphère non dominant du cerveau. En effet, alors que l'hémisphère dominant appréhende les choses de manière logique et est le siège de la pensée linéaire, l'hémisphère non dominant renferme la pensée holiste, ou globale et immédiate. Très peu d'adultes enfants, parce qu'ils sont pétris de honte, font confiance à leur intuition; ils passent leur vie à se surveiller, fonctionnant dans un état d'hypervigilance et se concentrant exclusivement sur les dangers du monde extérieur. Ils ne sont jamais assez détendus pour se permettre d'écouter leur intuition. Ils ne peuvent avoir la chance d'explorer cette partie d'eux-mêmes qu'après avoir retrouvé et soutenu leur enfant doué.

J'ai suivi en thérapie une femme qui, en dépit d'un mariage apparemment stable, affirmait qu'elle devait divorcer. Son mari était très à l'aise financièrement, il l'aimait et était désireux de voir leurs problèmes se résoudre. Ils avaient six enfants adolescents. Portée par un sentiment d'urgence, ma cliente me disait ceci: «Si je maintiens ce mariage, je sais que je ne deviendrai jamais la personne que Dieu me destinait à être lorsqu'il m'a créée. Ma vie est en jeu. Je ne peux vous dire pourquoi, je le *sens* tout simplement et je *sais* que j'ai raison.» Elle a demandé le divorce. C'était la déconfiture de l'ordre ancien. Son pasteur baptiste était scandalisé. Le groupe avec lequel elle étudiait la Bible organisa une séance de prière hebdomadaire à son intention. Son mari me blâmait, *moi!*

Cinq ans plus tard, elle m'écrivait, pour m'annoncer qu'elle avait fondé sa propre agence immobilière — chose dont elle avait rêvé depuis sa tendre enfance. Son revenu annuel frisait le demi-million de dollars. Ses enfants allaient très bien. Elle entretenait une merveilleuse amitié avec un homme et se sentait au comble du bonheur. Elle s'était fiée à son intuition envers et contre tous, et son enfant doué avait gagné.

Il n'est pas toujours facile de déterminer si notre voix intérieure nous communique vraiment une intuition, celle-ci pouvant parfois être confondue avec le désir. Je ne connais aucune ligne de conduite absolue qui vous permettrait de savoir si c'est un côté de votre intelligence supérieure ou un désir égoïste qui se manifeste. Donnez-vous la chance d'écouter votre voix intérieure et de la mettre à l'essai en imagination. Nous savons habituellement ce que nous voulons dans le présent ou depuis longtemps. L'intuition est souvent quelque chose de peu familier — quelque chose de frais et de nouveau.

3. Soyez attentif à toute impulsion tenace. Par exemple, vous avez peut-être toujours rêvé d'aller à Bali ou en Extrême-Orient; vous auriez toujours voulu vous lancer dans la prospection minière; vous auriez toujours aimé apprendre à jouer d'un instrument de musique ou étudier la peinture ou la sculpture. Cela ne veut pas dire que vous devriez immédiatement tout laisser tomber et obéir à votre impulsion. Mais ça vaut la peine d'explorer, et vous pourriez le faire en voyageant dans votre imagination, vous attachant à voir et à sentir en quoi cette impulsion est importante pour vous. Vous pourriez également utiliser la technique des associations libres. Supposons que vous avez toujours rêvé d'aller à Bali et que vous ne sachiez vraiment pas pourquoi. Demandez-vous: «Que signifie Bali pour moi?» Dessinez un cercle et écrivez le mot «Bali» au centre. Laissez ensuite votre esprit associer librement à ce mot tous les autres mots ou les phrases qui se présenteront à vous.

Examinez toutes les associations et laissez-vous attirer par celle qui véhicule le plus d'énergie. Une fois que vous avez identifié cette association, vivez avec elle pendant un certain temps. Demeurez ouvert à sa signification. Quand vous aurez vraiment le sentiment d'avoir trouvé cette signification, établissez-vous un plan d'action et suivez-le.

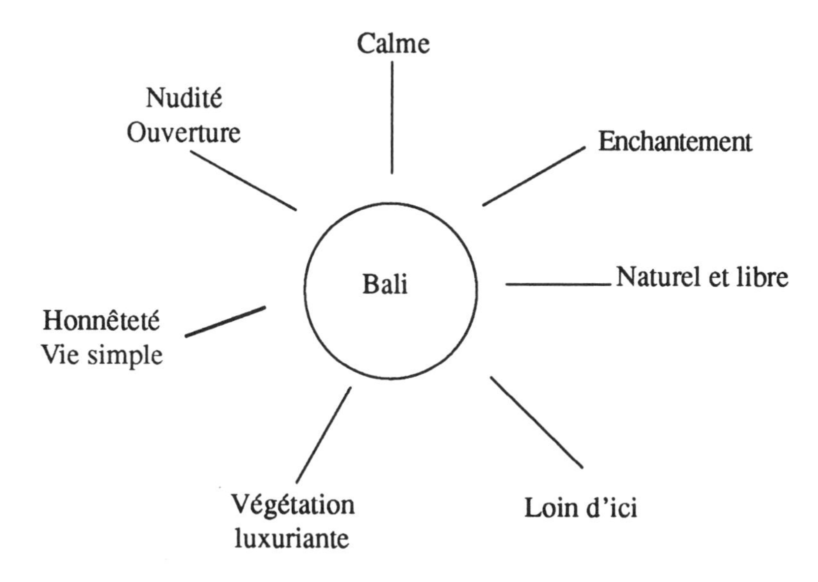

4. Soyez attentif aux nouvelles personnes qui entrent dans votre vie et semblent vous inciter à prendre une nouvelle direction. Adoptez la position du «comme si», en présumant que plus une personne interrompt les schémas qui vous sont familiers, plus grandes sont les chances qu'elle vous offre d'échapper à l'ordre ancien et de découvrir ce qu'il y a de plus original en vous. Il se peut que cette personne mette au défi votre façon de penser et menace votre échelle des valeurs. Elle peut vous sembler fascinante et toucher certains de vos côtés intimes qui étaient assoupis et figés depuis des années. Il est préférable que vous soyez plus prudent qu'impulsif en développant votre relation avec cette nouvelle personne. Mais considérez-la comme une possible métaphore de la révélation de soi.

La régénération créatrice est l'essence de la vie même. Retrouver de vieux souvenirs, faire confiance à vos pressentiments et à votre intuition, vous laisser guider par vos nouvelles énergies, tout cela peut vous motiver à risquer de nouveaux jaillissements de créativité.

LA CRÉATIVITÉ

La créativité est la gloire de l'être humain. C'est ce qui nous distingue de toutes les autres créatures vivantes. Notre destinée consiste à créer notre propre et unique genre de vie. Vous pouvez le faire à la manière d'un parent qui défie l'ancien ordre. Quelqu'un d'autre pourrait le faire en refusant de jouer le rôle que lui attribue sa culture. La création de votre propre vie exige de vous le courage de risquer de nouvelles façons d'être. La créativité est étroitement liée au succès. Selon moi, le succès consiste à faire ce qu'on veut de sa seule et unique vie; Joseph Campbell, qui nous a peut-être le mieux éclairés sur la signification des mythes, appelait cela *découvrir sa félicité*. Cela demande aussi du courage — pour essayer de nouvelles choses, s'arrêter et continuer ensuite sa route lorsqu'elles ne fonctionnent pas. Pour ce faire, nous avons besoin de la spontanéité, de la flexibilité et de la curiosité de l'enfant doué. Lorsque nous avons le courage de suivre notre bonne étoile, nous donnons quelque chose de neuf à l'univers. Dans son poème intitulé *Le chant d'amour de J. Alfred Prufrock*, T. S. Eliot demande: «Oserai-je déranger l'univers?» À vrai dire, toute vie unique réussie crée l'univers à nouveau.

La créativité est plus que le couronnement de notre gloire humaine: c'est elle qui nous montre que nous sommes faits à l'image de Dieu. Créer, c'est être *semblable* à notre créateur dans le plus vrai sens du terme. La créativité nous donne la chance de façonner notre vie comme s'il s'agissait de notre propre œuvre d'art. Ce faisant, nous contribuons à tracer la voie pour toute la vie humaine à venir. Comme James Joyce l'a dit: Sois la bienvenue, ô toi la vie! Pour la millionième fois je pars affronter la réalité de l'expérience et forger dans le creuset de mon âme la conscience embryonnaire de ma race.

Le choix créateur est votre droit de naissance. De grâce, appropriez-vous-le.

CONCLUSION

«Maison, Elliott, maison!»

Des millions de personnes ont aimé le film intitulé *E. T., l'extra-terrestre*. Quand des gens démontrent massivement une telle énergie pour quelque chose, c'est souvent parce qu'un profond schéma archétypal a été activé. Une scène a particulièrement frappé notre inconscient collectif. Lorsque E. T., abandonné, murmure «Maison, Elliott, maison!», ses mots rejoignent le symbole exact qui évoque nos profonds et ardents désirs archétypaux. Lorsque E. T. a murmuré «Maison, Elliott, maison!», des millions de gens de tous les âges et de toutes les cultures ont pleuré.

Nous avons pleuré parce que *nous sommes toujours des petits enfants divins en exil*. En dépit de nos plus grands efforts pour retrouver et soutenir notre enfant intérieur, il y a en chacun de nous, jusqu'à un certain point, un sentiment de vide et d'absence — que j'appelle «le cafard métaphysique».

Il y a sûrement quelque chose de réjouissant dans le fait de retrouver son enfant intérieur blessé et de prendre sa défense. Pour plusieurs d'entre nous, retrouver son enfant intérieur équivaut à découvrir son foyer pour la première fois. Mais, quelle que soit ensuite l'intensité de notre sentiment d'être en sécurité et en harmonie avec nous-mêmes, *il y a un voyage dans l'inconnu que nous devons tous faire*. Aussi effrayant que soit ce périple, nous le désirons tous ardemment au plus profond de nous-mêmes. Même si sur terre nous atteignions tous nos buts et réalisions tous nos rêves, même si nous arrivions là où nous désirons être de tout notre cœur, nous éprouverions toujours une légère déception. À tel point que, après Dante, Shakespeare et Mozart, nous nous demanderions: «Est-ce tout?»

Je crois que ce sentiment de déception survient parce que nous appartenons tous à une autre maison. Je crois que nous sommes issus de la profondeur de l'être et que l'être nous rappelle à lui. Je crois que nous venons de Dieu et que nous appartenons à Dieu. Que cette maison-ci nous soit plus ou moins agréable importe peu; nous ne sommes pas chez nous. L'enfant blessé Augustin l'a bien dit: «Tu nous a faits pour Toi-même, ô Seigneur, et nos cœurs seront impatients jusqu'à ce qu'ils reposent en Toi.» Ce sera notre vrai retour à la fin.

BIBLIOGRAPHIE COMMENTÉE

ALBERTI, Robert E.; EMMONS, Michael. *Your Perfect Right,* San Luis Obispo, Impact Publishers, Inc., 1986.

ANDREAS, Connairae; ANDREAS, Steve. *Heart of the Mind,* Moab, Real People Press, sans copyright.

ARMSTRONG, Thomas. *The Radiant Child,* Wheaton, Quest, 1985. Cet ouvrage stimulant a été une de mes principales ressources lorsque j'ai rédigé la quatrième partie du présent livre.

BANDLER, Richard; GRINDER, John. *Les secrets de la communication,* Montréal, Le Jour, éditeur, 1982, 292 p.

——— *Reframing,* Moab, Real People Press, 1982.

BERNE, Eric. *Des jeux et des hommes — Psychologie des relations humaines,* Paris, Stock, 1966, 212 p.

——— *Que dites-vous après avoir dit bonjour?,* Paris, Tchou, 1977, 373 p.

BETTELHEIM, Bruno. *Survivre,* Paris, Laffont, 1979, 498 p.

BLACK, Elk. *The Sacred Pipe,* Norman, University of Oklahoma Press, 1953.

BLY, Robert. *Selected Poems,* New York, Harper & Row, 1986. Je vous recommande tout ce que Robert Bly a écrit. C'est un des «pères universels» de notre temps.

BOOTH, Leo. *Meditations for Compulsive People,* Deerfield Beach, Health Communications Inc., 1987. Je me suis inspiré de sa méditation intitulée «My Name is Shame» pour écrire la mienne sur la honte toxique.

CAMERON-BANDLER, Leslie; LEBEAU, Michael. *The Emotional Hostage,* San Rafael, FuturePace Inc., 1986.

——— *Solutions,* San Rafael, FuturePace Inc., 1985 (publié à l'origine sous le titre de *They Lived Happily Ever After).*

CAMPBELL, Joseph. *Les héros sont éternels,* Paris, Seghers, 1987, 369 p.

CAPACCHIONE, Lucia. *The Power of Your Other Hand,* North Hollywood, Newcastle Publishing Co. Inc., 1988. Vous découvrirez dans ce merveilleux livre des façons d'enrichir le dialogue que vous entretenez avec votre enfant intérieur.

CARNES, Patrick. *Contrary to Love,* Irvine, CompCare Publishers, 1988.

——— *Out of the Shadows,* Irvine, CompCare Publishers, 1985. Les ouvrages de cet auteur sont incontournables. Il jette un éclairage pénétrant sur les problèmes de compulsion sexuelle.

CASHDAN, Sheldon. *Object Relations Therapy,* New York, W. W. Norton & Co., 1988.

CERMAK, Timmen L. *Diagnosing and Treating Co-Dependence,* Minneapolis, Johnson Institute Books, 1986.

CLARKE, Jean Illsley. *Self-Esteem: A Family Affair,* New York, Harper & Row, 1989.

CLARKE, Jean Illsley; DAWSON, Connie. *Growing Up Again,* New York, Harper & Row, 1980. Madame Clarke est une thérapeute douée travaillant en analyse transactionnelle. Elle a beaucoup fait progresser l'enseignement des compétences visant à devenir un parent pour soi-même.

COUDERT, Jo. *Advice from a Failure,* Chelsea, Scarborough House, 1965. Ce livre est une mine d'or. La phrase disant que «De toutes les personnes que vous connaîtrez jamais, vous êtes la seule que jamais vous ne perdrez ou quitterez» m'a ému profondément.

DEMAUSE, Lloyd. *Foundations of Psychohistory,* New York, Creative Roots Inc., 1982. Cet ouvrage revêt une importance décisive dans notre compréhension de l'enfant blessé en tant qu'archétype de notre époque.

DREIKURS, Rudolf; SOLTZ, Vicki. *Le défi de l'enfant,* Montréal, Le Jour, éditeur, 1972, 298 p.

ELIADE, Mircea. *The Two and the One,* Chicago, University of Chicago Press, 1979.

ELIADE, Mircea; WINKS, Robin W., *Cosmos and History,* New York, Garland Publishing Inc., 1985.

ELKIND, David. *Children and Adolescents,* New York, Oxford University Press, 1981.

ERICKSON, Milton. Les ouvrages d'Erickson sont très techniques. Selon moi, le livre qui rend le mieux compte de son génie est *Phoenix* de David Gordon et Maribeth Meyers-Anderson (Cupertino, Meta Publications Inc., 1981).

ERICKSON, Erik H. *Enfance et société,* Neuchâtel, Delachaux et Niestlé, 1982, 285 p.

FAIRBAIRN, W. Ronald. *Psychoanalytic Studies of the Personality,* New York, Routledge, Chapman & Hall, 1966.

FARMER, Steven. *Adult Children of Abusive Parents,* Los Angeles, Lowell House, 1989.

FORWARD, Susan; BUCK, Craig. *Toxic Parents,* New York, Bantam Books, 1989.

FOSSUM, Merle A; MASON, Marilyn J. *Facing Shame,* New York, W. W. Norton & Co., 1986. Cet ouvrage décrit particulièrement bien les règles foncièrement mortifiantes qui ont blessé le merveilleux enfant intérieur.

FROMM, Erich. *Le cœur de l'homme: sa propension au bien et au mal,* Paris, Payot, 1979, 214 p.

FULGHUM, Robert. *J'ai tout appris quand j'étais petit: réflexions peu communes sur des choses ordinaires,* Paris, Laffont, 1990, 233 p.

GOULDING, Mary; GOULDING, Robert. *Changing Lives Through Redecision Therapy,* New York, Grove, 1982.

HORNEY, Karen. *Neurosis and Human Growth,* New York, W. W. Norton & Co., 1970.

ISAACSON, Robert L. *The Limbic System,* New York, Plenum Press, 1982.

JACKINS, Harvey. *The Human Side of Human Beings,* Seattle, Rational Island Publishers, 1978.

JUNG, Carl G. *Ma vie: souvenirs, rêves et pensées,* Paris, Gallimard, 1973, 532 p.

JUNG, Carl G; ADLER, G.; HULL, R. F. *Four Archetypes,* Princeton, Princeton University Press, 1985.

KEEN, Sam. *Apology for Wonder,* New York, Harper & Row, 1969.

———— *To A Dancing God,* New York, Harper & Row, 1970.

KIRSTEN, Grace; ROBERTIELLO, Richard C. *Big You, Little You,* New York, Pocket Books, 1978.

KURTZ, Ron. *Body-Centered Psychotherapy: The Haikomi Method,* Mendocino, LifeRhythm, 1990.

LEVIN, Pamela. *Becoming the Way We Are,* Deerfield Beach, Health Communications Inc., 1988.

———— *Cycles of Power,* Deerfield Beach, Health Communications Inc., 1988. Ces ouvrages ont constitué une ressource majeure dans la rédaction du présent livre.

LIDZ, Theodore. *The Person,* New York, Basic Books, 1983.

MELZACK, Ronald; WALL, Patrick. *Le défi de la douleur,* Montréal, Chenelière et Stanké, 1982, 413 p.

MILLER, Alice. *Le drame de l'enfant doué: à la recherche du vrai soi,* Paris, Presses universitaires de France, 1983, 132 p.

———— *C'est pour ton bien: racines de la violence dans l'éducation de l'enfant,* Paris, Aubier, 1984, 320 p.

MILLER, Sherod, *et al. Alive and Aware,* Minneapolis, Interpersonal Communications Programs Inc., 1975. Cet ouvrage est à ma connaissance le meilleur outil qui soit pour aider votre enfant intérieur à développer un bon savoir-faire dans le domaine de la communication. J'en ai tiré mon «modèle de conscience».

MILLS, Joyce C.; CROWLEY, Richard J. *Therapeutic Metaphors for Children and the Child Within,* New York, Brunner/Mazel Inc., 1986.

MISSILDINE, W. Hugh. *Your Inner Child of the Past,* New York, Pocket Books, 1983.

MONTAGU, Ashley. *Growing Young,* Westport, Bergin & Garvey Publishers Inc. 1989.

MORPUGO, C. V.; SPINELLI, D. W. «Plasticity of Pain, Perception», *Brain Theory Newsletter,* 2 , 1976.

NAPIER, Augustus Y.; WHITAKER, Carl. *Le creuset familial,* Paris, Laffont, 1980, 349 p.

OAKLANDER, Violet. *Windows to Our Children,* Highland, Gestalt Journal, 1989. Ce livre regorge d'excellents exercices que vous pouvez faire avec votre enfant intérieur.

PEARCE, Joseph Chilton. *The Crack in the Cosmic Egg*, New York, Crown, 1988.

——— *Exploring the Crack in the Cosmic Egg*, New York, Pocket Books, 1982.

——— *L'enfant magique*, Montréal, France-Amérique, 1982, 237 p.

PECK, Scott. *Le chemin le moins fréquenté*, Paris, J'ai lu, Coll. J'ai lu New Age, n° 2839, 1991, 410 p.

PELLETIER, Kenneth R. *Le pouvoir de se guérir ou de s'autodétruire: une approche holistique pour prévenir les troubles causés par le stress*, Montréal, Québec-Amérique, 1984, 367 p.

PERLS, Frederick Salomon. *Rêves et existence en gestalt thérapie*, Paris, Épi, 1972, 244 p.

PIAGET, Jean; INHELDER, Barbel. *De la logique de l'enfant à la logique de l'adolescent*, Paris, Presses universitaires de France, 1955, 314 p.

POLLARD, John. *Self-Parenting*, Malibu, Generic Human Studies Publishing, 1987.

RANK, Otto. *Le mythe de la naissance du héros; suivi de la légende de Lohengrin*, Paris, Payot, 1983, 343 p.

ROBINSON, Edward. *The Original Vision*, New York, Harper & Row, 1983.

ROGERS, Carl Ransom. *Le développement de la personne*, Paris, Dunod, 1968, 286 p.

SIMON, Sidney B. *et al. À la rencontre de soi-même: 80 expériences de développement des valeurs*, Montréal, Actualisation, 1989, 400 p.

SMALL, Jacquelyn. *Transformers*, Marina del Rey, De Vorss & Co., 1984.

SMITH, Manuel J. *When I Say No, I Feel Guilty*, New York, Bantam Books, 1985.

STERN, Karl. *Refus de la femme,* Montréal, HMH, 1968, 251 p.

STONE, Hal; WINKELMAN, Sidra. *Le dialogue intérieur: connaître et intégrer nos subpersonnalités,* Barret-Le-Bas, Le Souffle d'Or, Coll. Chrysalide, 1991, 272 p.

TOMKINS, Silvan S. *Affect, Imagery, Consciousness,* I II, New York, Springer Publishing Co., 1962-1963.

V., Rachel. *Family Secrets,* New York, Harper & Row, 1987. Ce livre contient une émouvante entrevue avec Robert Bly et une autre avec Marion Woodman dans laquelle celle-ci raconte l'histoire de la femme qui avait essayé de voir le pape.

WEINHOLD, Barry; WEINHOLD, Janae B. *Breaking the Co-Dependency Trap,* Walpole, Stillpoint, 1989. Cet ouvrage est basé sur la psychologie du développement. Je dois à ses auteurs le concept des quatre stades de l'enfance: la codépendance, la contre-dépendance, l'indépendance et l'interdépendance.

WEISS, Laurie; WEISS, Jonathan B. *Recovery from Co-Dependency,* Deerfield Beach, Health Communications Inc., 1989. Je considère ces auteurs comme les meilleurs représentants parmi les rares thérapeutes de l'analyse transactionnelle qui utilisent une approche véritablement fondée sur le développement. Je leur suis redevable sur plusieurs plans.

WICKES, Frances. *The Inner World of Childhood,* Boston, Sigo Press, 1988.

WOODMAN, Marion. *Addiction to Perfection,* Toronto, Inner City Books, 1982.

TABLE DES MATIÈRES

Prologue 11

PREMIÈRE PARTIE

Le problème de l'enfant intérieur blessé 23

INTRODUCTION 25

CHAPITRE PREMIER:
Comment l'enfant intérieur blessé contamine votre vie 27

CHAPITRE 2:
Comment votre merveilleux enfant intérieur a été blessé 57

DEUXIÈME PARTIE

Renouez avec votre enfant intérieur blessé 85

INTRODUCTION 86

CHAPITRE 3:
L'expression de la première souffrance 99

CHAPITRE 4:
Apprivoisez le nourrisson en vous 119

CHAPITRE 5:
Apprivoisez le bambin en vous 149

CHAPITRE 6:
Retrouvez l'enfant d'âge préscolaire en vous 169

CHAPITRE 7:
Apprivoisez l'enfant d'âge scolaire en vous 189

CHAPITRE 8:
La réunification de soi: une nouvelle adolescence 209

TROISIÈME PARTIE

Prenez le parti de votre enfant intérieur blessé 229

INTRODUCTION 230

CHAPITRE 9:
Trouvez en votre adulte une nouvelle source de force 231

CHAPITRE 10:
Donnez de nouvelles permissions à votre enfant intérieur 249

CHAPITRE 11:
Protégez votre enfant intérieur blessé 267

CHAPITRE 12:
Mettez en pratique les exercices correctifs 281

QUATRIÈME PARTIE

La régénération 321

INTRODUCTION 322

CHAPITRE 13:
L'enfant en tant que symbole universel de régénération et de transformation 325

CHAPITRE 14:
L'enfant doué en tant que *Imago Dei* 339

CONCLUSION:
«Maison, Elliott, Maison!» 365

BIBLIOGRAPHIE COMMENTÉE 367